Texto de acordo com as normas do novo acordo ortográfico da língua portuguesa (Decreto Legislativo Nº 54 de 1995).

Editora – Catia Mourão
Capa – Joice Dias
Diagramação – Catia Mourão
Revisão – Sheila Mendonça

A567d
2. ed.

Andrade, Helena
Despertar / Helena Andrade. - 2. ed. - Rio de Janeiro : Ler, 2021.
256 p. ; 23 cm.

ISBN 978-65-86154-43-6

1. Ficção brasileira. I. Título.

21-74970 CDD: 869.3
CDU: 82-3(81)

Camila Donis Hartmann - Bibliotecária - CRB-7/6472
07/12/2021 10/12/2021

Foi feito o depósito legal.
Direitos de edição:

Ler Editorial

Despertar

Um romance de

HELENA ANDRADE

2ª Edição
Rio de Janeiro — Brasil

Dedico este livro aos profissionais da saúde, pelo esforço, dedicação, cuidado e carinho com que prestam assistência àqueles que necessitam.

Sumário

Prólogo

Não sei por que pensei ter total domínio sobre os caminhos que tracei para minha vida. Apesar de poder muitas vezes escolhê-los, eles nem sempre me levaram aonde imaginei.

Quando criança, escolhi a profissão a seguir. Planejei os meios para chegar a esta escolha sem me importar do que abriria mão para conseguir. Se necessitasse fazer algum desvio, eu o tomava simplesmente como mais uma possibilidade de alcançar meu sonho, com a certeza de que este só fortaleceria minha escolha.

Num desses desvios, surgiu uma experiência muito além de qualquer expectativa que já tive. Uma experiência que me faz questionar se o objetivo que tracei como certo para minha vida é mesmo o melhor para mim. Aquele que me completará.

Capítulo I

Será essa a sensação provocada naqueles que se aventuram a trilhar um novo caminho? Difícil foi conter o frio na barriga e as palpitações em meu peito, somadas a vontade de concluir logo esta nova etapa enquanto tentava me aquietar no banco do ônibus, para chegar ao meu próximo destino. Quando cursei Medicina, jamais sonhei trabalhar num lugar assim. Soube do concurso, então resolvi me candidatar à vaga. Para minha surpresa, passei. Apesar da distância, aceitei o desafio que me levou a deixar Campinas, tão cosmopolita quanto sua capital, São Paulo, e estar aqui, chegando para morar um ano na pequena cidade no sul do Estado do Amazonas, Guayi, um nome tão pequeno quanto ela, no entanto, com grande significado: semente boa.

O ônibus saiu pontualmente no horário previsto. As conversas das pessoas nos bancos da frente destacavam o sotaque característico da região. Outra vez, tentei me aconchegar no banco vazio ao meu lado esticando as pernas e apoiando a cabeça no encosto. Os músculos *reclamaram*. Também pudera, mais de doze horas de viagem. Entradas e saídas de aviões e agora a viagem terrestre.

Abri o vidro, o ar quente e seco do início de tarde bateu em meu rosto. Conforme deixávamos Porto Velho contemplei a cidade, vasta e plana. Em alguns locais era possível visualizar o rio, ele dava um toque diferente à paisagem. Os caminhos da água barrenta traçando formas sinuosas, separando o concreto das construções do emaranhado verde das árvores, na margem oposta, contrastando com o azul límpido do céu.

A expectativa da viagem, somada à ansiedade do novo emprego, nova moradia, novas pessoas, novos costumes, foi amenizada pela paisagem se projetando para além da estrada, a floresta exuberante surgindo a cada novo trecho. Minha mãe, com sua razão sempre aflorada, depois do impacto inicial de saber da viagem, disse ser esta etapa só mais um desafio em minha vida, meu pai, em sua sabedoria, me falou que talvez essa seja a oportunidade de vivenciar uma aventura. Até aqui, deveria concordar com ambos.

Entre sacolejos, paradas na estrada e diferentes nuances da mata ao redor, após algumas horas, finalmente cheguei a Humaitá. Mais uma etapa de minha viagem se cumpria.

— Lívia?

Desviei o olhar do motorista do ônibus retirando minha mala do bagageiro e, ao meu lado, um senhor moreno de estatura mediana, cabelos crespos e pretos, sorria para mim. Logo o reconheci das fotos, assenti e ele continuou.

— Olá! Sou Carlos. Espero que você tenha feito boa viagem. — Ele estendeu a mão e acrescentou sorrindo: — Na medida do possível, é claro.

— Fiz sim, obrigada! — Peguei na mão dele para cumprimentá-lo.

— Deixe eu te ajudar! — disse ao soltar minha mão e pegar as duas malas colocadas na calçada pelo motorista. — Você deve estar cansada. Podemos ir direto para casa.

— Agradeço se formos! Desculpe, não estou acostumada a viagem tão longa e ...

— Eu sei! Cansa mesmo.

Carregando as malas, ele saiu do pequeno movimento acontecendo ao redor do ônibus. Segui logo atrás dele, levando minha valise e o notebook. Atravessamos a rua em frente à rodoviária enquanto Carlos dizia:

— Acho muito bom você ficar um tempo conosco. Ana e eu gostamos de companhia. Você sabe, assim diversificamos os assuntos.

Carlos coordenava a Unidade de Saúde na qual trabalharei. A esposa dele, Ana, que também fazia parte da equipe médica da Unidade, trabalharia comigo.

— Agradeço a acolhida! Espero não causar grandes transtornos.

Ele parou em frente à *pick-up* S10 preta, estacionada, e acomodou minhas malas no bagageiro.

— De jeito nenhum! Como disse, é sempre bom poder conversar com pessoas diferentes, ainda mais vindas de outro local do país. É uma oportunidade de conhecermos novos costumes — dizendo isso ele abriu a porta do passageiro para eu entrar e, dando partida no motor, acrescentou: — Você pode estranhar no início por ser uma cidade pequena, no entanto aqui tem suas compensações. Tomara que acabe gostando.

— Espero que sim. — Como pretendia passar aqui meu próximo ano, seria muito bom descobrir compensações. Talvez minha vontade inicial de finalizar esta etapa, pudesse ser recompensada por boas experiências no *durante*. — O senhor comentou sobre a casa para alugar. Ela está disponível ainda?

— Por favor, não me chame de senhor! — pediu voltando-se a mim, o sorriso estampado no rosto. — Claro, está sim!

— Posso conhecer?

— Amanhã, se você quiser, podemos pegar a chave. Miguel, o médico que você veio substituir, morava lá. — Fez uma pausa para manobrar o carro. — Como lhe disse, ele voltou para a Bahia. A esposa se cansou de morar aqui. A casa está em ordem, só deve precisar de uma pintura. Ele deixou os móveis, só levou mesmo os objetos pessoais.

— Isso é bom! Espero poder me organizar logo. Não quero abusar de sua hospitalidade.

— Como disse, você é bem-vinda! Não se preocupe. Ana sente falta de companhia feminina para conversar. Quando Rosa, mulher do Miguel, morava aqui, as duas se entendiam bem.

Não demorou a estarmos de novo na estrada, porém esta de terra, também ladeada por árvores, seguindo em direção à cidade de Guayi. Não conhecia o local, a não ser de fotos enviadas por ele e também pela pesquisa que fiz na internet. Pelas fotos pareceu ser uma cidade pacata, mas devia possuir uma natureza exuberante. Ficava cercada pela Floresta Amazônica, às margens do Rio Madeira, um rio extenso e muito importante para a região, pelo que pesquisei.

— Você falou em comprar um veículo, não?

Assenti, e ele continuou:

— Se quiser, podemos fazer isso no sábado. Só teremos que retornar a Humaitá. Aqui tem mais opções que em Guayi, e você poderá se familiarizar com o local.

— Não entendo muito de carros, mas aqui o veículo precisa ser robusto, não é mesmo? Pensei talvez em um Jeep, não muito novo, pois não quero gastar muito. Você acha uma boa opção?

— Sem dúvida! Poderemos encontrar um desses em boas condições. Talvez por um bom preço, ou pode ser uma caminhonete, que também é um bom carro para esta região.

Desviei o olhar para a estrada, buscando prestar atenção para conhecer melhor o caminho, pois sabia da necessidade de percorrer este trecho muitas vezes. As copas das árvores projetavam-se em direção ao azul do céu sem nuvens.

— Como está o atendimento pediátrico na Unidade? — Voltei-me a Carlos. — Vocês estão sem médico?

— Estamos sim! Miguel foi embora em novembro. Então vieram as festas de final de ano. É difícil arrumar substitutos nesta época. Contudo, tivemos sorte, porque veio um médico generalista, que assumiu no início de dezembro. Você irá conhecê-lo. Ele veio de Cuiabá, o nome dele é Rodrigo.

— Bom! Agora seremos quatro?

— Sim. A cidade é pequena, só que algumas fazendas são distantes e tem também a população ribeirinha. Você acha que consegue começar amanhã?

— Claro! Estou ansiosa para trabalhar.

— Perfeito! Você se dará bem aqui! Bem, estamos chegando. Veja! — disse estendendo a mão à frente.

No lugar onde ele apontava, o rio largo se destacava, sobre ele, feixes de luz do sol refletiam na água, criando nuances douradas, parecendo tecidos de luz movimentando-se numa coreografia, como um balé. Fiquei maravilhada. Será que Carlos teria razão? Eu poderia mesmo me dar bem aqui?

Conforme seguíamos a estrada, a cidade começou a despontar. Como em todos os lugares pelos quais passei, ela também parecia plana. Algumas ruas, provavelmente as principais, eram de pedras cruzando com outras de terra batida. As casas, em sua maioria, pequenas e pintadas em tons coloridos, com seus muros baixos, ou até sem eles. Crianças brincavam descalças nas ruas, completamente à vontade, como se estivessem no quintal de suas casas.

Havíamos percorrido pouco mais de quatro ruas quando Carlos virou a esquina. No meio da quadra, ele entrou com a *pick-up* num terreno por um caminho de pedras, tendo ao fundo a casa pintada de azul.

A construção ostentava a ampla varanda. No centro, a grande porta de madeira destacava-se. O jardim, muito bem cuidado, tinha duas grandes árvores, plantadas nas laterais. Elas pareciam carvalhos centenários. O caminho de pedras era ladeado por fileiras de mini rosas coloridas, alegrando o jardim.

— Bem, chegamos! Você vai perceber que aqui ou algo é muito perto, ou, muito longe.

Tive de sorrir. Não pude deixar de me sensibilizar com esse homem, acolhendo-me de forma tão espontânea.

Ao estacionarmos, a porta da frente se abriu. A mulher de cabelos pretos, cortados à altura do queixo, e pele morena abriu o largo sorriso ao sair pela porta.

— Olá, Lívia! Seja bem-vinda — ela exaltou ao se aproximar do carro, já de braços abertos. — Sou Ana. Fico feliz por você chegar bem!

Abri a porta e saltei em sua direção.

— Obrigada, Ana! É um prazer te conhecer.

Ana envolveu o braço em minha cintura, conduzindo-me para dentro da casa.

— Venha! Vamos entrar! O Carlos trará suas malas. — Ela voltou-se para trás e piscou para o marido.

Ana aparentava ter pouco mais de quarenta anos, porém sabia que ela tinha cinquenta ou mais, pois o filho já concluiu a faculdade e morava em Manaus havia alguns anos. Com estatura igual a minha, um metro e sessenta, seus cabelos lisos emolduravam o rosto redondo, de sorriso espontâneo iluminando a face. Sua voz ritmada e tranquila transmitia calma. Ana era tão simpática quanto Carlos, me recebeu de forma calorosa.

Ao entrar na ampla sala com móveis em estilo de fazenda, os raios de sol do fim de tarde riscavam as almofadas coloridas no sofá. O aroma adocicado do jasmim no arranjo de mesa inundava o ambiente.

Ana e Carlos me cederam um quarto aconchegante. Sobre a cama de casal, a colcha florida alegrava o ambiente. Até mesmo toalhas separaram para mim, dizendo que eu não deveria usar minhas roupas de banho durante a estadia na casa deles.

Senti-me à vontade. Peguei minhas roupas e segui para o banheiro no final do corredor a fim de tomar banho. Lavei meu cabelo, estava horrível, só de passar a mão pude sentir os fios lisos, quase no meio das costas, impregnados de poeira. Deixei a água, morna e abundante, cair por todo o corpo, uma perfeita massagem nos músculos rígidos.

Ao acabar, me vesti e fui direto para a sala. Já podia sentir o cheiro da comida. Ao senti-lo, dei-me conta do quanto estava faminta. Não tinha comido quase nada o dia todo.

Ana colocava a mesa do jantar. Assim que entrei, ela sorriu para mim.

— Você deve estar com fome. Fiz o jantar. Como não sabia qual comida gosta, fiz algumas opções como peixe, que é a especialidade da região, assim você vai se acostumando. Fiz também carne assada, legumes, salada verde e arroz branco.

— Nossa, parece ótimo, adoro peixe. O cheiro está maravilhoso!

— Bem, o Carlos já deve estar vindo, logo poderemos jantar. Seu cabelo é muito bonito, liso e grosso. Este tom de loiro é diferente. É natural?

Assenti, enquanto Ana emendava outra pergunta.

— Você quer um aperitivo antes do jantar? Às vezes, tomamos aguardente ou vinho.

— Sim, por favor, pode ser vinho, se você for tomar. Só mesmo uma taça, porque senão posso dormir sobre o prato.

— Entendo, você parece cansada.

— Oi, meninas! Podemos jantar? Estou faminto! — Carlos cumprimentou entrando na sala e já se sentando.

— Claro! — Ana sentou-se e me indicou a cadeira à sua frente. — Lívia, como você se sente vindo morar tão distante?

— Bom — suspirei —, confesso estar um pouco assustada. Nunca deixei minha casa antes. Sempre morei com meus pais. Até a universidade fiz na mesma cidade e nunca precisei ficar longe muito tempo.

— Você fez universidade pública? — ela perguntou ao me servir a taça de vinho.

— Sim! Ou então não teria conseguido. Meus pais sempre trabalharam e isso possibilitou que eu e minha irmã só estudássemos, mas eles não teriam como pagar uma faculdade particular de Medicina. Laura, minha irmã, fez Engenharia Civil. Agora ela tem um escritório junto com o marido, que também é engenheiro. É mérito dos meus pais termos conseguido só estudar. Eles se esforçaram muito para isso, do contrário não teria conseguido, pois é difícil trabalhar e estudar. Cursar Medicina então, impossível.

— É verdade. O Luiz Antônio, nosso filho, fez faculdade de Engenharia. Ele se especializou em Eletrônica. Conseguimos também mantê-lo só estudando, e hoje ele trabalha como gerente em uma fábrica de Manaus. Sem dúvida é motivo de muita alegria para os pais, os filhos se realizarem na profissão que escolheram, melhor ainda se podem se sustentar com ela. Por favor, sirva-se — Ana pediu passando-me a salada.

— Vocês sempre viveram aqui?

— Não, somos de Manaus! Viemos faz vinte anos — Carlos respondeu. — Queríamos levar uma vida mais tranquila, sem toda a agitação da cidade grande, então surgiu a oportunidade e ficamos por aqui. Quando o Luiz foi para Manaus até tivemos vontade de voltar; repensamos e decidimos ficar. Gostamos daqui.

— Você logo vai perceber como o povo é acolhedor — Ana comentou. — Aqui todos se conhecem. Claro que a população é muito dispersa, até pela distância das fazendas, da floresta, enfim, a área territorial é muito extensa.

— Na verdade, estou ansiosa para começar a trabalhar. Quero conhecer mais do povo daqui. Apesar de ter de partir em breve, espero poder contribuir e melhorar a saúde dos moradores.

— Você está certa mesmo? Ficará aqui só um ano? — Ana perguntou parecendo se lamentar.

— Bem, de fato, sempre sonhei em ser cirurgiã. Quando criança, tinha um daqueles kits médicos de plástico. Brincava de abrir minhas bonecas fingindo operá-las. — Ao recordar não consegui conter o riso. — Para continuar meus estudos, preciso trabalhar, não consigo me sustentar de outra forma. Aceitei o emprego porque isto vai me ajudar a juntar dinheiro para realizar meu sonho e fazer a especialização no exterior.

Carlos me passou o peixe e disse:

— Aqui existe grande rotatividade de médicos, justamente porque os atrativos são poucos. Os recém-formados ficam pouco tempo, e os experientes não vêm, pois em geral já têm a vida profissional estabilizada ou se classificam atrás dos recém-formados nos concursos.

— Sinto muito! Deve ser difícil para vocês, e também para os moradores, passarem por tantas trocas de profissionais.

— Tudo bem! Nós entendemos. — Ele pareceu finalizar e voltou-se para Ana. — O peixe está ótimo. Foi o Seu Chico quem trouxe?

— Foi sim! — Ana confirmou, com o sotaque típico da região. — Lívia, você verá que uma das grandes maravilhas deste lugar é podermos receber o peixe fresquinho, limpo, pescado no dia e entregue pelo próprio pescador.

— E os seus pais? No que eles trabalham? — Carlos quis saber.

— Meu pai é contador, sempre trabalhou em empresas. Minha mãe é professora de ensino fundamental. Não faz muito tempo ela também voltou a estudar e fez pedagogia.

— Acho muito bom trabalharmos. Além de ajudar financeiramente, ainda nos sentimos mais valorizadas — Ana comentou.

— Concordo! Minha mãe sempre trabalhou. Isso nos incentivou a estudar e termos nossa profissão.

Começamos a conversar sobre trabalho. Quis saber o perfil dos moradores. Procurei tirar algumas dúvidas sobre as doenças mais comuns na região e a rotina da Unidade.

Retirávamos as louças da mesa, Ana se voltou para mim.

— E você não deixou nenhum namorado na sua cidade?

— Não! Tenho muitas coisas para pensar. Não quero arrumar mais uma — respondi juntando os pratos à minha frente.

— Ana, por favor, você está sendo indiscreta! — o marido a censurou.

— Carlos, a moça é bonita e jovem. Tem de namorar! Não pode só pensar na carreira. — Voltou-se novamente para mim, que não me contive e estava sorrindo, e completou. — Você tem de aproveitar sua juventude.

— Você parece minha mãe!

Então, todos rimos.

Acabamos de lavar a louça, agradeci o jantar, de fato estava ótimo, pedi licença e fui para o quarto. Exausta, adormeci ao deitar. Meu sono foi tão profundo, não sei sequer se sonhei.

Capítulo 2

Levantei eufórica para iniciar meu primeiro dia de trabalho. A noite bem dormida me fez bem. Escolhi jeans e camiseta para vestir, peguei meu avental, calcei meu par de botas e saí do quarto.

Encontrei Ana preparando o café na cozinha. Ao seu lado, uma senhora morena, robusta, usando um vestido colorido, ajudava a preparar os alimentos do café da manhã.

— Bom dia, Lívia! Dormiu bem? Ficou confortável? — Ana perguntou e dirigiu-se à senhora. — Berenice, esta é a Doutora Lívia, a nova pediatra da Unidade. Ela chegou ontem!

Sorri para a senhora, cumprimentando-a. Ana continuou:

— Berenice me ajuda muito, é ela quem cuida da casa.

A mesa na sala de jantar já estava posta. Havia frutas de vários tipos, algumas conhecidas, como laranja, banana e melão, e outras desconhecidas para mim, provavelmente da região.

— O Carlos já foi trabalhar?

— Sim. Ele gosta de chegar antes. Assim dá tempo de organizar, tomar pé da situação. Ele checa tudo, da limpeza à reposição de medicamentos. Ajuda a repor materiais, abastecer os consultórios, as salas, verifica as vacinas, confere validades. Ele é muito organizado, você vai ver.

Terminamos o café. Apesar da minha ansiedade em seguir para a Unidade, percebi que Ana ainda levaria algum tempo e não quis atrapalhá-la, então aproveitei enquanto ela passava orientações a Berenice, para ligar pros meus pais. Falei com eles somente ao desembarcar no aeroporto, eles deviam estar preocupados. Ao decidir aceitar este emprego deixei-os desorientados. Acharam loucura eu assumir um emprego num lugar tão distante, sem conhecer ninguém e, ainda por cima, quase sem experiência na área. Porém, *sou do tipo que se enfia uma coisa na cabeça tem de ir até o fim, não importa quanto isso vai custar.*

Contei um pouco sobre a viagem e finalizei a ligação quando Ana surgiu a minha frente, parecendo estar a minha espera.

— Vamos de carro? — perguntei, juntando-me a ela.

— Não! São só duas quadras. É bom caminhar a esta hora.

Choveu na noite anterior, como é típico da região nesta época. Apesar do sol já brilhar, a umidade ainda permanecia presente refrescando o ar da manhã.

Chegamos a uma construção de alvenaria, térrea e larga, pintada de branco, com uma grande porta na frente e pequenas janelas de vidro em ambos os lados. A placa na fachada identificava a Unidade de Saúde. O caminho de cimento cortava o gramado e levava à porta. Em toda a extensão do jardim as árvores suntuosas se destacavam, proporcionando uma deliciosa sombra no prédio.

Entramos na recepção e alguns pacientes já aguardavam. Muitos deles, crianças acompanhadas das mães. Ana cumprimentou a todos, inclusive a recepcionista chamada Ruth, a quem me apresentou.

Atravessamos a recepção e cruzamos a entrada em direção ao corredor amplo e com várias portas distribuídas em ambos os lados. Então, ela foi gesticulando, apontando as salas: de curativos, vacinas, coleta de sangue, seu consultório, além de outros dois consultórios. A faxineira, uma senhora trajando uniforme verde, finalizava a limpeza do corredor. Ana nos apresentou e fez o mesmo com duas funcionárias que encontramos na sala de coleta de sangue.

No final do corredor, chegamos à outra sala, com duas fileiras de cadeiras. A mesa no centro acomodava diversos brinquedos, onde na parede tinha inclusive uma lousa.

— Esta é a recepção da pediatria e aquela, sua sala — Ana informou apontando para a porta entreaberta.

Da recepção da pediatria, outro corredor levava aos sanitários e à cozinha. Ao chegar próximo desta, ouvi o murmurinho de vozes. Reconheci a voz do Carlos.

— Bom dia pessoal! — Ana cumprimentou ao entrarmos no pequeno espaço — esta é a Doutora Lívia.

Indicando-me ao grupo espalhado pelas cadeiras e recostados na pia, ela apresentou-os:

— Estes são Antônio, Júlio, Clarice, Vilma, Clotilde e Maria.

— Bom dia! — cumprimentei a todos.

— Bem-vinda! — o rapaz, com os cabelos escuros bem curtos, estendeu a mão para me cumprimentar. — Sou Antônio.

Depois os outros fizeram o mesmo. Foi Maria quem falou:

— Estamos aqui para ajudar. Se tiver qualquer dúvida basta perguntar. Aos poucos você saberá quem é quem. Deve ser confuso no primeiro dia.

— É mesmo! — concordei sorrindo.

Percebi alguém chegar por trás de mim, na porta da pequena cozinha. Ao me virar, dei de frente com o rapaz de cabelos pretos, lisos e espessos, o olhar maroto através dos olhos castanhos, que combinava perfeitamente com a pele de bebê, lisa e clara. Ele me encarou, abriu o sorriso e disse:

— Enfim você chegou, doutora!

Ele não precisava identificar-se, já sabia, só podia ser Rodrigo, o médico que Carlos mencionou. Estendi a mão para cumprimentá-lo.

— Olá! Bom dia. Sou Lívia. Prazer em conhecê-lo.

— O prazer é todo meu — enfatizou. — Sou Rodrigo!

Senti o olhar de todos sobre nós, a cozinha ficou em completo silêncio. Quebrando o clima, Carlos colocou ordem:

— Ok, pessoal! Vamos trabalhar. Já temos pacientes à espera. Acabou a folga.

Rodrigo liberou a porta e saí, com os outros atrás de mim.

Foi Maria quem me levou ao meu consultório. O cômodo era pequeno, mas suficiente para acomodar a mesa com as cadeiras para mim e os pacientes. Havia uma maca e a balança pediátrica. Tudo era branco, inclusive as paredes revestidas de azulejo, as únicas cores, verde-musgo, eram do forro da maca e dos assentos das cadeiras. Na parede alguns quadros ostentavam letras coloridas e bichinhos. Apesar de a mobília estar desgastada, tudo estava limpo e organizado.

Ela explicou como funcionava o atendimento na Unidade. Disse que precisaríamos fazer visitas domiciliares, e elas seriam encaixadas na minha agenda. Maria era uma senhora aparentando sessenta anos, morena, robusta. Sorriso doce. Parecia ter a sabedoria dos habitantes desta região, que muito antes de eu nascer, já tratavam as doenças retirando da floresta todo o necessário para manter a saúde.

— Então doutora, precisa saber algo mais? Posso pedir ao paciente para entrar?

— Tudo certo Maria. Pode chamar o primeiro!

Comecei os atendimentos. Fui me familiarizando com o sotaque do povo. Percebi a confiança depositada por eles neste lugar. Apareceu de tudo, desde infecção de ouvido até bicho de pé, passando por suspeita de verminose, amigdalite, otite e outras doenças infantis. Só um caso realmente me assustou. Uma senhora trouxe dois filhos pequenos. Dorival, de três anos, e Lucia, de dois. A mãe Dejanira, junto com o marido, chegaram à cidade havia alguns meses, vindos de um local árido do nordeste, tentar a sorte nesta pequena cidade. Contou que o marido tornou-se pescador e ela ficava em casa, para cuidar das crianças. A mulher, às vezes, recolhia sementes na floresta para fazer artesanato, contribuindo assim com a renda da família.

Mesmo antes de examiná-los, percebi tratar-se de crianças desnutridas. A menina, começando a dar os primeiros passos, não aparentava ter mais de nove meses.

Após confirmar minhas suspeitas, expliquei à mãe:

— Bem, Dona Dejanira, seus filhos estão bem abaixo do peso. Precisamos nos esforçar juntas para melhorar isso. Os casos de desnutrição são graves e precisam de toda atenção. Diga-me, vocês sempre têm comida em casa?

— Sim, doutora. Desde que *viemo* pra cá, *arrumamo* casa pra morar. Tem até quintal pras *criança* brincar. Meu marido traz peixe, arroz e farinha todo dia.

— Certo! Além disso, vocês também comem frutas, legumes, verduras?

— Ah, é muito difícil — ela confessou.

— Bem, além do peixe, é preciso fazer as crianças comerem mais verduras, grãos e outros alimentos. As verduras, a senhora pode conseguir no próprio quintal da sua casa, plantando-as. A terra desta região parece ser boa. Nessa primeira fase vou explicar à senhora como fazer uma mistura. Assim a comida ficará mais nutritiva. Também vou pedir exames. Quando estiverem prontos a senhora volta para vermos o resultado. Se notar as crianças sem ânimo, sem vontade de brincar ou mais magros, traga-os imediatamente. Tudo bem?

Ela confirmou e comecei a ensinar-lhe alguns truques para manter os principais nutrientes dos alimentos, que aprendi durante um curso para tratar desnutrição infantil.

O dia passou tão rápido, nem me dei conta da hora. Parecia que todas as crianças da cidade vieram se consultar.

Quando guardava minhas últimas anotações, Ana bateu na porta entreaberta e entrou.

— Hoje você fez jus ao seu salário, hein? Não teve folga. Ao menos conseguiu comer o lanche que te deixei na cozinha?

— Sim, obrigada! Devorei-o! Estava uma delícia! — elogiei deixando o consultório e seguindo-a pelo corredor.

— Você conquistou o povo daqui. Vi várias mães saindo satisfeitas.

Fiquei sem jeito e senti o rosto aquecer quando ela apontou a porta fechada do consultório do Rodrigo.

— Percebi que não foram só as mães...

Achei melhor ignorar o comentário e tratei de mudar o assunto.

— Podemos ver a casa para alugar? É muito longe? Vou te atrapalhar?

— Claro que não vai me atrapalhar. Não é longe, a mesma distância da minha casa, somente na direção contrária. Venha! Podemos ir a pé — ela disse já me puxando pelo braço. Passamos pela recepção quase vazia, só com alguns funcionários preparando-se para sair.

Conforme Ana comentou, a casa era próxima. Caminhamos por duas quadras e, ao virarmos a esquina, a esposa de Carlos apontou.

— Veja! A casa é esta.

A construção térrea, pintada de amarelo-claro, ficava acima do nível da rua. Quatro degraus davam acesso à varanda coberta, dominando toda a parte frontal da casa. A inclinação do telhado da frente permitia visualizá-lo. A porta de madeira escura no centro e a ampla janela de vidro contrastavam com a cor das paredes. Assim como a maioria das casas da cidade, seu muro era baixo. O pequeno jardim cortado pelo caminho de pedras levava à escada. Na lateral, um balanço sobre o gramado parecia convidar a sentar e relaxar. Todo o conjunto era harmonioso.

Sorri para a Ana.

— A casa é uma graça. Adorei! Podemos entrar?

— Claro! A chave está comigo! O Carlos me falou que você queria ver.

Ela me passou a chave. Entrei no jardim caminhando pelas pedras. Subi os degraus da varanda e olhei para trás, o sol baixava no horizonte. As nuvens pareciam tingidas em vários tons de amarelo, laranja, até nuances de vermelho, refletindo a luminosidade. Fiquei extasiada diante de tanta beleza. Virei-me e abri a porta.

As paredes dos dois quartos e da sala careciam de pintura. A cozinha, separada da sala apenas por um balcão, e o banheiro eram revestidos. O revestimento do banheiro precisaria ser trocado.

— É possível encontrar alguém para reformar o banheiro e pintar a casa? Com isso ela ficará excelente.

— Conhecemos o Seu Jorge. Ele trabalha muito bem e está disponível no momento. Basta você escolher os materiais e ele fará o serviço. O preço dele também é bom, podemos pedir o orçamento se quiser.

— Quero sim!

— A Rosa reformou a cozinha há pouco tempo. Por isso está em ordem.

Os móveis da casa também estavam em bom estado. No quarto maior tinha uma cama de casal, no outro, uma cama de solteiro e uma mesinha. Precisaria também trocar as almofadas do sofá da sala. No mais, tudo parecia em ordem.

— Perfeito! — exclamei. — Não vejo a hora de começar.

Entrávamos na casa de Ana quando ela comentou, com um sorriso maroto estampado no rosto, que Rodrigo jantaria conosco. Minha expressão deve tê-la desestimulado, pois completou:

— Não convidei! Ele se ofereceu. Não tive como dizer não.

Esta situação irá ficar difícil, pensei comigo. Tudo bem, ele era bonito. Na verdade, lindo. Provavelmente inteligente e bem-humorado, pelo que pude notar de nosso breve encontro. Porém, não estava de fato interessada em arrumar romance. Minhas poucas tentativas foram experiências desastrosas. Magoei ou saí magoada. Prometi a mim mesma não pensar nisso até estabilizar minha vida profissional.

Lavei de novo meu cabelo. Desta vez usei o secador, coloquei jeans e uma blusa de malha, que ganhei da minha irmã Laura no meu último aniversário. O tom verde do tecido destacava a cor dos meus olhos, castanho-claros.

Diante do espelho, passando batom, me questionei do porquê estar preocupada com a aparência. Bom, toda mulher gostava de ser admirada, e eu não era exceção. Não me considerava linda. Possuía um bom corpo e minha pele clara combinava com a cor dos cabelos. Nunca me preocupei em me vestir para alguém, mas sempre gostei de me cuidar. *É talvez fosse só isso mesmo: gosto de me cuidar.* Refleti e finalizei o batom sem dar chance aos pensamentos que começavam a dominar minha mente sobre Rodrigo.

Ana arrumava a mesa para o jantar quando entrei na sala. Pelo olhar dela, percebi ter acertado no visual. Ela não disse nada. Provavelmente meu silêncio aos seus comentários deixaram-na inibida.

Berenice já havia adiantado a maior parte, só nos restava preparar a salada e arrumar a mesa.

Sentadas no sofá, enquanto aguardávamos Carlos voltar da visita que foi fazer ao funcionário de uma fazenda da região, ela me ofereceu uma bebida, recusei.

— E aí, Lívia? O que achou dos atendimentos de hoje?

— Bem, Ana, as pessoas são muito simpáticas. Tentei falar com elas de forma clara, pois queria ajudá-las a entender minhas orientações. Algumas palavras têm significado diferente aqui. É a forma de falar, as diferenças regionais deste país tão grande. Diversificado. Às vezes parecemos falar línguas diferentes — constatei. — No entanto, foi bom! Vamos dizer que conseguimos falar a mesma língua.

Rimos.

— Sua vinda será boa para o povo. O Miguel era um excelente profissional, mas era seco, direto. Percebi como você lida com as crianças, só pela maneira como as chama. Com certeza elas também perceberam o carinho e isso deve fazer as mães se sentirem confiantes.

A porta de entrada abriu. Carlos entrou, seguido por Rodrigo.

— Olá, meninas! — Carlos cumprimentou. — Nossa! Como vocês estão bonitas! — ele elogiou, vindo direto beijar Ana, ao mesmo tempo em que apontava Rodrigo. — Olha quem cacei na rua.

— Boa noite! — Ele veio em nossa direção.

Nós nos levantamos para cumprimentá-lo, parecia tímido.

— Olá, Rodrigo — Ana cumprimentou. — Nós esperávamos vocês chegarem.

Rodrigo aproximou-se dela, dando-lhe um beijo no rosto e voltou-se para mim, fazendo o mesmo.

— Boa noite, Lívia!

— Olá, Rodrigo!

Ana então perguntou ao marido se não gostaria de tomar um banho. Com a resposta afirmativa de Carlos, ela nos pediu licença e os dois se retiraram, seguindo no corredor. Rodrigo se sentou e indicou a poltrona para eu voltar a sentar.

— Como foi seu primeiro dia? – ele perguntou e passou a mão no cabelo ainda úmido, ajeitando os fios negros para trás.

— Foi bom, gostei de voltar a atender. Há um mês não fazia isso.

— Onde você trabalhava antes de vir para cá?

— Sou recém-formada. Fiz residência em hospital público. Passei por quase todos os setores, depois fiz alguns plantões. Não tinha emprego fixo.

— Você é de Campinas, não é?

— Sou. Você conhece?

— Conheço. Estive lá no ano passado, quis conhecer a universidade. Aproveitei para fazer um curso. Lá é uma região bem desenvolvida na área de saúde. Você cursou medicina lá mesmo?

— Sim. Fiz universidade pública. Gosto muito de lá. Toda a minha vida morei naquela cidade.

— Por que você veio trabalhar tão longe?

— Bom, prestei o concurso, passei... Apesar de ser possível conseguir emprego naquela região, achei valer a pena a experiência. Conhecer outros locais do país. Sabe, né? Sair da casa dos pais, ampliar meu conhecimento. Além disso, o salário é razoável.

— É! E você vai ver que a possibilidade de gastos aqui é mínima.

— Isto é ótimo, pois pretendo juntar dinheiro para fazer outra especialização fora do país.

— Mesmo?! Não acredito. Eu também quero fazer uma especialização no exterior. Pretendo trabalhar e juntar o suficiente para isso.

— Foi o que te motivou a vir para cá?

— Esse também é um dos motivos. Além disso, queria conhecer a região. Não sei se você sabe, mas sou de Cuiabá. Lá também é uma região de natureza selvagem, por causa do Pantanal. Isso me atrai.

— Há quanto tempo é formado?

— Quatro anos. Em Cuiabá também já trabalhei com saúde pública. Assim como você, tive vontade de conhecer novos lugares — argumentou. — Então, aqui estou! Sentado numa aconchegante sala, na companhia de uma bonita paulista, com interesses muito parecidos aos meus. A vida é maravilhosa! Você não acha?

— Concordo! — respondi, sorrindo. Além de bonito ele era simpático, e possuía um belo sorriso.

— Vejo que vocês já começaram a se conhecer — Ana constatou entrando na sala. Ela piscou para mim. Eu abaixei os olhos, enquanto ela continuou a falar. — Descobriram algo em comum?

— Nossa Ana! Lívia também quer fazer especialização no exterior, olha que coincidência. Podemos trocar informações — Rodrigo afirmou, olhando-me. — Quem sabe nossas áreas de interesse não são parecidas.

— Claro, podemos conversar mais, se você quiser. Sem dúvida, teremos muito tempo aqui.

Carlos chegou e fomos nos sentar à mesa. Durante o jantar, ele nos contou particularidades sobre a cidade. Que as fazendas da região cultivavam principalmente soja e café. Alguns investiam nas criações de gado. Havia uma cooperativa de trabalhadores. Eles recolhiam produtos da floresta, como frutos, sementes, folhas, e comercializam com empresas de cosméticos do sul, além disso faziam artesanatos para enviar a outros estados do país e até para o exterior.

A consciência de preservação das florestas vinha crescendo, no geral, todos se preocupavam. Claro que ainda havia muitos conflitos, em especial para a exploração da floresta, mas alguns fazendeiros já haviam entendido que precisavam preservar e uniam-se aos trabalhadores, valorizando a mão de obra, em contrapartida, os trabalhadores se empenhavam mais. Esse ciclo já demonstrava suas compensações, pois a maioria tinha emprego. Por isso, as situações de miséria diminuíram.

— Penso ser esse o caminho — Carlos concluiu. — A consciência da preservação da natureza, precisamos dela para sobreviver. Isso acaba também incentivando o respeito no ser humano, o que beneficia todas as partes. Quem sabe assim poderemos viver de maneira mais digna.

A noite foi agradável. Estava começando a gostar deste lugar, da sabedoria destas pessoas. Não imaginava ser assim. Eu tinha muito para aprender. Seria um período de aprendizado até eu partir para conquistar meu sonho de fazer a especialização.

Rodrigo era inteligente, espontâneo. A conversa entre nós fluía de maneira natural. Ele não voltou a me dar indiretas. Só conversamos como colegas de profissão, sem falar muito sobre questões pessoais. Quando ele foi embora, se despediu com um demorado beijo na minha face.

Depois que ele saiu, ajudei Ana com a louça e fui me deitar, buscando, de novo, me desviar dos pensamentos sobre Rodrigo.

Capítulo 3

Carlos voltou comigo à Humaitá, no sábado pela manhã, para eu comprar o carro. Esperava que o dinheiro da venda do anterior, que tinha em Campinas, fosse suficiente para adquirir outro aqui. Não estava nem um pouco disposta a gastar mais.

Em Guayi não senti dificuldade de me locomover. Tudo era próximo, porém, gostava da liberdade de ter meu próprio carro. Se quisesse me aventurar num passeio, ele me daria segurança e independência.

Aproveitaria a viagem também para pegar as tintas e o piso para a reforma da casa. Já contratei Seu Jorge. Ele começará na segunda-feira. O prazo para fazer o trabalho seria de três semanas, segundo ele.

— Vou te apresentar um pouco a cidade de Humaitá, Lívia! Algumas vezes você pode precisar vir até aqui — Carlos orientou ao entrarmos na cidade.

— A cidade é tranquila, pelo que posso perceber.

— Sim. Também é uma cidade jovem. Foi fundada no final do século XIX. Guayi perto dela é um bebê, pois tem só algumas décadas. Enfim, esta é uma das poucas cidades do estado com acesso fácil às principais rodovias.

Como eu já sabia qual tipo de veículo queria, fomos apenas a algumas lojas. Não rodamos muito. Na terceira encontramos um jipe vermelho desbotado, bem ao estilo dos carros de Rally.

— E então, Lívia? O que achou do carro? — Carlos perguntou, enquanto o vendedor foi checar os documentos.

— Gostei! Me parece bom. O custo dele está um pouco acima do que imaginei — ponderei, imaginando como conseguir um pouco mais de dinheiro. Talvez tivesse de tirar das minhas economias.

— Concordo! Mas está conservado. Com ele, poderá rodar pelas estradas de terra, sem se preocupar em ficar atolada.

— É mesmo! Talvez seja difícil encontrar outro em tão bom estado.

Fechei o negócio. Pegamos os materiais da reforma e colocamos na caminhonete do Carlos. Antes do almoço já estávamos retornando a Guayi.

Voltei dirigindo meu novo carro. Na estrada de terra batida, sacolejando, aprendendo a enfrentar os desafios de desviar dos buracos, controlar o volante nas curvas fechadas e manter distância da floresta avançando, como se quisesse dominar o espaço tomado pela ação do homem, fui adquirindo confiança. Sempre gostei de estar atrás do volante. A sensação de liberdade me alegrava. Com o dia ensolarado deixei o capô aberto para sentir o vento no rosto. O sol banhava minha pele. Talvez mais tarde me arrependesse, com certeza meu cabelo ficaria imprestável. Provavelmente queimarei minha pele. Contudo, nada disso importava diante desta sensação libertadora. Sentia-me feliz como uma criança que acabara de ganhar o brinquedo novo.

Comecei a me adaptar à rotina de trabalho. Apesar de ter o carro, todos os dias Ana e eu caminhamos até a Unidade. Ela era ótima companhia, sempre animada, adorava conversar. Contou-me ser filha única e também ter se esforçado muito para estudar medicina, amava a profissão que escolheu. Seus pais já faleceram. Carlos e o filho eram os únicos parentes dela. Também contei a ela de meus sobrinhos, filhos de Laura, Leonardo e Carolina, dos quais sentia muita falta. Procurava ligar para eles com frequência, ainda assim, começava a sentir saudades da minha família e só não os via há dez dias.

No domingo, Carlos, Ana e Rodrigo me levaram pescar. Num primeiro momento, fiquei amedrontada. O rio era imenso. No entanto, precisava me acostumar, navegar por ele também seria rotineiro para mim, assim como dirigir pelas estradas da região.

Carlos tinha seu próprio barco, ancorado no pequeno cais da cidade. O barco a motor acomodava com tranquilidade seis pessoas. Nós vestimos os coletes salva-vidas e começamos a descer o rio.

Prendi meu cabelo e passei protetor solar, além de colocar chapéu, pois a extravagância no carro na semana anterior havia me custado quase um pote de creme e mais um longo tempo desembaraçando meu cabelo, além da noite maldormida, causada pelas queimaduras do sol.

— O Rio Madeira é muito extenso — Carlos explicou —, sua nascente fica no Peru, e deságua no Rio Amazonas, a muitos quilômetros de distância daqui. Ele é um dos grandes responsáveis pelo sustento do povo das regiões por onde percorre. — Carlos manobrou o motor enquanto o barco ganhava velocidade.

Ele também comentou sobre as diversas espécies de peixes que têm seu habitat nas barrentas águas do rio, como dourado, tilápia, tucunaré e até piranha. Esta última fez meu medo aumentar, tanto que fiquei muito tensa no barco. Rodrigo até brincou comigo: disse que eu perderia os dedos das mãos de tanto pressioná-los no banco.

Conforme o barco deslizava na água, o vento, a paisagem, a brisa, me ajudaram a relaxar. Carlos pilotava com habilidade, trazendo segurança, então comecei a apreciar o passeio.

A floresta nos envolvia em toda a sua exuberante. Em alguns pontos, a mata tornava-se fechada. Os cipós se entrelaçavam aos galhos. Os tons de verde e marrom das folhas secas se misturavam. Aguapés formavam um tapete verde na margem do rio. Ao passarmos por um amontoado de palafitas, crianças brincando nos decks acenaram para nós.

Devido ao barulho do motor tornava-se difícil conversar. A própria paisagem nos deixava em silêncio. Às vezes, revoadas de pássaros migravam das árvores cruzando o rio. Um desceu até a água e subiu levando o peixe no bico. Nunca em minha vida presenciei tamanho espetáculo. O barco quebrava a água, espirrando gotículas em meus braços, pescoço e face, amenizando o calor.

Navegávamos há algumas horas quando Carlos parou o barco próximo da margem. Ajeitou-o sob as sombras das árvores refletidas no rio. De onde estávamos, avistávamos uma pequena queda-d'água.

— Vamos comer aqui! — anunciou.

Como pretendíamos passar algum tempo no rio, levamos lanches para fazer piquenique.

— Lívia, perdeu o medo? — Ana perguntou.

— Já estou mais relaxada — respondi sorrindo. — Pudera, é impossível não relaxar diante desta paisagem. Até mesmo o ato de respirar é intenso neste lugar. Olha só esta vista. — Apontei a pequena queda-d'água. Pareciam flocos de neve em meio ao verde. Alguns galhos partiam da copa das árvores e se projetavam em formas harmoniosas para mergulhar na água, abraçando o rio.

— Você tem razão! — Rodrigo disse. — É impossível ficar imune a tanta beleza.

— A natureza de fato nos cativa! — Ana exclamou.

Lembrei-me da floresta vista pelo mapa e toda a área verde cortada pelas faixas marrons dos rios que a nutria. Este conjunto de terra e água possibilitava a vida em toda sua diversidade. Fantástico fazer parte disto.

— Olhe! — Rodrigo apontou a copa de uma árvore, onde um casal de tucanos se apoiava no galho. Eles eram tão belos que pareciam fazer parte de uma pintura, tamanha a perfeição de cores.

— Lindo! — exclamei.

Carlos levou varas com molinetes, para pescarmos. Após comermos, eles me ensinaram a colocar a isca no anzol e arremessá-lo. Não fui muito feliz em minha tentativa, só os peixes se deram bem. O anzol sempre voltava sem a isca. Os outros tiveram mais sorte, conseguiram pescar alguns peixes. Rodrigo pescou um dourado. Parecia pesar três quilos. Os peixes pequenos eram devolvidos à água. Ficamos com as tilápias pescadas por Ana. Ela, sem dúvida, tinha habilidade para pescaria.

Passamos o dia todo no rio, retornamos no fim da tarde, comigo já acostumada ao movimento do barco na água e degustando toda a beleza que a floresta exalava.

As semanas, após o domingo da pescaria, voaram. O trabalho me envolvia completamente. À noite não tinha ânimo para mais nada. Além disso, também acompanhava de perto a reforma da casa. Seu Jorge era a tranquilidade em pessoa, precisava acelerá-lo. Minha ansiedade em mudar não aguentava o ritmo dele.

Para complicar, faltaram algumas peças de piso para completar o banheiro. Seria impossível mudar na casa com o banheiro em obras. Por isso a obra atrasou mais uma semana. Ficar com Ana e Carlos era bom, só que sentia vontade de ter meu próprio espaço, poder ouvir minhas músicas, usar o computador, não precisar conversar, comer se quisesse, enfim, fazer coisas sozinha ou simplesmente não fazer nada. Rodrigo jantava conosco quase todas as noites. Rotina que, segundo Ana, se intensificou depois da minha chegada. Até entendia, pois ele devia se sentir só.

Fora do prazo previsto e já incomodada com o atraso, monitorei seu Jorge todos os dias na última semana. Minha insistência surtiu efeito, pois pude programar a mudança para o sábado. Ela se resumia a minhas malas e alguns acessórios de cozinha comprados por mim. Necessitava fazer faxina na casa antes de mudar. Ana se ofereceu prontamente para ajudar, só que Rodrigo insistiu tanto que resolvi aceitar sua ajuda.

Combinamos de nos encontrar na casa. Já terminava de limpar os quartos quando ele chegou.

— Bom dia! Você madrugou, hein? Isso tudo é vontade de mudar?

— Bom dia para você também! Na verdade, você é quem dormiu demais. A noitada foi boa? — perguntei, tirando onda.

— Não tanto quanto gostaria — ele arqueou as sobrancelhas, abrindo o sorriso.

Comprimi os olhos, retribuindo o sorriso.

— Vamos trabalhar! — ordenei em tom sério segurando o riso.

— A patroa manda! O que preciso fazer?

— Você poderia lavar as louças, estão sobre a pia. Depois, guarde-as no armário.

— Claro! — disse e rumou para a cozinha, batendo continência.

— Muito engraçado!

Dividimos as tarefas e não demorou para organizarmos a casa.

Passava de uma da tarde, quando preparei os lanches e fomos comer na varanda. Sentamos no banco novo que comprei, segurando os pratos na mão. Coloquei o copo de suco no chão e Rodrigo acompanhou-me.

— Obrigada pela ajuda. Você foi muito legal em se oferecer — agradeci e mordi meu lanche.

— Tudo bem! Estou feliz por ajudar. Desde que você chegou não tivemos oportunidade de ficar sozinhos — disse fazendo carinho em minha face com a mão livre.

Desviei o rosto, desvencilhando-me de sua mão. Acabamos de comer em silêncio. Fui pegar o copo vazio para me levantar e ele envolveu minha mão com a sua. Retirei a mão, constrangida. Gostava do Rodrigo, mas não me senti à vontade com o toque dele.

Peguei meu copo e fui para a cozinha. Coloquei a louça dentro da pia. Percebi a presença dele atrás de mim. Rodrigo estava muito próximo. Podia sentir sua respiração. Virei, encarando-o. Não tinha como sair, fiquei presa entre ele e a pia.

— Nós poderíamos sair — começou a dizer. — Talvez ir ao cinema. Ouvi dizer que tem um bom filme passando em Humaitá. Depois poderíamos jantar.

Ele envolveu minha cintura com o braço, me puxando junto dele. Com a outra mão fez carinho em meu rosto, tocando o indicador em meus lábios.

O toque dele na minha pele foi gostoso. Há muito tempo ninguém me tocava assim. Suspirei.

— Olha, você é um cara legal, só que não quero me envolver. Nós trabalhamos juntos! Você há de convir comigo, teremos de nos relacionar muito enquanto estivermos aqui. E se não der certo, já imaginou? Pode ficar difícil nossa convivência. Não sei se gostaria de passar por isso.

— Mas também pode dar certo! Podemos tentar. Gosto muito de você, não só porque você é uma das poucas opções daqui.

Nós rimos.

— Acho você muito especial, além de bonita, é inteligente, divertida, temos sonhos parecidos. Gostamos das mesmas coisas. Você não concorda que vale a pena tentar?

— De verdade, não tenho certeza. Gostaria de ter antes de tomar qualquer decisão. Desculpe.

Ele voltou a acariciar meu rosto.

— Tudo bem, vamos dar mais um tempo. Ver como rola. Afinal, tempo aqui é o que não nos falta — disse abrindo um sorriso.

Instalada em minha nova casa, morando sozinha pela primeira vez na vida, conforme previ, a sensação de liberdade era ótima e curti cada momento no final de semana, terminando de ajeitar as roupas, cuidando do jardim e desfrutando do balanço no fim de tarde.

Na segunda-feira, fui trabalhar mais animada. Começaria uma nova etapa nesta cidade. No trabalho já me sentia adaptada. Não pensei que o atendimento clínico pudesse me satisfazer assim. Minha agenda estava sempre cheia. Já conhecia melhor os funcionários. Estávamos nos entendendo bem. Maria, quem me acompanhava nos atendimentos, era competente e também muito amável. Trabalhávamos juntas como se nos conhecêssemos há anos.

Em dias alternados na semana, fazia visitas domiciliares, algumas vezes à população ribeirinha, navegando horas pelo rio. Ele já não me assustava mais. Acostumei-me com o balanço do barco. Somente um dia, numa das longas viagens até uma comunidade distante, avistei um jacaré descendo a margem e entrando na água. Não me assustei. Sentia-me segura. Como se ambos pudéssemos conviver neste espaço. Minha vida calma e tranquila como jamais imaginei. *O que poderia dar errado vivendo neste lugar?*

Capítulo 4

Na terça-feira à tarde estava em meu consultório. O último paciente do dia acabou de sair e finalizava as anotações na ficha de atendimento. O movimento na Unidade continuava tranquilo, tal qual o período da manhã. Carlos, Ana e a enfermeira Clarice estavam fora, saíram em visita domiciliar, acompanhados pelo agente Júlio. Em dias que os médicos se ausentavam o fluxo de pessoas na Unidade costumava reduzir.

Maria empurrou a porta, agitada, gesticulando.

— Lívia, tem uma criança na sala de curativos. Vai precisar suturar.

— Tudo bem, Maria! Já vou! Aconteceu mais alguma coisa?

— O pai está nervoso.

Segui uma Maria apressada pelo corredor. Entrei na sala e deparei-me com o garoto sentado sobre a maca. Ao seu lado o pai segurava a mão dele e de imediato voltou-se a mim. O homem alto, magro, cabelos castanho-claros, desarrumados como se tivesse acabado de esfregar as mãos nele, encarou-me. Os olhos de um azul profundo destacavam-se na pele clara, levemente bronzeada.

— Boa tarde! — cumprimentei e me coloquei ao lado dele.

— Quem é você? — questionou exasperado.

— Sou Lívia, a pediatra.

— Onde está Miguel?

— Ele voltou para a Bahia. Eu o substituí. Vou cuidar do seu filho — informei, decidida.

— Como assim?! Você nem parece ser médica. É jovem demais! Além disso, não te conheço. Cadê o Carlos?

— Ele não está! Sou capaz de cuidar da criança — disse, encarando-o. Podia sentir a raiva se espalhando pelo meu corpo.

— Não vou deixar você cuidar dele. Vou levá-lo ao hospital — dito isso, ele pegou o garoto no colo. — Vocês, médicos do sul, só vêm aqui fazer estágio.

Se utilizam das cobaias humanas, depois vão embora — descarregou num só fôlego, o tom de voz elevado.

— Não pode tirá-lo daqui. Ele está sob minha responsabilidade. Se quiser levá-lo terá de assinar um termo se responsabilizando pela saúde dele — projetei o queixo em sua direção, desafiando-o. Não sei se foi o tom de voz ou a atitude, mas ele recuou. Meus batimentos cardíacos acelerados, o coração parecendo prestes a saltar pela boca, a respiração alterada.

Virei para a criança. Ela nos observava. Os olhos azuis arregalados sob um pedaço de tecido manchado de sangue que ele segurava com firmeza na testa. O garoto assemelhava-se ao pai, só a cor dos cabelos diferente, mais escuros. Ele parecia muito assustado. Melhor ignorar o pai e dar atenção à criança.

— Olá! Sou a Doutora Lívia. Vai ficar tudo bem — tentei tranquilizá-lo com a voz mais calma, gentil e doce que consegui emitir. Podia sentir o nó na garganta. Não sabia se pela raiva ou pela mágoa. Engoli em seco. — Vou cuidar de você. Como é o seu nome?

Ele desviou o olhar para o pai. O homem pareceu entender o apelo silencioso da criança e o colocou sentado, de novo, na maca.

— Lucas — a criança respondeu, a voz tão trêmula quanto suas mãos.

Peguei a que ele mantinha suspensa à frente do tronco e a amparei entre as minhas.

— Quantos anos você tem, Lucas?

— Seis.

Percebi Rodrigo aparecer na porta. Provavelmente ouviu a discussão.

— Tudo bem, Lívia?

— Sim! — respondi, sem olhar para ele, receber qualquer manifestação de carinho, naquele momento, me faria desmoronar.

— Se precisar de ajuda pode me chamar! — ofereceu e saiu.

— Então, Lucas. Vamos ver o que tem aqui — disse ao retirar o pequeno pedaço de tecido que ele segurava na testa.

Examinei o corte e virei-me para jogar o tecido no lixo. Pedi a Maria, ainda imóvel junto à porta, para buscar o kit de sutura. Fui até a pia, higienizei as mãos, coloquei a luva. Voltei-me ao menino.

— Me conte, Lucas, como você ganhou este presente na testa? — perguntei, tentando sorrir.

— Estava na fazenda, correndo com o Toby. Fui subir a escada, tropecei, bati na parede — respondeu.

— Você está com medo?

Ele confirmou.

— Não precisa ter. Logo ficará tudo bem.

Comecei a examiná-lo e continuei o estimulando a falar.

— Quem é Toby?

— É o meu cachorro.

— Mesmo?! Você tem cachorro? Qual a raça dele?

— Meu pai diz que ele é vira-lata. Mesmo assim, gosto muito dele.

— Também gosto de vira-lata. Quando criança, tive um. Ele se chamava Sansão. Qual a cor do Toby?

— Ele é marrom. Tem também manchas brancas.

Maria voltou trazendo o kit.

— Não sabia qual o número do fio, então trouxe dois — ela informou.

— Obrigada!

Durante todo este tempo, o pai do garoto ficou na extremidade da maca, sem conseguir olhar diretamente para ele, continuei a cuidar do garoto.

— Lucas, vou colocá-lo deitado para tratar seu ferimento. Tudo bem?

— Sim. Vai doer?

— Não, querido. Você vai sentir só uma picadinha. Depois não deve sentir dor.

Se existia algo que eu fazia bem, este algo era sutura. Na verdade, essa sempre foi uma habilidade minha. Apesar de toda a tensão pulsante na sala, me concentrei somente em finalizar cada ponto. Logo já havia terminado com perfeição.

— Tudo bem, Lucas? — perguntei. — Já acabamos! Dói?

— Não, doutora. Não sinto nada. — Ele parecia mais calmo. Os olhinhos azuis fixos em mim.

Ajudei o menino a se levantar, colocando-o sentado na maca. Caminhei até a escrivaninha, tirei as luvas, peguei o receituário, ainda sem conseguir olhar para o homem, que permanecia imóvel.

— Maria, por favor, pese-o!

Ela o levou à balança e me falou o peso. Comecei a preencher o receituário.

— Será necessário que o senhor o observe — orientei o pai sem desviar os olhos do papel. — Pode levá-lo para casa, se quiser. Se notar qualquer alteração, deve trazê-lo de volta, ou levá-lo ao hospital.

Descrevi as alterações que poderiam significar complicações e pedi ao pai para, em sete dias, retornar com Lucas para a retirada dos pontos.

— Amanhã o curativo já poderá ser removido. — Elevei os olhos.

Os dele fixos em mim. Sua expressão estava muito diferente de instantes atrás. Indecifrável. Entreguei-lhe a receita.

— Se ele tiver dor ao passar o efeito da anestesia, pode dar-lhe este medicamento.

— Obrigado! — agradeceu num sussurro, pegou o garoto no colo e saiu da sala.

Desabei na cadeira suspirando.

— Isso foi difícil! – desabafei com Maria.

— Nem me fale — ela concordou. — Nunca vi Seu Thomas tão alterado.

Entrei em casa, fui direto testar a conexão da internet. Contratei o serviço e instalaram hoje. Se estiver tudo certo, mais tarde poderei me conectar e falar com minha irmã. Pouco nos falamos desde minha chegada. Além disso, este contato com a civilização me fazia falta.

Fiz os testes. Funcionava bem, claro, não tão rápido. Mesmo assim, um avanço.

Preparei um lanche. Desde o momento em que saí da Unidade, sentia-me estranha. Inquieta. Talvez tenha até sido desde o episódio com o garoto. O rosto do pai não deixava meus pensamentos. Tomei a atitude certa. Tinha certeza. Não gostava de briga. Também não tolerava injustiça.

— Ah! Não quero mais pensar nisso. — Movimentei a cabeça. — Melhor ouvir música. Preciso me distrair.

Escolhi o CD do Coldplay. A música “Viva La Vida”, animou-me. Comecei a cantar e dançar na sala, rodopiando. Ao final da música, fui me sentar em frente ao computador, no quarto, decidida a me conectar. Talvez conseguisse falar com Laura.

— Oi, irmãzona! Sente saudades?

— *Nem acredito. Você se lembrou que existo. Mudou de país?*

— Pois é, resolvi dar um tempo de vocês.

— *Não está aguentando ficar longe, hein!*

— Verdade. — Dei risada — Como estão nossos pais? Você está cuidando bem deles?

— *É claro, você sabe! Eles estão superfelizes. Ficaram só comigo. Sempre fui a filha preferida.*

— Sei! Convencida! Como vão as crianças? Estou com saudades. Outro dia mesmo sonhei com o Léo. Estávamos brincando de bola. Ele me chutou. Veja se isso é sonho!

— *Eles estão bem. Sempre perguntam de você. A Carol teve virose na semana passada. Agora está bem. Nós só sentimos falta da nossa pediatra favorita.*

— Também sinto muita falta de vocês. De verdade, isto é o mais difícil de aguentar aqui.

— *Como estão as coisas? E o médico bonitão? Já agarrou ele?*

— Não seja ridícula. Você sabe muito bem que não estou aqui para isso.

— *Impossível! Não vai aproveitar esta oportunidade? Qual é o problema com você? Como se tornou tão insensível ao sexo oposto?*

— Fica tranquila! Não vou cobrar de vocês as sessões de terapia.

— *Como está de casa nova?*

— Nossa! É ótimo morar sozinha. A casa é uma gracinha. Você precisa programar a viagem. Vir me visitar nas férias. Conhecer este lugar maravilhoso.

— *Verei se consigo. Como está o trabalho?*

— Já estou bem entrosada. A população é gentil. Me acolheu muito bem. Só hoje tive um episódio ruim. Um pai foi agressivo.

— *É mesmo? Deve ser ignorante. Não esquenta!*

— Bem! Agora posso acessar a internet. Nos falaremos mais. Vou desconectar. Estou cansada! Diz a todos que mandei beijos. Inclusive para o meu cunhado preferido.

— *Pode deixar!*

— Fale pros nossos pais que morro de saudades. Penso sempre neles. Beijos.

Laura e eu nos dávamos muito bem, apesar da diferença de idade. Ela era cinco anos mais velha. Sempre fomos amigas. Só fiquei incomodada pelo jeito dela falar do homem com quem discuti. Ao pensar nele, aquele sentimento estranho tomava conta de mim. Novamente me sentia inquieta.

Melhor ir pra cama. Amanhã será outro dia. Nada como uma boa noite de sono para apagar da memória estas perturbações.

O resto da semana transcorreu sem maiores incidentes. A fim de retribuir a gentileza de Carlos e Ana, resolvi fazer um jantar em casa para eles. Também incluí Rodrigo, como não poderia deixar de ser. Gostava da companhia dele. Só me incomodava o jeito como ele me olhava. Às vezes também as cantadas me constrangiam.

Preparei a lasanha para o jantar. Este prato, pouco comum na região, era uma das minhas poucas especialidades. Além disso, estava com muita vontade de comer massa. Em Campinas, minha mãe cozinhava com frequência esse tipo de comida. *Ah, minha mãe, que saudade da comida da Dona Marisa.*

— Olá! — cumprimentei ao abrir a porta para Rodrigo, o primeiro a chegar. — Bem-vindo ao meu humilde lar.

— Tudo bem! Já estive aqui — respondeu rindo. — Se o gosto estiver tão bom quanto o cheiro, você já pode casar. — Ele entrou e beijou meu rosto.

— Obrigada!

— Trouxe vinho! — Estendeu a mão com o pacote. — Combina com a massa, não é?

— Claro! Vamos abrir.

Carlos e Ana chegaram em seguida. Enquanto tomávamos o vinho, acabei de arrumar a mesa. Devido às poucas opções de diversão à noite nesta cidade, estes encontros tornavam-se frequentes. Era uma forma de nos divertir. A conversa fluía tão leve. Descontraímos.

Quase não falávamos sobre trabalho, mas nesta noite, Rodrigo resolveu levantar o assunto do incidente da terça-feira enquanto jantávamos.

— Esta semana Lívia atendeu uma criança e o pai foi muito grosso. Sujeito prepotente. Tive vontade de interceder. Ensinar-lhe boas maneiras na frente de uma moça.

— Nossa! O que aconteceu? — Ana quis saber.

— Apareceu um fazendeiro com o filho. O menino se acidentou e cortou a testa. O pai ficou bravo quando viu que Lívia iria atendê-lo. Começou a gritar. Ameaçou levar o garoto embora, só porque não a conhecia.

— Mesmo, Lívia? — Carlos perguntou arqueando as sobrancelhas, espantado.

— Ele só estava nervoso. Certamente preocupado com a criança — respondi.

— Quem era? — Ana perguntou.

— Não sei. O menino se chama Lucas. Não me lembro do sobrenome. Maria mencionou o nome do pai. Thomas. Isso mesmo! Thomas.

— Thomas Farrell? Estranho. Ele sempre foi tão educado — Ana expôs.

— Não sei se é ele. Como disse, devia estar preocupado. A discussão não me incomodou — menti, na verdade, isso não saía da minha cabeça desde então. — Além do mais ficou tudo bem. O menino não retornou. Tenho certeza de que o corte cicatrizou. Ficará imperceptível.

Tratei de mudar de assunto.

— Vocês querem comer a sobremesa? Fiz manjar. Deve estar ótimo.

— De fato essa moça já pode casar — Rodrigo cutucou, piscando para mim.

Estava acordada na terça-feira de manhã quando o despertador tocou. Só me virei na cama para desligá-lo. Não dormi bem a noite toda. Demorei a pegar no sono. Acordei várias vezes. Não conseguia saber porquê. Queria muito descobrir o que tirava meu sossego.

Levantei, fui tomar banho. Talvez me sentisse melhor. Não parei de pensar naquele homem a semana toda. Tentei me distrair, estudar, usar a internet e fazer pesquisas, mas nada! A imagem do rosto dele voltava à minha mente.

— Droga! O que acontece comigo?

Tomei meu café e caminhei até o trabalho, como fazia todos os dias, desta vez com passos acelerados, pude perceber. Fiz todos os atendimentos agendados pela manhã. Logo após o almoço, Maria me chamou, o menino da semana anterior veio tirar os pontos. Senti meu coração saltar no peito. Saí em disparada e fui direto para a sala de sutura, quase atropelei Maria.

Entrei na sala. Já sentado na maca, Lucas abriu o sorriso ao me ver. Junto dele uma senhora muito elegante, bem vestida, cabelo espesso de cor avermelhada e olhos castanhos, também abriu o sorriso simpático.

— Olá, doutora! — o garoto me cumprimentou.

— Olá, Lucas! Está tudo bem?

— Está sim! Meu machucado já sarou.

— É mesmo? Então você veio só me visitar? — brinquei retribuindo o sorriso.

— Boa tarde, doutora! Muito prazer! Sou Norma, avó do Lucas — a mulher disse me estendendo a mão.

— O prazer é meu. Sou Lívia — falei pegando em sua mão. — Ele passou bem a semana?

— Sem dúvida! Nem parece que se machucou.

— Ótimo. Vamos ver como está o ferimento. Lucas, pode deitar? — Envolvi seus ombros para ajudá-lo. — Você não sentirá nada. Prometo.

Peguei a pinça e comecei a cortar os pontos. Lucas continuou a me olhar de forma intensa. Os olhinhos azuis brilhando. Abri o sorriso e pisquei para ele.

— Muito bem! Já acabou — anunciei. — Ficou perfeito! Veja — dirigi-me à avó. — No lugar do corte ficou apenas a fina cicatriz vermelha.

— Belo trabalho, doutora! — Norma atestou já emendando uma pergunta. — Você chegou há pouco tempo, não é mesmo?

— Sim. Faz só algumas semanas — respondi ajudando Lucas a sentar.

— De onde você é?

Contei a ela que comprimiu os lábios parecendo avaliar minha origem.

— Seu marido veio também?

— Não sou casada.

— É mesmo? Então tem namorado?

— Não! Também nenhum namorado.

— Sei. Está gostando daqui?

— Muito! Receei não me adaptar. Porém já me sinto em casa.

— Bom. Tenho certeza de que nos encontraremos outras vezes. — Ela flexionou a cabeça pra lateral e me olhou com curiosidade. Em seguida estendeu a mão.

— Será um prazer! — disse-lhe.

Lucas saltou da maca e se colocou ao lado da avó.

— Muito obrigada! Boa sorte! — desejou ela, pegou a mão de Lucas e se dirigiu à porta.

— Igualmente. Tchau, Lucas. — Acenei.

Eles foram embora. Só então me dei conta. Estava decepcionada. Eu queria vê-lo. Que horror! Como isto podia ser? Não é possível! *Devo estar louca!* Puxei a cadeira, desabando nela. Apoiei meus cotovelos sobre a mesa, escondendo o rosto entre as mãos. *Não é possível!* Como podia estar ansiosa em vê-lo? Mal o conheço. Na única vez que nos vimos, nós brigamos. Eu de fato enlouqueci.

Capítulo 5

— Oi, Lívia! Você poderia me fazer um favor? — Carlos perguntou ao entrar em meu consultório na quinta-feira à tarde.

— Claro!

— O Antônio não se sente bem. Tenho quase certeza de que está com sinusite.

— É mesmo? Notei que ele estava muito quieto nesta manhã — comentei, lembrando-me de tê-lo encontrado logo cedo. Ele sempre tão sorridente, mal me cumprimentou.

— Já o mediquei, ele está debilitado devido à febre. Também tem dificuldade de respirar. Melhor ir para casa e ficar de repouso.

— Como posso ajudar? — Gostava do jovem que trabalhava como agente de saúde e me acompanhava em várias visitas domiciliares.

— Ele mora com os pais numa fazenda a alguns quilômetros daqui. A condução dele só deve sair lá pelas seis horas. Estou com pena dele. Talvez você pudesse dar-lhe carona.

— Posso sim! Preciso pegar o carro em casa. É rápido — expliquei já saindo.

— Desculpe lhe pedir isto. Hoje tenho muitos pacientes. A Ana também está com a agenda cheia. Você não tem mais ninguém agendado...

— Não tem problema! Diga ao Antônio que já volto.

— Obrigado! Se aparecer alguma urgência, eu atendo.

Peguei meu carro para levar o rapaz. Ele de fato estava sem ânimo. Entrou no carro e se recostou no banco. Só falou o necessário, indicando o caminho.

Não foi difícil encontrar a fazenda. Fizemos todo o percurso através de uma única estrada de terra. As sombras das árvores debruçavam-se sobre a estrada amenizando o calor quando chegamos próximos da casa dele.

Deixei Antônio em casa e peguei o caminho de volta para retornar à cidade.

No meio da estrada, o carro começou a falhar. Chequei os indicadores. Não havia qualquer sinal diferente no painel. Percorri mais alguns metros, porém o motor engasgou, antes de parar de vez. Tentei ligá-lo. Nada! O único som ainda exalando dele era o da bateria arriando.

— Ah, droga! Só me falta essa! — soquei a mão no volante.

Não havia qualquer movimento por perto, a não ser alguns pássaros circulando entre as árvores. Desci do carro, abri o capô. Talvez por milagre encontrasse o defeito. Doce ilusão. Não entendia nada de carros.

Bem, preciso pensar nas minhas opções. Primeiro chamar alguém. *Sorte ter trazido o celular.* Ligaria para quem? O Rodrigo não podia. Saiu de barco. *Vou ligar para a Unidade. Carlos virá, ou mandará outra pessoa.*

Peguei o celular. Sem sinal. Pudera, estava no meio do nada.

Próxima opção: deixar o carro e voltar a pé. Visualizei a extensa estrada à minha frente. Caminharia no mínimo duas horas para chegar à cidade. Desisti de voltar à fazenda, consumiria o mesmo tempo. Procurei identificar algum sinal de civilização. Nada, somente o barulho do vento movimentando os galhos das árvores e o canto dos pássaros quebravam o silêncio.

Apesar da brisa, o sol continuava a pino. Não me restava alternativa, teria de caminhar.

Inclinei no banco do Jeep para pegar minha bolsa quando o barulho de um motor surgiu, elevei o pescoço tentando identificar o som. Um veículo se aproximava.

A poucos metros do meu carro, a *pick-up* Hilux prata estacionou. Esperei o motorista descer. Torci para ser uma boa pessoa. A luz do sol batia no para-brisa dificultando minha visão. Os minutos passavam e a pessoa não abria a porta. Tive o impulso de voltar para dentro do Jeep, então o motorista abriu a porta. Eu o reconheci assim que desceu. Aquele rosto havia se tornado muito familiar na última semana.

Ele caminhou ao meu encontro. Não pude deixar de notar seu andar firme, seguro. Seus cabelos estavam ligeiramente despenteados e brilhavam sob a luz do sol. Podia perceber os músculos do peito, dos braços, sob a camiseta justa. Um arrepio percorreu meu corpo. Comecei a suar. O excesso de oxigênio deste lugar devia estar me fazendo mal. *Só podia ser isso.*

— Olá! — cumprimentou com a voz firme, rouca. — Você está com problemas?

— Parece que sim! — Engoli em seco. — O carro parou de repente. Não consigo ligá-lo.

— Posso olhar, se você quiser.

Assenti e abri o capô. Ele se debruçou sobre o motor, começando a mexer.

Coloquei-me ao lado do carro. Fixei o olhar em seu rosto pela primeira vez, até de perfil o rosto dele era bonito. Tinha o nariz pequeno, algumas mechas de cabelo caíam sobre a testa, a barba despontando lhe dava um ar selvagem. Mesmo de lado, podia ver os lábios. Fiquei hipnotizada.

— Bem — ele falou me tirando do transe. — Não consigo achar o problema. Aparentemente não tem nada de errado.

Ele se virou para mim, o sorriso estampado no rosto. Meu coração disparou.

— Por favor, não me pergunte se chequei o combustível — disse a primeira coisa que me veio à mente.

Ele soltou uma gargalhada. Fiquei maravilhada.

— Não ia perguntar isso — declarou mantendo o sorriso no rosto. — Só ia perguntar se você quer carona.

— E deixar o carro aqui? — Corri os olhos para o deserto humano tomado por árvores ao nosso redor.

— Bom, não temos muitas opções — ponderou. — Posso tentar ligá-lo?

Assenti. Desejei muito que o carro não pegasse.

Ele tentou novamente. O motor só ameaçava funcionar.

— Talvez seja sujeira no carburador. Se você quiser, posso te dar carona. Amanhã trago alguém com mais conhecimento para ver se consegue consertar. Depois, posso levá-lo até você.

— Bem, aceito a carona. Só não gostaria de te dar esse trabalho de cuidar do meu carro.

— Não é trabalho nenhum. Além do mais, é uma forma de recompensar pelo nosso primeiro encontro.

Seu sorriso foi triste. Imediatamente lembrei-me da cena desagradável.

Peguei minha bolsa, fechei o jipe. Ele abriu a porta da *pick-up* para eu entrar e sentei no banco. Observei ele dar a volta pela frente do carro. Podia sentir todo o meu corpo tremer. Minhas mãos estavam suadas, os batimentos cardíacos acelerados.

Ele entrou, olhou para mim e estendeu a mão em minha direção.

— Olá! Sou Thomas Farrell. Ainda não nos apresentamos.

Peguei em sua mão. O contato me fez arrepiar, como se tivesse colocado o dedo na tomada. Não era uma sensação de dor ou pavor. Era uma sensação de prazer. Fazia eu querer mais. Encarei-o. *Será que só eu estava sentindo? Só foi perceptível para mim?*

— Sou Lívia Monteiro.

— Eu sei!

Franzi as sobrancelhas com espanto.

— Seu carimbo estava na receita.

— Ah, claro!

— Desculpe meu comportamento aquele dia. Fui muito grosseiro. — Ele comprimiu os lábios.

— Tudo bem!

Thomas soltou minha mão. Virou-se para dar partida no motor. Não consegui desviar meu olhar do seu rosto.

— E aí, o que faz em minha fazenda? — perguntou, sorrindo.

— Não sabia que era sua fazenda — respondi, também sorrindo. — Um funcionário da Unidade de Saúde passou mal. Vim trazê-lo em casa.

— Quem? O Antônio?

Confirmei.

— Ele está doente?

— É só sinusite. Ele já está medicado.

— É um bom garoto — comentou colocando o carro em movimento.

Ficamos em silêncio. Desviei meus olhos dele, passei a olhar a estrada. O silêncio tornou-se constrangedor. Remexi no banco.

— Como está o Lucas?

— Muito bem! Você fez um trabalho perfeito. — Ele me encarou com a expressão relaxada. — Obrigado! Mal aparece a marca — finalizou com a voz rouca.

— Espero que sua esposa não tenha se assustado muito com o acidente dele. — Tinha de arrumar maneiras de perguntar sobre ela. Aproveitei a oportunidade.

— Não tenho esposa — respondeu, sem olhar para mim. Só projetou os lábios à frente, franzindo-os. — Ela faleceu.

— Sinto muito! — O constrangimento queimou meu rosto, abaixei os olhos.

— Tudo bem! Faz algum tempo.

Depois disso, achei melhor ficar quieta. Falei demais.

— Está gostando da cidade? — Quem quebrou o silêncio foi ele.

— Sim! Apesar da monotonia, é um lugar bem agradável. A maioria das pessoas são gentis.

— Exceto alguns, é claro! — Voltou-se para mim.

— Desculpe, não quis dizer isso.

— Tudo bem! Eu mereço. Onde você está morando?

— Aluguei a casa onde morava Miguel.

— Sei qual é. Quer que te deixe lá?

— Não. É cedo! Vou ficar na Unidade.

Ele apertou o botão do CD. A música do Guns N'Roses, inundou a cabine. Não pude deixar de perguntar.

— Você gosta de rock?

— Sim! Por que o espanto?

— Achei que as pessoas daqui gostassem mais das músicas regionais. Se bem que você não parece ser daqui.

— Por que diz isso?

— Você não tem o sotaque dos moradores daqui.

Aliás, ele não tinha sotaque. Sua voz era rouca, pausada.

— Deve ser porque passei um tempo fora — contou mantendo a atenção na estrada. — Gosto de rock. Na verdade, gosto de quase todos os tipos de música. E você?

— Também gosto de quase todos os tipos.

— Onde você morava? — perguntou me olhando.

Contei e perguntei se ele conhecia a cidade.

— Ah sei. Já estive lá. Vocês têm muitos institutos de pesquisa.

— Sim.

Ele estacionou em frente à Unidade de Saúde. Foi tão rápido...

— Bem, está entregue! — Thomas exclamou.

— Obrigada pela carona! — Coloquei a mão na maçaneta da porta, meus dedos estavam trêmulos, tive dificuldade para abri-la.

— Deixe eu ajudar. — Ele se inclinou sobre mim.

Seu rosto ficou muito perto. O cheiro dele invadiu minhas narinas, eu gostei. Tive de resistir a vontade de levantar as mãos e tocar seus cabelos, sua face. Cerrei os punhos e retive o ar. Ele abriu a porta e se afastou. Aí pareceu se lembrar de algo, estendeu a mão.

— Melhor me dar a chave do seu carro.

— Ah, claro! — De novo meu rosto ficou em brasa. Revirei a bolsa, com dedos trêmulos, em busca da chave. Peguei-a e depositei na palma da mão dele, ainda estendida.

— Até! Foi um prazer conhecê-la melhor.

— Também gostei de te conhecer. Obrigada pela ajuda! — Desci do carro e fechei a porta. Acenei, virei e entrei no prédio.

— Oi, Lívia! Você voltou! — Carlos disse ao me ver entrar na recepção, já vazia. A voz dele parecia ansiosa. — Depois que saiu fiquei preocupado. Você não conhece bem as estradas daqui. Foi imprudente deixá-la ir sozinha. Poderia se perder. — Ele meneou a cabeça, inconformado. — Tive tanta pena do Antônio, nem pensei na hora no risco.

— Tudo bem! Foi uma oportunidade de me virar sozinha.

— Você parece estranha. Aconteceu alguma coisa?

— Estranha como? — Arregalei os olhos.

— Não sei. Parece assustada.

— Como assim?

— Está pálida!

— Ah! — Então era isso. Ufa! — Meu carro quebrou na volta.

— Nossa! Quebrou? Sabia ter alguma coisa errada. Estava com pressentimento. Como conseguiu voltar? Cadê o carro? O que aconteceu?

— Voltei de carona. O carro ficou na estrada. Não sei o que aconteceu. Não conseguimos descobrir — respondi de forma monótona.

— Quem te deu carona?

— Thomas Farrell.

Saí da Unidade meio entorpecida. Não queria ir para casa. Preferi caminhar. Precisava organizar este turbilhão girando dentro de mim. Ficar em casa sozinha não ajudaria em nada. Minha mente cheia, confusa, uma profusão de pensamentos. O Carlos tinha razão, estava mesmo assustada. Só não era pelos motivos que ele pensava.

Segui pelas ruas sem rumo, tentando colocar meus pensamentos em ordem. Na verdade, não eram eles que precisavam de ordem, eram meus sentimentos. Sempre tive dificuldade em entender esta parte confusa e inquietante do corpo. Sentimentos e emoções, ambos incontroláveis. Em especial os que diziam respeito ao sexo oposto. Talvez porque tive poucos relacionamentos. Passei mais tempo da minha vida debruçada sobre os livros, estudando, do que me relacionando. Principalmente na adolescência.

Toda aquela fase de conflitos e rebeldia, comuns aos adolescentes, eu não tive. Mal saía com as amigas. Tinha sempre matérias a estudar. Até meus pais estranhavam. Houve épocas em que eles mesmos chegaram a ficar preocupados. Minha irmã arrastava-me com ela nas saídas noturnas, tentava me estimular a paquerar, namorar, sair com alguém. Eu até me divertia. Gostava de sair. Contudo, estava focada em entrar na faculdade de Medicina. Só me dediquei aos meios necessários para atingir meu objetivo. Por isso passei a adolescência estudando.

Nunca fui de namorar muito. Às vezes, paquerava. Até beijava, só não passava disso. Nunca alguém, de fato, me despertou interesse a ponto de reduzir meu ritmo de estudos.

Aos dezessete anos, namorei o Pedro. Ele era uma gracinha e parecia gostar mesmo de mim. Dedicava-me a maior parte de seu tempo. O problema é que nunca consegui dedicar-lhe muito do meu. Isso durou só três meses, até ele me dizer "se você me encontrar na rua, nem saberá quem sou, pois seus olhos vivem voltados aos livros".

Pensar nisso, me entristecia. Deixei minha adolescência passar, sem sequer ter notado. Talvez este seja o motivo da minha confusão, esta avalanche de sentimentos desconhecidos.

De verdade, alcancei meu objetivo, só isso me dava algum alívio, afinal direcionei minha vida à profissão até aqui. Apaixonar-me, casar, ter filhos, nunca haviam entrado na minha lista de prioridades. Tinha como certo que, quando estivesse pronta, abriria as portas do meu coração e escolheria a pessoa com quem iria passar o resto da minha vida.

Bah! Como se pudesse ser assim. Como sou ingênua!

Agora isso, as reações desencadeadas em meu corpo são incontroláveis. Como um estranho podia despertar em mim tantas sensações diferentes, intensas a ponto de me tirar o equilíbrio? Só de olhar ele hoje meu coração ficou aos pulos. Se tivesse feito um eletrocardiograma, provavelmente teriam me internado. Meu corpo todo ficou trêmulo, podia sentir o aperto em meu estômago, minhas mãos ficaram geladas, suadas. A vontade que senti de tocá-lo foi intensa. Assustou. Queria sentir os lábios dele nos meus.

Como isso pode estar acontecendo comigo?

Atraída por aquele estranho? Neste lugar? Nós provavelmente não temos nada em comum. *Será que estou apaixonada por ele? Não é possível! Como pude deixar isso acontecer?*

Voltei para casa, já havia anoitecido. Não sentia vontade nenhuma de comer. Apesar de não conseguir ainda entender o que estava acontecendo, a caminhada me fez bem. Fiquei exausta fisicamente. Ao menos poderei dormir. Nada como uma boa noite de sono para tranquilizar os pensamentos e talvez, quem sabe, colocar os sentimentos em ordem.

O despertador tocou. Dormir bem recarregou minhas energias. Levantei num salto, porém demorei mais que o habitual para me arrumar. Com fome, precisei tomar café da manhã e só então saí de casa.

Acelerei o passo, mas a distância parecia maior hoje.

Ao virar a esquina da Unidade, dei com meu carro já parado em frente ao prédio. A decepção me paralisou.

Como ele conseguiu chegar tão cedo? Droga!

Entrei. Ana estava na recepção.

— Bom dia, Lívia! O Carlos me falou do problema com seu carro ontem.

— Bom dia, Ana! Bom dia, Ruth! — cumprimentei-as.

Ruth me olhou de trás do balcão e retribuiu.

— O problema foi resolvido. Vi que ele já está aqui — respondi para Ana.

O tom de decepção na minha voz me assustou, esperava que ela não percebesse.

— O Antônio veio dirigindo. Disse que está em ordem. Era sujeira no carburador.

— Excelente! — exclamei com sarcasmo. — O Antônio melhorou, então?

— Sim, os medicamentos já fizeram efeito. Ele preferiu vir trabalhar. Já se sente melhor.

— Muito bem, então vamos nós também — disse e rumei em direção ao corredor.

— Ah, Lívia! — Ana me chamou. — Não se esqueça da festa na praça amanhã. Se você quiser, podemos combinar de irmos juntos.

— Pode ser. Até amanhã a gente se fala.

Abri a porta do corredor e finalmente segui para meu consultório.

Capítulo 6

A praça estava animada. As pessoas caminhavam descontraídas, agrupando-se em torno das diversas barracas, onde se podia comprar tanto comida, quanto diversão. Uma banda tocava músicas regionais e toda a cidade parecia ter vindo prestigiar o evento. A finalidade de arrecadar fundos para a reforma da igreja devia ser alcançada. Assim avaliei ao finalmente conseguir uma vaga para estacionar o carro.

Decidi vir sozinha. Desvencilhei-me da companhia de meus amigos. Não estava disposta a conversas. Minha agitação interna devia estar transparecendo em cada gesto. O evento se assemelhava muito ao meu estado de espírito. Arrumei-me para a festa de forma especial. Escolhi um dos poucos vestidos que trouxe. Caprichei na maquiagem. Tinha de confessar: estava apaixonada por esse desconhecido. Só de imaginar vê-lo, a euforia aumentava tanto que poderia sair pulando. Neste momento o que me movia era a necessidade de encontrá-lo.

Caminhei entre as pessoas, olhar atento, procurando por ele. De repente visualizei outro rosto conhecido. Ele acenava para mim, vindo ao meu encontro.

— Olá! Como você está linda! Toda esta produção é para mim? — Rodrigo perguntou beijando meu rosto.

— Olá! Nossa! Animado aqui, não? — Ignorei o comentário.

— É mesmo! A cidade toda resolveu comparecer. Qualquer evento nas cidades pequenas é motivo para quebrar a pesada monotonia. Parece que todos aderem — comentou com o sorriso debochado, parecendo achar a situação hilária. — Venha — disse passando o braço em minha cintura. — Carlos e Ana estão logo ali.

Tentei me desvencilhar de seu braço. O esforço foi em vão e deixei-me conduzir.

Eles estavam num grupo de pelo menos mais seis pessoas. A conversa parecia animada.

Ao chegar, Carlos me apresentou aos demais. Sorri, retribuindo os apertos de mão de forma automática, sem prestar atenção aos nomes. O braço do Rodrigo se mantinha em minha cintura.

— Está procurando alguém? — Rodrigo indagou.

— Não! — respondi e continuei movendo a cabeça para todo lado. Avistei Maria junto a duas crianças a uns dez metros de nós. — Na verdade, sim. Acabei de ver Maria. Vou falar com ela — avisei e saí me soltando de seu abraço, sem lhe dar tempo de me seguir.

— Oi, Maria! Tudo bem? Quem são estas crianças lindas?

— São meus netos, Gilson e Julia. Vamos pescar na barraca. Quer ir?

— Claro! — Era a oportunidade perfeita para me livrar do Rodrigo.

Continuei a procurá-lo percorrendo o rosto de vários desconhecidos. E nada. A decepção me dominou. Perdi a vontade de ficar na festa. Queria voltar para casa. Porém Maria puxou conversa e permaneci ao lado dela e dos netos, vendo-os tentar pescar os peixinhos artificiais, no pequeno tanque improvisado.

— Olá! — O cumprimento soou atrás de mim.

Não precisava nem olhar. Reconheceria esta voz em qualquer lugar.

— Olá! — Virei-me ficando de frente para Thomas.

Minhas pernas ficaram bambas. Ele estava lindo. A barba feita. O sorriso estampado no rosto. Vestia, por cima da camiseta branca, uma camisa xadrez azul.

— Se divertindo? — perguntou mantendo o sorriso.

— A festa está bem animada. — Sorri de volta. — Obrigada pelo conserto do carro.

— Foi um prazer poder ajudar.

— E você? Está se divertindo?

— Sim, é muito bom ter oportunidade de encontrar as pessoas que queremos.

Ficamos nos encarando. A energia eletrizante parecia fluir entre nós. Era como se não existisse mais ninguém ao redor.

— Aqui está você! — Rodrigo chegou ao meu lado, quebrando o clima. — Estava à sua procura — disse e envolveu novamente minha cintura com seu braço.

Thomas encarou a mão do Rodrigo, me abraçando, e voltou a me encarar. Peguei a mão do Rodrigo, tentei removê-la da minha cintura. Ele me puxou mais junto dele, pressionando o braço ao redor do meu corpo.

— O Carlos quer te apresentar a algumas pessoas — Rodrigo continuou como se Thomas não existisse. — Vim te buscar!

— Rodrigo, este é Thomas.

— Me lembro dele — Rodrigo respondeu rudemente.

— Como vai? — Thomas perguntou de forma seca.

— Bem, com licença — Rodrigo me arrastou com ele.

Não consegui me desvencilhar dele. Seu braço me pressionava. Só poderia me soltar se o empurrasse.

— Você poderia tirar as mãos de mim?

— Por quê?

— Porque não temos nada. Assim as pessoas podem pensar que temos.

— Não temos porque você não quer.

— Exatamente! — Dei um tranco e tirei a mão dele da minha cintura.

— Aí estão vocês! — Carlos surgiu. — Lívia! Gostaria de te apresentar Gilberto, o diretor da escola local, sua esposa Lucia, e Ângela, que é orientadora do ensino fundamental.

— Muito prazer!

Gilberto aparentava ter a idade do Carlos, porém já grisalho. Sua esposa Lúcia, morena, cabelos crespos e castanhos, me pareceu simpática, pois me cumprimentou de forma calorosa, beijando meu rosto. Ângela era muito jovem, bonita, morena, cabelos lisos até a cintura, negros. Parecia uma índia.

— Bem-vinda, Lívia. Prazer em conhecê-la. Já ouvimos falar de você — Gilberto disse. — Na verdade, as crianças na escola comentaram. Disseram que gostaram da nova médica do posto.

— Fico feliz de saber. Espero fazer um bom trabalho aqui — abri o sorriso, tentando disfarçar minha irritação com a atitude de Rodrigo.

A conversa entre eles continuou. Fiquei ao lado de Ana, de frente para onde deixei Thomas, mas ele já não estava mais. Continuei tentando achá-lo. Não o encontrei. Pedi licença e saí.

Não demorou muito, Rodrigo surgiu.

— Vamos dançar? — Ele sussurrou em meu ouvido, me puxando pelo cotovelo.

— Não sei dançar — respondi ríspida.

— Como não? É forró!

— Eu sei! — exclamei irritada. — Não quero dançar.

— Você está brava comigo?

— Estou!

— Desculpe-me! Não vou mais abraçá-la se você não quiser. Só acho que você está exagerando. Não fiz nada demais.

Não resisti ao seu olhar inocente. Ele tinha razão. Estava mesmo exagerando. Rodrigo não poderia saber que eu estava irritada por ele ter atrapalhado meu breve momento com Thomas.

— Está certo!

— Se você não quer dançar, podemos comer. Estou com fome. Você não?

— Eu também! Podemos comer sim. — Sorri, me rendendo a seu jeito.

Lembrei-me da frase do livro "O Pequeno Príncipe", que se encaixava perfeitamente em meu relacionamento com Rodrigo. *"Tu te tornas eternamente responsável por aquilo que cativas."*. Apesar de saber nunca ser capaz de gostar dele da forma que merecia, também não conseguia afastá-lo. De jeito nenhum queria magoá-lo.

As barracas de comida estavam lotadas, bem como os lugares para sentar.

— Vou pegar a comida. Você poderia tentar conseguir uma mesa?

Concordei me voltando para o local onde estavam agrupadas as mesas.

— O que você quer comer? — Rodrigo perguntou.

— Pegue o mesmo que for pegar para você.

Sai à procura de um lugar vazio e dei de cara com Thomas. Ele de imediato desviou o olhar. Junto dele estavam sua mãe e Lucas.

Quando me viu, Lucas acenou e correu em minha direção.

— Oi, doutora! — disse já de braços abertos.

— Lucas! — Abaixei retribuindo o abraço. Espontânea a reação dele. Nós mal nos conhecíamos. — Está se divertindo?

— Muito! Já pesquei várias vezes. Ganhei muitos brinquedos — comentou entusiasmado.

— Como vai, Lívia? — a avó, de frente para mim, perguntou.

Levantei a fim de cumprimentá-la.

— Bem, e a senhora? Aproveitando a festa?

— Sim! Está muito divertido, principalmente para o Lucas.

Desviei o olhar para o homem aproximando-se de nós.

— Você já conhece meu filho Thomas? — ela perguntou gesticulando em sua direção.

— Sim, já nos encontramos — o encarei.

O rosto dele sério. Feições rígidas. Apesar disso, meu coração acelerou. Podia sentir o suor na palma da minha mão.

— Você tem compromisso amanhã? — ela me perguntou.

Estranhei a pergunta tão direta.

— Não! Por quê?

— Gostaria de conhecer nossa fazenda? Poderia almoçar conosco. O Lucas gostou muito de você. Ele ficará feliz se você for. Não é, querido?

— Uau, legal! Vamos, doutora? Aí você vai poder conhecer o Toby — Lucas pediu puxando minha mão e pulando sem parar.

— Claro! Agradeço o convite.

— Ótimo! O Thomas vem te buscar lá pelas nove horas. Tudo bem?

Ele arregalou os olhos, como se não acreditasse.

— Por favor, não quero dar trabalho. Posso ir com meu carro. — Pela cara dele, percebi o incomodado com o convite.

— De jeito nenhum — Norma contestou balançando a cabeça. — Não é trabalho. Faço questão.

— Talvez ela queira levar o namorado — Thomas disse em tom ríspido.

— Ela não tem namorado! Não é mesmo? — sua mãe retrucou.

— Não tenho namorado.

— Vamos mãe, já tomamos muito do tempo dela. Venha, Lucas! — o homem grunhiu, ainda ríspido.

Passou pela frente de Norma e pegou Lucas no colo. Encarou-me impassível, enquanto levantava o garoto.

Não entendi por que ele estava bravo, atitude muito diferente de quando nos encontramos no início da noite. Parecia o homem com quem briguei no primeiro dia.

— Então até amanhã, Lívia — Norma se despediu.

— Boa noite! Obrigada pelo convite.

Observei-os enquanto se afastavam. Thomas não voltou a me olhar.

Senti meu peito pressionado, coração comprimido. Faltou-me ar.

— Você não conseguiu mesa? — Rodrigo chamou minha atenção. Ele já estava com os lanches e a cerveja nas mãos. — Venha, estou vendo uma desocupada ali.

Durante o tempo em que ficamos sentados, apenas Rodrigo falou. Não tinha ânimo para conversar, só gesticulava, ou respondia de forma monótona.

— O que acontece com você? Ainda está brava comigo?

— Não é isso. Aproveitei o dia e limpei a casa. Agora me sinto cansada.

— Posso te levar embora? Podemos ficar na sua casa. Ouvir música. Conversar. Ou ir para minha casa — ele piscou e inclinou-se em minha direção —, sair deste tumulto. Ficar sozinhos.

— Não! Vamos ficar! — A última coisa que queria era estar sozinha com Rodrigo longe deste tumulto. — É difícil termos oportunidade de sair nesta cidade. Além disso, estou de carro.

Visualizei Thomas, em meio ao aglomerado de pessoas do lugar. Nossos olhares se encontraram. Ele estava com a mesma cara brava. Foi desconcertante. Tive de desviar o olhar.

Continuei sentada com Rodrigo. Ana e Carlos vieram se juntar a nós.

Depois de um tempo, pedi licença, justifiquei não estar me sentindo disposta. Queria ir embora. Não voltei a procurar por Thomas. A atitude dele me machucou.

Fui para casa. Ao entrar, joguei-me no sofá. A vontade de chorar despontou. *Como ele podia mexer tanto comigo?* Já estava difícil lidar com meu sentimento por ele. Não conseguia aceitar este sentimento.

Comecei a chorar. Talvez por estar magoada e com raiva de mim mesma. Como pude me apaixonar por ele? Nem sequer conseguia decifrar suas expressões. Seu comportamento nessa noite foi totalmente instável.

Seria muito mais fácil se estivesse apaixonada pelo Rodrigo. Carinhoso e igualmente bonito. Além do mais, tínhamos os mesmos interesses, como ele mesmo comentou. Talvez fosse melhor dar-lhe uma chance. Precisava considerar essa possibilidade. Procurar esquecer, apagar todos os sentimentos que surgiram por esse desconhecido. Precisava fazer isto, para meu próprio bem. Não tinha tendência para o sofrimento. Nunca fui masoquista. Sempre quis ser feliz. Ficar em paz. Neste momento meus sentimentos estavam em frangalhos. Meu coração doía. Podia sentir a dor física, tão dolorida a ponto de me fazer chorar. Isto não podia continuar.

Deitei em minha cama, me encolhi feito bola. Chorei até minha dor diminuir. Só então consegui adormecer.

Capítulo 7

Saí da cama como se fosse zumbi, automaticamente fui tomar banho. Deixei a água morna cair sobre meu corpo até começar a me sentir mais relaxada. A noite foi péssima. Ainda assim, decidi ir à fazenda, como combinado. Se a atitude dele, na noite anterior, foi porque não gostava de mim, evitaria dar a ele o gostinho de não ir.

Resolvi me arrumar. Ele chegaria a qualquer momento. *Se viesse.* O pensamento me fez estremecer.

Movimentei a cabeça tentando afastá-lo e peguei a roupa estendida sobre a cama. Vesti a calça jeans e a blusa lilás, calcei as botas. Apreciei a imagem refletida no espelho, ela não condizia com meu estado de espírito. Eu estava aparentemente bem. Nem sinal do choro e da noite maldormida.

O som da *pick-up* estacionando em frente de casa reverberou num frenesi em meu peito. Acelerei o passo até a sala, mas resisti ao impulso de disparar ao encontro dele. Não demorou, ele bateu na porta duas vezes. Abri e lá estava Thomas, o sorriso no rosto dele fez meu coração disparar. Senti frio na boca do estômago. Só consegui pensar em como ele podia ser tão bonito. *Meu Deus! Estou ferrada!*

— Bom dia! Dormiu bem? — Ele me desconcertava.

Observando-o agora, não sabia como conseguiria cumprir minha promessa de esquecê-lo.

— Bom dia! Melhorou seu humor? — Alfinetei.

No mesmo instante ele parou de sorrir. Ficou sério. Não com raiva ou rígido. Parecia triste.

— Desculpe-me! Não queria ser grosseiro ontem.

— Suas desculpas estão se tornando rotina — repreendi de forma seca. Quis descontar a noite maldormida e acertei, o rosto dele se transformou.

— Você tem razão. — Ele respirou profundamente. — Não é você. Fico irritado comigo. Você não entenderia.

— Por que você não tenta?

— Não consigo falar. — Outra respiração profunda. — Bem, podemos ir?

Estávamos parados na porta. Busquei mais uma vez decifrar a expressão em seu rosto, ele demonstrava desânimo, a tristeza no olhar permanecia. Naquele momento não tiraria mais nada dele, tinha certeza.

— Tudo bem. Vamos! — Peguei minha bolsa e fechei a porta atrás de mim.

Seguimos lado a lado até a porta do passageiro. Ele a abriu para mim.

Ao entrar, seu aroma impregnava a cabine. Era tão bom... Suspirei.

— Você gosta de andar a cavalo? — perguntou ao sentar-se no banco.

— Na verdade, só cavalguei duas vezes. Mesmo assim, alguém conduzia o animal. Não tenho muita familiaridade com a vida rural. Por quê?

— Bem, podíamos passear a cavalo. Lucas gosta de cavalgar. Ficaria feliz de te mostrar a fazenda. Arrumo um animal manso para você. Será divertido. — Ele abriu o sorriso mostrando os dentes perfeitos. O azul de seus olhos se intensificava na claridade.

— Tudo bem! — sussurrei. — Posso aprender.

Thomas mordeu os lábios e virou-se para dar partida no veículo. O dia prometia. *Será que ele iria ficar o tempo todo comigo?* Isto me provocou excitação. Não pude deixar de sorrir. Para quebrar o silêncio, puxei assunto:

— Você disse que já passou um tempo fora. Onde foi?

— Morei na Inglaterra e também no Rio de Janeiro.

— Mesmo? Deve ter sido bom. Quando foi? — Espantei-me ao saber. Ele morou em lugares bastante diferentes. Apesar de não aparentar ser deste lugar, ainda assim parecia à vontade aqui.

— Eu tinha dezessete anos, meu pai me mandou para a Inglaterra. Conhecer minhas origens, segundo ele. — Sorriu, como se esta lembrança o alegrasse. — Fiquei dois anos lá, daí decidi voltar. Gosto do Brasil. Sentia falta daqui. — Ele movimentou a cabeça reafirmando a frase. — Então precisava começar a faculdade. Escolhi cursar no Rio de Janeiro. Alguns amigos já estudavam lá. Acabei o curso, fiquei na cidade mais um tempo, depois voltei.

Saber mais de sua vida preenchia aquele vazio que sentia, por não conhecê-lo.

— Você é inglês?

— Não! Meu avô era. Chegou ao Brasil no início da Segunda Guerra. Ficou no sul; depois, a convite de um amigo, resolveu vir para cá. Esta região começava a prosperar. Ele gostou. Decidiu ficar.

— Mesmo? Não sabia que os ingleses tinham se fixado nesta região.

— De fato, são bem poucos. Aqui pelo menos só tem nossa família. — Desviou os olhos para mim. — E você? Sempre morou em Campinas?

— Sim, sempre. É a primeira vez que saio da casa dos meus pais.

— Sente falta deles? — perguntou, demonstrando ternura no olhar.

— Muita! — Senti o nó na garganta e desviei os olhos, não consegui manter meu olhar no dele.

— Quantos anos você tem?

— Vinte e seis. E você?

— Você parece mais jovem. Tenho trinta e dois. Como se sente morando sozinha?

— Estou gostando. É uma experiência nova.

— Você é filha única?

Contei sobre Laura e voltei-me a ele.

— E você? Tem irmãos?

— Também tenho uma mais velha. Ela mora no Mato Grosso do Sul. É casada. Tem dois filhos.

— Mesmo? Minha irmã também.

— Ela mora no Mato Grosso?

— Não! — Comecei a rir. — Ela também é casada e tem dois filhos.

— Enfim, temos algo em comum — O comentário me provocou, de novo, um frenesi. — Chegamos! — ele anunciou entrando com a *pick-up* na estrada de cascalho, de onde já era possível avistar a grande casa branca com as palmeiras imensas em frente à construção de janelas azuis. Uma escada larga, com vários degraus, dava acesso à *pesada* porta de entrada.

Ele parou veículo em frente à escada. Lucas surgiu na porta, descendo os degraus em disparada, seguido pelo cachorro.

— Bom dia! Legal, você veio! — exaltou, pulando em frente à minha porta.

Abri e saltei para ele, que pulou em meus braços. Comecei a rir. O cachorro pulava tanto quanto o garoto.

— Também estou feliz de estar aqui. Sua casa é muito bonita — comentei retribuindo o abraço.

— Você vai ver lá dentro. Tem muito espaço. — Pegou minha mão e me puxou. — Este é Toby. — Apontou o cachorro.

Lucas continuou me puxando. Subimos a escada, ele me arrastando pela mão. Tive até dificuldade de acompanhá-lo. O cachorro veio atrás.

— Fique aqui, Toby! — Apontou a lateral da porta.

O cãozinho ficou imóvel onde o garoto mandou.

Não consegui ver se Thomas nos seguiu. Percebi que ele desceu da *pick-up* pelo barulho da porta batendo.

Lucas entrou na casa, arrastando-me com ele, e gritou:

— Ela chegou, vovó!

Encontrei Norma sentada no sofá da sala, junto com um senhor de cabelos grisalhos, olhos azuis e feições muito parecidas com as de Thomas. Só podia ser o pai dele, tamanha a semelhança.

Eles levantaram, sorriram para mim. Em pé, o pai era tão alto quanto o filho.

— Bom dia, Lívia! Estamos felizes em vê-la. Lucas esperava ansioso pela sua chegada — Norma falou me estendendo a mão. — Este é meu marido, Conrado.

— Prazer em conhecê-lo. Vocês têm uma bela casa.

Lucas continuava pendurado em minha mão. Percebi Thomas entrar.

— Obrigado! — Conrado agradeceu. — Enfim posso conhecê-la. Meu neto só fala em você. Diz ser o anjo que consertou a cabeça dele.

Aquilo me fez rir. Criança tem muita imaginação mesmo.

— Pai — Lucas chamou soltando minha mão e correndo junto a Thomas. — Nós podemos andar a cavalo? Assim mostramos pra ela a fazenda A gente pode usar chapéu pro sol não queimar muito.

— Tudo bem! Só que ela nunca andou a cavalo. Temos de selar um manso. Qual deles você acha melhor?

— Pode ser o Pitoco. Ele é bem manso.

— Concordo. Então vou lá fazer isso. Já volto! — Ele fez carinho na cabeça do filho.

Em seguida, atravessou a sala em direção à porta dos fundos. Vestindo calça jeans desbotada e camiseta cinza, ficava ainda mais lindo, não conseguia desviar meus olhos da figura deixando a sala.

— Então, você nunca cavalgou?

Voltei-me a Norma. Ela e o marido me encaravam. De imediato meu rosto aqueceu em chamas.

— Só... — minha voz saiu num sussurro, busquei me recompor — não tenho muito experiência.

— Você vai gostar. Venha! Vamos tomar um suco. Hoje o dia está muito quente. É bom se hidratar antes de sair neste sol. — Norma era, de fato, muito solícita.

Lucas agarrou em minha mão e levou-me à outra sala. A extensa mesa rodeada por cerca de dez cadeiras estava arrumada com duas jarras de suco, bolo, milho, água, pães e frutas. Grandes janelas se abriam deixando a claridade do dia invadir o cômodo.

— Não sabia se você tinha tomado café da manhã, então arrumei a mesa para nós — Norma explicou me indicando a cadeira.

Ao ver a comida, me dei conta do quanto estava faminta. Fiquei tão transtornada pela noite maldormida, que nem senti vontade de comer.

— Obrigada! Tudo parece ótimo.

Nos sentamos à mesa. Ela me ofereceu o suco.

— Você quer de cajá ou graviola?

— Graviola.

— Está aqui há quanto tempo, Lívia? — Conrado perguntou.

— Pouco mais de um mês.

— Está se adaptando?

— É muito diferente de onde morava, mas fui muito bem acolhida. Carlos e Ana são excepcionais.

— Concordo. Eles são mesmo ótimos. Temos sorte de ter tantos bons profissionais cuidando de nossa saúde. Eles se dedicam muito ao povo daqui.

— O Thomas me contou sobre a filha de vocês. Ela mora no Mato Grosso?

— Sim — Norma respondeu preenchendo o copo com o líquido branco e espesso feito leite. — Kate, o marido e os filhos moram numa fazenda próxima a Três Lagoas, no Mato Grosso do Sul. Devido à distância, não nos vemos com frequência. Sentimos muita falta deles. Sorte a nossa ter o Thomas e o Lucas por perto. Você quer bolo?

— Sim, por favor!

— Também quero, vó — Lucas pediu, ao meu lado, ainda segurando minha mão.

Ele apoiava o outro cotovelo na mesa, segurando o rosto, toda a atenção voltada à conversa dos adultos.

— Lucas, querido, solte a Lívia. Assim você irá assustá-la.

— Tudo bem! — eu disse.

Lucas, agitado, não parava de falar. Explicou tudo o que faríamos ao andar de cavalo na fazenda. Iríamos, segundo ele, onde o rio formava uma prainha. Na época da seca era possível até nadar. Poderíamos também visitar a plantação de soja. Disse que eu iria adorar os bois da fazenda. Ele nomeou alguns.

— Os cavalos estão prontos — Thomas avisou retornando com dois chapéus nas mãos. — Podemos ir se vocês quiserem.

— Vamos então! — Lucas prontificou-se ficando em pé num salto e correndo porta afora.

— Não se esqueça de pegar seu chapéu — Thomas avisou seu filho, voltando-se para mim em seguida. — Vamos?

O convite dele me desmontou. Corei, abaixei os olhos. Juntei minhas forças e me levantei.

— Vocês vão também? — perguntei aos pais dele.

— Não, vamos deixá-los apreciar o passeio sozinhos. Esperaremos vocês para o almoço — Norma alegou.

— Até mais tarde então. — Virei, seguindo-o em direção à porta de entrada.

Na lateral da casa, três cavalos selados nos esperavam. O primeiro, inteiramente marrom, de porte suntuoso, outro de cor caramelo, com a ponta das patas brancas, e o último totalmente preto. Os pelos lustrosos reluziam sob a luz do sol. Pareciam mansos demais, pouco se moveram ao nos aproximar deles.

— Peguei um chapéu para você!

Thomas parou à minha frente. Tão perto que podia sentir o calor do seu corpo. Colocou o chapéu entre as pernas. Alisou meus cabelos com as mãos, puxando-os para trás. Parei de respirar. Ficamos assim, nos encarando. Ele tirou o chapéu do meio das pernas, ajeitando-o sobre minha cabeça. Tive vontade de estender os braços, trazê-lo ainda mais junto de mim.

— Pai, pai! — Lucas surgiu gritando. — Podemos ir até o rio?

— Podemos, filho! — Ele puxou o cavalo caramelo. — Venha! Vou ajudá-la a subir. — Segurou a rédea do cavalo, esperou eu apoiar o pé na sela.

Dei impulso e subi no animal. Ele me passou a rédea, tocando sua mão na minha. Senti minha pele queimar ao toque.

— Tudo bem? — ele perguntou, e ao que concordei, dirigiu-se ao filho. — É a sua vez, garotão. — E pegou-o pela cintura, colocando-o sobre a sela do cavalo preto.

No início fiquei amedrontada. O movimento do animal era estranho. Causava sensação de insegurança. Conforme ele andava, percebi ser possível ficar sobre ele sem problemas e comecei a me tranquilizar.

Lucas descrevia em detalhes cada lugar onde passávamos. Apontava e contava histórias. Parecia guia turístico. Mantive-me compenetrada, minha atenção voltada nele. Fazia perguntas. Ele respondia. Minha atitude o incentivou a falar mais. O garoto assumiu uma posição de comando, como se a responsabilidade de me dar todas as informações sobre o lugar fosse dele.

Diante da postura dele, Thomas, às vezes, sorria, parecendo se divertir com a atitude do filho.

Visitamos a plantação de soja. Os pés pequenos, com mais ou menos trinta centímetros, repletos de folhas verdes, plantados muito próximos, forravam o chão.

— Temos reduzido a área de plantio, reflorestando, principalmente, a mata ciliar. — Thomas explicou. — Apesar de a fazenda já existir há muito tempo, é bom incentivarmos o reflorestamento. Auxiliar na conservação da floresta

Visitamos a pastagem dos bois, os quais Lucas nomeou diversos. Contou as peripécias do touro malandro que tentou fugir e causou grandes transtornos a seu pai.

Com o céu sem nuvens, o sol queimava ainda mais. Gotas de suor escorriam pelo meu rosto. Já cavalgávamos há algum tempo quando chegamos ao rio, a brisa vinda da água amenizou o calor.

— A beleza que a água acrescenta nas paisagens me tira o fôlego — comentei. — É lindo o lugar!

— Também acho! — Thomas concordou.

— Pai! Posso voltar galopando?

— Pode! — autorizou, rindo.

Lucas saiu em disparada, galopando. Fiquei aterrorizada. Voltei-me a Thomas.

— Não é perigoso? Ele é tão pequeno.

— Está acostumado. Gosta da sensação do vento no rosto — respondeu dando de ombros. — Quer tentar?

— Quero! — Eu me sentia mais familiarizada com o animal. Quis conhecer a sensação vivenciada pelo garoto que parecia ser maravilhosa.

— Tudo bem! Se quiser parar, puxe a rédea devagar — ele orientou. — Posso? — perguntou, pronto para estimular o cavalo para correr.

Assenti. Tirei o chapéu.

O cavalo começou a correr. Deixei meu corpo solto sobre ele. Com o sol a pino, o vento me refrescava. Melhor do que quando corri com o capô do carro aberto. A sensação de liberdade foi tão boa, comecei a rir.

Thomas seguia logo atrás de mim, também a galope. Lucas à frente nos impondo o ritmo da corrida. Parecíamos três crianças brincando.

Quando avistei a casa, comecei a reduzir o ritmo, puxei a rédea devagar.

— Você aprendeu a galopar! — Lucas gritou dando pequenas voltas com o animal em frente à entrada da casa.

— Sim! — concordei animada, movendo a cabeça e rindo.

Thomas foi o primeiro a descer do cavalo e veio na minha direção.

— Deixa eu te ajudar! — Estendeu os braços, pegou em minha cintura.

Fiquei imóvel, o riso desapareceu. Meus olhos fixos nos dele. Apoiei minhas mãos em seus ombros. Seria possível só eu sentir a sensação de formigamento.

— Tudo bem? — perguntou, colocando-me no chão.

Senti meus pés tocarem o solo, mas ainda parecia estar flutuando. Continuei apoiada em Thomas, encarando-o.

— Me ajuda, pai? — Lucas chamou.

Thomas me soltou e foi ajudá-lo a descer do cavalo. Fiquei tonta. Cambaleei e apoiei na sela do animal, tentando colocar firmeza nas pernas antes de dar vexame me pranchar no chão.

Capítulo 8

— Se divertiram? — Norma e Conrado estavam à nossa espera na sala.

— Muito — respondi.

— Vó, você não vai acreditar! Ela mal aprendeu a andar a cavalo e já galopa. Viemos correndo do rio até aqui.

— Incrível! Parece que você nasceu para isso, Lívia. — Ela abriu o sorriso.

— Talvez. Foi muito bom. Adorei a sensação.

— Vamos almoçar. Vocês devem estar com fome. Thomas, por que não mostra a ela onde fica o banheiro?

— Tudo bem! Você quer vir? — perguntou, indicando a direção do corredor.

Apesar da pouca claridade, visualizei as várias portas ao longo do corredor. Ele me indicou a primeira.

— Fique à vontade! — disse abrindo a porta.

O banheiro era todo branco, desde o revestimento ao piso. As torneiras douradas, em estilo antigo, combinavam com as louças. O reflexo no espelho sobre a pia mostrava meu rosto corado, cabelo bagunçado. Passei as mãos para alisá-lo. Lavei o rosto. Ajeitei minha roupa e voltei para a sala.

Ao entrar, Lucas correu ao meu encontro.

— Vamos comer! — ele exclamou me arrastando pela mão para a sala de jantar.

Lucas me levou à mesma cadeira que ocupei de manhã e sentou-se ao meu lado. Conrado sentou na extremidade.

— E então, Lívia? — Norma chamou minha atenção, sentada a minha frente. Thomas ao lado dela. — O que você achou da fazenda?

— É grande. Para ser sincera, nunca estive numa fazenda antes. Só mesmo em sítios ou chácaras. Certa vez, meu pai nos levou a um hotel fazenda, mas é diferente. Adorei a plantação de soja. A natureza aqui é intensa. Impossível ficarmos imunes a ela. As paisagens sempre me surpreendem.

— Concordo! Ao chegar aqui, me encantei com este lugar. Sem falar que foi onde encontrei o verdadeiro sentido da minha vida — ela comentou estendendo a mão para tocar a de Conrado sobre a mesa.

— Você não é daqui?

— Não! Morava em Belo Horizonte, na capital mineira. Meu pai trabalhava como pesquisador. Surgiu a oportunidade para ele fazer uma pesquisa na Amazônia. Devido à distância, resolveu trazer toda a família. Eu tinha dezenove anos, mesmo assim os acompanhei. Naquela época, as moças só saíam de casa depois de casar. Quando cheguei, detestei o lugar, estava acostumada com a vida na cidade. Agitada. Tudo ao alcance. Aqui, só podíamos sair durante o dia, pois a iluminação era precária. Uma vez, acompanhei meu pai numa das visitas às fazendas. Foi neste dia que conheci Conrado. Não resisti a ele, nem ele a mim; foi amor à primeira vista.

— Adoro ouvir essa história, vó! — Lucas disse.

— Também gosto de contá-la, querido.

— É mesmo uma bela história! — concordei, emocionada em ver o carinho entre eles.

Thomas me olhava expressando doçura no olhar.

Remexi na cadeira.

— Você quer salada? —Ela ofereceu me passando o prato.

— Conta mais vó, conta mais! — Lucas exigiu.

— Nós nos casamos. Só a vida de dona de casa não era suficiente. Não me satisfazia. Como tinha cursado Magistério, podia dar aulas. Resolvemos montar uma sala na fazenda. No início, dava aulas somente para as crianças. Preparava-as até a idade de ir à escola na cidade. Devido às condições da estrada, isto acontecia mais tarde. Depois percebi que os adultos também se interessavam. Comecei a alfabetizá-los. Até Thomas e Kate foram meus alunos.

— Ela era muito brava! — ele falou, rindo. — Não dava folga, nem pros filhos.

— Vocês eram alunos como qualquer outro. Precisavam ter responsabilidade — retrucou.

— Muito bonito seu gesto! — elogiei.

— Se cada um fizer um pouco, teremos uma sociedade melhor. Você não concorda?

— Sem dúvida! Minha mãe também é professora. Ela dá aula em escola pública.

— Interessante. Então ela também deve ter te incentivado a estudar.

— Nem tanto! — confessei. — Às vezes, ela se preocupava por eu não parar de estudar.

— Isso é difícil de acontecer!

— É! — Tive de sorrir. — Não devem existir muitas pessoas obcecadas em estudar.

Lucas, voltou a tagarelar. As únicas pausas eram quando sua boca estava cheia. Mesmo assim, Thomas chamou sua atenção duas vezes.

Os quatro pareciam se relacionar muito bem. Não vi contradição entre eles. Thomas chamava a atenção de Lucas, os avós se mantinham quietos. Até mesmo quando Lucas pedia à avó para interceder a favor dele.

— Agora, Lívia — Lucas chamou enquanto comíamos a sobremesa —, nós podemos brincar. Vou pegar um dos meus jogos. Você pode escolher. Vamos brincar no meu quarto.

— Nada disso! — Thomas intercedeu. — Dê um tempo a ela.

Não o contradisse. Só observei o bico de Lucas se formando nos lábios rosados. Na verdade, não sabia se queria brincar.

— Tá bom! Então podemos ficar na rede? — perguntou ao pai, decepcionado.

— A rede é mais apropriada — Thomas concordou.

Acabamos de almoçar. Lucas novamente agarrou minha mão, levando-me para fora.

— Vem, Lívia! Vamos lá no rancho. Tem várias redes, você vai gostar. Vem, pai! — o menino gritou sobre os ombros, já na porta de saída.

Descemos a escada, contornamos a casa. Poucos metros depois, chegamos ao rancho aberto, coberto por telhas no mesmo estilo da casa. As redes coloridas estendiam-se apoiadas nos pilares de sustentação.

Sentei numa delas, Lucas sentou-se em outra na minha frente. Thomas se aproximou e sentou junto dele. Eu me recostei, comecei a balançar. Fazia anos que não ficava numa rede. Adorava a sensação do balanço.

Thomas envolveu Lucas nos braços e o aninhou no peito.

— Você gosta de quebra-cabeças? — Lucas perguntou-me.

— Adoro! Você tem?

— Tenho! Montei um de duzentas peças. Quero começar outro — contou, com a animação exaltada na voz.

— Legal! Quando criança, montei, com minha irmã, um de mil peças. Colocamos ele num quadro.

— Uau! Verdade? Você pode me ajudar mais tarde? — ele me perguntou.

— Claro!

O garoto bocejou. Os olhinhos dele começaram a fechar.

— Ele vai apagar — sussurrei a Thomas.

Ele assentiu e piscou.

— Se faz de forte, porém percebo quando se cansa. Por que você não tira as botas e deita?

Concordei e estiquei-me na rede. O balanço suave me fez adormecer.

Um toque macio em minha testa tirou-me do sono. Demorei alguns instantes para perceber onde estava. Então abri os olhos.

Thomas, ajoelhado ao lado da rede, me observava. O rosto dele tão próximo do meu.

— Oi! — ele continuava a tocar em minha testa.

— Eu adormeci.

Ele repuxou os lábios num sorriso e concordou.

— Cadê o Lucas?

— Já acordou. Está brincando com o cachorro. Ele quis chamá-la, mas não deixei. Você dormia tão gostoso.

— Dormi mesmo! — suspirei. — Lucas é um menino muito especial. Carinhoso demais.

— Eu sei. Ele gosta muito de você.

— Também gosto dele. Há quanto tempo perdeu a mãe?

— Quase seis anos. — Seu olhar tornou-se triste. — Ele tinha um ano e dois meses.

— Do que foi?

— Leucemia.

— Sinto muito! Não deveria ter tocado neste assunto.

— Tudo bem! É bom você saber.

Ele pegou em minha mão. Adorei o toque... Arrepiei.

— Quer levantar? Minha mãe preparou café.

— Quero! — Soltei sua mão, a contragosto, me sentei na rede, calcei as botas. — Vamos! — Não tive coragem de pegar na mão dele de novo, apesar da vontade de fazê-lo. Nem ele voltou a me tocar.

Havia anoitecido quando Thomas me trouxe em casa. No carro pude saber mais sobre ele. Perguntei que tipo de divertimento ele preferia, se costumava assistir a filmes. Soube que tinha uma coleção de DVDs dos seus filmes favoritos. Sempre que possível, ia ao cinema. Também contei minhas preferências sobre estes assuntos.

Nem percebi o tempo passar, ao me dar conta já estávamos em frente a minha casa.

— Muito obrigada pelo dia, foi maravilhoso! Me diverti muito! — agradeci. — Sua família é ótima. Gostei deles.

— Eles também gostaram muito de você.

— Boa noite! — Virei para abrir a porta do carro, sem vontade. Custava-me muito deixá-lo. Queria ficar com ele.

— Espere! Vou abrir a porta pra você — avisou e desceu da *pick-up*.

Thomas a abriu e desci. Antes de entrar, tomei coragem e perguntei:

— Você gosta de comer massa?

— Gosto! — respondeu de imediato.

— Gostaria de vir jantar comigo amanhã?

— Sim!

Nem acreditei.

— Espero você às oito, então. Boa noite! — Afastei-me até próximo ao muro.

— Lívia! — ele chamou e deu um passo na minha direção.

Meu coração disparou.

— O dia foi maravilhoso mesmo. — Ele se inclinou, tocou os lábios nos meus. Minha respiração acelerou. — Boa noite!

Thomas se virou e voltou ao carro. Deu partida no motor e saiu.

Continuei imóvel. Nem consegui acenar.

Entrei em casa. Tremendo, comecei a gritar feito louca, rindo sem parar. Eufórica. Passei a mão nos meus lábios, relembrei a sensação dos lábios dele tocando os meus. Aquilo era demais. Eu me senti uma adolescente ganhando seu primeiro beijo. E foi só um selinho. *Nossa!* Ainda o veria no dia seguinte. Fui muito corajosa em convidá-lo. Melhor ainda, ele aceitou.

Talvez ele não fosse tão indiferente a mim quanto pensei.

Amanhã vou beijá-lo. Não posso mais esperar. Prepararei minha melhor receita.

Nem conseguia acreditar, o quão perfeito foi esse dia. A noite anterior parecia tão distante. Nem nos meus melhores sonhos, poderia imaginar que meu dia terminaria assim. Nas nuvens...

O toque do celular me tirou da euforia. Estive tão entretida o dia todo que esqueci de deixá-lo próximo, o aparelho continuava na bolsa.

— Alô! — atendi ao chamado.

— Oi, Lívia! — Ana exclamou. — Nossa! O que aconteceu? Está tudo bem? Onde esteve?

— Oi, Ana! Tudo bem. Estou em casa.

— Te ligamos o dia todo. O Rodrigo também ligou. Estávamos preocupados. Onde você esteve?

— Fui passear.

— É mesmo? Sem carro?

— É. Resolvi caminhar, aí peguei uma trilha. Cheguei numa cachoeira. Foi muito bom. Nem percebi o dia passar.

— Tudo bem, então. A gente se vê amanhã. Boa noite!

— Boa noite, Ana. Até amanhã.

Droga, tinha me esquecido de avisá-los. Devia saber, eles me procurariam. Desde minha chegada, passava todos os finais de semana na companhia deles.

Rodrigo também deve ter me procurado o dia todo. Ainda mais depois de como saí da festa ontem.

Chequei as mensagens no celular. Só dele tinham oito, além de três da Ana.

Detestava mentir, mas não podia dizer onde passei o dia. Do jeito que minhas emoções estavam à flor da pele, dificilmente esconderia meus sentimentos. Com certeza cometeria um deslize e na certa perceberiam meu interesse pelo Thomas. Ainda não estava preparada para contar a eles. Suspirei.

Capítulo 9

— Bom dia! — Rodrigo cumprimentou ao nos encontrarmos no corredor dos consultórios. — Onde você foi ontem? Liguei várias vezes. Passei até na sua casa.

— Ah, então, saí de manhã decidida a fazer caminhada, andando por aí encontrei uma cachoeira. O dia passou tão rápido que nem percebi. Quando me dei conta já era fim de tarde. — Apesar de ter preparado bem o discurso, queria escapar do olhar questionar dele o mais rápido possível.

Ele, parecendo perceber, deteve-me colocando-se a minha frente.

— É mesmo? Qual cachoeira? — interrogou.

— Não sei ao certo. O lugar era quase deserto. — Por isso detestava mentir. Uma mentira sempre puxava outra.

Tratei de me mover, desviando dele.

— Da próxima vez me convide — pediu, o olhar de desconfiança vasculhando cada parte do meu rosto. — Adorarei acompanhá-la no passeio. Afinal também quero conhecer lugares novos.

— Claro, claro! Preciso ir, já tenho pacientes esperando. Bom dia!

Saí apressada da Unidade assim que terminou meu expediente, queria ir direto para casa, porém precisava comprar alguns itens para o jantar. Sorte eu ter pensado em preparar a massa. Já tinha quase todos os ingredientes em casa, mas se não agilizasse, não teria tempo para preparar tudo. Tinha no máximo duas horas e necessitava também me arrumar antes dele chegar.

Preparei a massa, recheei com os queijos. Terminei o molho e corri para o banho.

Passei meu creme preferido no corpo, arrumei o cabelo, finalizei a maquiagem com rímel e batom antes de colocar o vestido. Minhas roupas estavam muito limitadas, precisava pedir pra Laura me mandar outras.

Quase na hora dele chegar, comecei a me atrapalhar com as tarefas. *Será que ele virá?* Claro! *Não seja boba.* Não podia sequer cogitar a possibilidade dele não vir.

As duas batidas na porta ressoaram na sala. Corri para abri-la, antes respirei fundo e ajeitei o vestido.

— Olá! — cumprimentou.

Meu coração disparou. Como ele podia ser tão bonito? A camisa azul ressaltava a cor de sua pele e de seus olhos.

— Olá! — consegui sussurrar.

Ele abaixou, beijou-me o rosto.

— Trouxe vinho. Você bebe? — Thomas entregou-me a garrafa e um pequeno embrulho.

— Sim! — Saí da frente da porta. — Entre!

— Você disse que também gosta de rock. Então te trouxe um CD de bandas nacionais. — Ele indicou o pacote.

Coloquei a garrafa na mesa e abri o CD.

— Obrigada, adorei!

— Hum, que cheiro bom!

— Está quase pronto. Por que não coloca o CD? — Apontei o aparelho de som. — Vou abrir o vinho.

Fui até o balcão da cozinha, peguei o saca-rolhas. Precisava me movimentar, minha mão tremia tanto que receei derrubar a garrafa. Encaixei o saca-rolhas e girei enquanto o observava, de costas, inserindo o CD no pequeno aparelho. O rock suave do Capital Inicial inundou o ambiente.

— Bonita a sua casa. Ficou boa esta cor clara nas paredes — comentou ao se aproximar do balcão, observando ao redor. — Foi você quem mandou pintar?

— Foi. Fiz pequenas reformas antes de mudar, mas não mexi muito. Os móveis, inclusive, eram do Miguel.

— Você está bem instalada!

Sorri.

— É. — Segui na direção dele, estendi a taça.

Ele a pegou, brindamos, em seguida senti o buquê antes de provar.

— Muito bom!

— Você gosta?

— Gosto. É minha bebida preferida. Meu pai é descendente de italianos, sempre temos vinho em casa. Quando éramos pequenas tomávamos suco de uva para acompanhá-lo.

— Acertei então. — Ele abriu o sorriso ao levar a taça aos lábios.

Meu corpo vibrou dos pés à cabeça.

— Aham! — concordei. — E Lucas? Não quis vir?

— Não contei a ele. Provavelmente faria muitas perguntas. Não teria como dizer-lhe pra não vir.

— Poderia tê-lo trazido, se quisesse.

— Eu sei. É que queria ficar sozinho com você.

Minha respiração falhou. Queria dizer que também desejava o mesmo. Ao invés disso, virei e voltei à cozinha.

— Vou aquecer o molho — consegui murmurar.

— Você quer ajuda? — ofereceu me seguindo.

— Não! Tudo bem. — Minha voz saiu num sussurro.

Thomas apoiou os cotovelos no balcão. Podia sentir seu olhar fixo em mim. Escondi meu rosto nas mechas de cabelo caindo na lateral e tratei de arrumar a massa no refratário. Peguei o recipiente com as mãos ainda trêmulas, caminhei de volta à sala, passando por ele.

— Espero que esteja bom! — Busquei desvencilhar-me da timidez e continuei tentando soar natural. — Há tempos não faço esta receita.

— Deve estar maravilhoso! Quando morava no Rio, costumava ir num restaurante de massas. Eles sempre renovavam o cardápio, mudavam recheios ou molhos. Era surpreendente.

— Quanto tempo você morou no Rio?

— Seis anos.

Sentamo-nos, peguei seu prato para servir-lhe.

— Parece ótimo — elogiou quando lhe devolvi o prato com a massa. — Você fez o molho com tomates frescos.

— Fiz! É receita da minha mãe. Às vezes nós dávamos descanso a ela na cozinha, assumíamos o fogão. Não sou boa cozinheira. Só aprendi a fazer as comidas que gosto.

— Muito bom! — exclamou ao provar. — Tem recheio de queijo?

— Sim! É penne recheado de queijo ricota, gorgonzola e ervas.

— Você é especialista! Quer me pegar pelo estômago? — brincou.

— É uma possibilidade — murmurei.

Desta vez não resisti ao flerte. Ele abriu o sorriso de satisfação. Mordi o lábio e abaixei o olhar para a massa, remexi a comida com o garfo.

Thomas pegou o vinho e reabasteceu nossas taças.

— Que curso você fez na faculdade? — perguntei ao pegar a massa e levar à boca.

— Cursei Administração de Empresas. Apesar de não ter muita certeza na época, hoje sei que foi uma boa escolha. Temos também outra fazenda próxima da minha irmã, no Mato Grosso. Lá quem cuida são eles. Ainda assim, ajudo a gerenciar. Por isso a faculdade foi adequada. Consigo ampliar minha visão nos negócios. Me deu base.

— Na outra fazenda vocês também cultivam soja?

— Não! Lá trabalhamos com gado leiteiro. É mais adequado àquela região — explicou. — E você? Por que escolheu pediatria?

— Na verdade, quero fazer especialização em cirurgia. Esta é minha verdadeira vocação. Como não consegui fazer residência nesta área, optei por pediatria.

— Só por isso fez pediatria?

— Também porque gosto de crianças. É fácil lidar com elas. Além disso, poder ajudá-las num momento frágil, ao estarem doentes, ver a rapidez com que se recuperam, é gratificante.

— Bonito! — disse, expressando ternura. — Você deve ser muito inteligente. Não é fácil entrar em Medicina, ainda mais em universidade pública. A disputa é muito grande.

— Não me considero *inteligente*. — Dei de ombros. — Sabia que teria de estudar muito, ao decidir cursar Medicina. Coloquei os estudos como prioridade. Deixei tudo mais de lado.

— Até os namoros?

— Até os namoros — reforcei. — Passei toda a minha adolescência estudando. Pouco saía. Às vezes meus pais surtavam, me colocando pra fora de casa.

— Não acredito! Você nunca namorou? — arregalou os olhos.

— Ah! Namorei sim. Duas vezes. — Meu tom não deve ter sido feliz, pois ele perguntou:

— Não foram boas experiências?

— Infelizmente, não! O primeiro durou três meses. Ele desistiu. Disse que eu prestava mais atenção nos livros do que nele. O segundo, eu já estava na faculdade. Namorei duas semanas. Descobri não ser a única a estar com ele — contei, sem conseguir esconder a frustração na voz. — E você? Teve muitas namoradas?

— Algumas!

— Bom pra você! — O ciúme invadiu meu peito de forma incontrolável. Era claro como a neve ele ter tido outras mulheres, além da esposa, no entanto, foi impossível conter a dor ao imaginá-lo beijando outras. — Então, quer dizer, já se apaixonou muitas vezes. — Abaixei os olhos tentando esconder a decepção que devia estar estampada neles.

— Não!

Thomas estendeu a mão, acolheu meu rosto na palma. Fechei as pálpebras para sentir o toque, o arrepio percorreu meu corpo. Percebi os lábios dele em minha testa, na face. Seu hálito exalando o aroma do vinho. Ele beijou o canto da minha boca, movi meus lábios ao encontro dos dele. Macios, quentes.

Nós nos levantamos, a pequena distância parecia imensa. Ele me apertou de encontro ao peito. O beijo explodiu. Agarrei-me a ele. Passei as mãos em sua nuca, entrelacei os dedos em seus cabelos. Dei vazão a todo sentimento acumulado. Entrei em combustão, como se a fogo explodisse e incendiasse o coração, percorrendo todo o sistema circulatório. Nossos corpos em chamas, a pele queimando na brasa. Ele deslizou as mãos pelas minhas costas, pressionando ao seu encontro ainda mais, parecendo querer nos fundir em um só.

De repente ele começou a afrouxar a mão das minhas costas, separou nossos lábios. A respiração ofegante.

— Uau! — exclamou. — Há tempos desejava isto.

Elevei os lábios e continuei a beijá-lo. Deslizei as mãos pelos seus braços, senti os músculos, comprimi meu corpo junto dele. Voltei minhas mãos às suas costas. Nossos lábios colados, enquanto as mãos dele exploravam meu corpo, sem reservas. Quando ele afastou nossos lábios para beijar meu pescoço, intensificando a corrente elétrica explodindo na pele, sussurrei:

— Nunca fiz isso.

— Nunca fez o quê? — exalou ainda beijando meu pescoço.

— Sexo! — A voz entrecortada pela respiração ofegante.

Thomas cessou o beijo, afrouxou o braço, encarou-me. Os olhos arregalados.

— Como assim?!

— Nunca dormi com ninguém. — O constrangimento me fez encolher.

— Não acredito! — Ele removeu os braços da minha cintura.

— Por que não? — perguntei na defensiva.

— Porque não é normal!

— Ah! Você está me chamando de anormal? Não posso acreditar.

— Não, por favor, não é nada disso. — Ele envolveu meu rosto entre as mãos. — Não podia imaginar. Você já teve namorado. Hoje em dia a maioria se deixa envolver pelo momento, poderia ter acontecido com qualquer um.

— Exceto hoje, não sou de me entregar ao momento, muito menos a qualquer um — explodi irritada tirando as mãos dele do meu rosto. — As minhas experiências de namoro foram rápidas, já falei! Na primeira eu era jovem demais, na outra mal tive tempo de me envolver.

— Desculpe, não quis te ofender — pediu, abraçando-me.

Cheguei mais perto dele e passei as mãos na sua nuca, envolvendo os dedos em seus cabelos. Voltamos a nos beijar. Não resisti, o puxei mais perto do meu corpo, o quanto foi possível. Percebi ele se conter.

— O que foi? — questionei.

— Não posso fazer isso!

— Como assim, não pode?

— Não consigo, tenho a sensação de estar me aproveitando de você.

— Eu quero que se aproveite de mim! — exclamei, a raiva transparecendo em minha voz rouca de desejo.

— Não posso fazer isso! — repetiu.

— Olha — tentei alongar minha respiração —, nunca senti o que sinto por você. Já beijei outros caras, além dos meus namorados, só que nunca quis ninguém tanto quanto quero você. Não tenho dúvidas disto.

Podia ver o desejo refletido em seus olhos. Ele voltou a me beijar de maneira tão intensa quanto antes, parecia querer avançar mais, ao me puxar junto dele. Porém, devagar, soltou os braços, separando seus lábios dos meus.

— Nós mal nos conhecemos. Não quero fazer algo do qual possamos nos arrepender depois. Você deve ter se guardado para alguém especial — continuou, num tom de desânimo. — Não posso acreditar nisso.

— Quem não pode acreditar sou eu! Nunca pensei que não ter transado seria empecilho em qualquer relacionamento. Simplesmente não aconteceu. Pareço ter feito uma coisa muito errada.

— Claro que não! Muito pelo contrário. Só faz eu te admirar mais. Você é a pessoa mais incrível que conheci. Se você soubesse como me sinto agora, não pensaria assim.

Soltei os braços dele. Sentei na cadeira. Meu corpo estava em frangalhos. Apoiei os cotovelos na mesa, escondi o rosto entre as mãos. Nunca me senti tão constrangida. Desejava cavar uma cratera e me enterrar no chão.

— Não devia ter dito nada! — lamentei.

Ele se ajoelhou na minha frente, removeu minhas mãos do rosto e o ergueu com a ponta dos dedos, obrigando-me a encará-lo. Resisti.

— Lívia, por favor, olhe para mim!

Desta vez, cedi ao seu pedido.

— Te desejo intensamente, é difícil até eu mesmo acreditar. Só não quero que aconteça assim. Provavelmente hoje nem aconteceria nada. Não quero apressar nada. Quero namorar você, ficar com você. Se acontecer de ficarmos juntos, que isso seja um complemento para nossa relação, independentemente de você ter ou não ficado com outra pessoa.

Envolvi meus braços em seus ombros. Ele levantou e me levou junto. Thomas me abraçou, acariciando meus cabelos. Encostei minha cabeça em seu peito. Ficamos assim, abraçados. Seus sentimentos por mim, iam muito além de desejo físico. Queria se relacionar comigo. Um compromisso. Não esperava por isso.

Apesar de toda a frustração experimentada, o que ele tinha acabado de dizer me alegrou.

— Tudo bem? — ele perguntou, ainda acariciando meus cabelos.

Respondi positivamente com a cabeça, sem me afastar de seu peito.

— Quer namorar comigo?

— Não posso acreditar na sua pergunta! Os rapazes hoje em dia não pedem mais as moças em namoro. Isto está fora de moda. É antiquado!

— Nós dois temos comportamentos antiquados — devolveu.

Percebi seu riso e elevei o rosto.

— Sim!

— Sim, você quer?

— Sim! Quero! — Então ele me beijou de novo.

Desta vez um beijo delicado. Mesmo assim, meu corpo vibrou.

— Posso voltar amanhã?

— Por quê? Você já vai? — Lamentei.

— Não! Posso ficar mais, se você quiser.

Assenti.

Só então me dei conta do silêncio. Nem percebi a música acabar. A contragosto, levantei saindo dos braços dele.

— Vou trocar o CD.

Fui até o aparelho, escolhi "Linger" do The Cranberries. Os primeiros acordes da canção me acompanharam até ele.

Thomas sentou no sofá, estendeu os braços para mim. Sentei junto dele e me aconcheguei nos seus braços. Ficamos assim, juntos, abraçados. A sensação de estar aconchegada nele era maravilhosa. Sentir seu carinho me acalmou. Levei minha mão ao rosto dele. Desenhei o contorno de sua sobrancelha, deslizei os dedos tocando sua face, seus lábios. Ele fechou os olhos. Beijei sua pálpebra. Toquei nele como desde o início sentia vontade. Beijamo-nos.

— Poderia ficar assim horas, com você nos meus braços — disse, beijando-me na testa —, mas tenho de ir, meu dia começa cedo — suspirou.

— Tudo bem, eu entendo! Vou torcer para amanhã chegar rápido.

— Eu também!

Aproximei-me dele e juntei nossos lábios mais uma vez.

Capítulo 10

A terça-feira foi lenta. Trabalhei desejando que a noite chegasse logo. Esforcei-me a prestar atenção ao examinar meus pacientes. Evitei contato com Ana e Rodrigo, temendo que eles percebessem minha ansiedade.

No final da tarde rumei para casa em disparada. Arrumei-me para esperá-lo. Parecia adolescente. Pontualmente às oito ele bateu em minha porta. As reações do meu corpo não mudaram nada. Não importava o quanto o tocasse, a sensação de ser a primeira vez permanecia. Meu coração disparava, as mãos suavam, a contração no estômago incontrolável. Minha circulação fluía de forma intensa. O desejo só aumentava.

Comemos, ouvimos música, conversamos. Ele me contou como foi sua infância na fazenda. Eu contei a minha na cidade. Falamos também dos relacionamentos com nossos irmãos.

Nós nos beijamos. Nos acariciamos. Apesar do desejo nos incendiar, não avançamos o sinal. Quando chegávamos ao limite, Thomas se afastava até nossos corpos se tranquilizarem. O autocontrole dele era irritante, queria que ele me carregasse para o quarto.

Na quarta-feira ele voltou. Sua beleza me deslumbrava. E o cheiro, então? Sentir o aroma dele, tão próximo, só aumentava meu desejo. O cheiro de sua pele parecia ter sido elaborado para mim. Não se comparava a nenhum outro. Quanto mais o sentia, mais perto queria ficar.

Namoramos. Nos conhecemos melhor. Soube detalhes de sua vida na Inglaterra. Além de estudar, também trabalhou em Londres. Esta nova rotina era deliciosa. Nunca pensei que namorar pudesse ser tão bom.

Custava-me ver Thomas partir. Só não me sentia pior porque sabia que o veria no dia seguinte. Trabalhava mais animada, ansiava pelos nossos encontros. Esta mudança de humor deve ter ficado transparente em meu comportamento, pois na quinta-feira Ana veio falar comigo.

— Lívia, está tudo bem?

— Sim, Ana! Por quê? — Já tínhamos nos encontrado de manhã, conversado. Estranhei sua pergunta neste momento.

— Não sei. Você está diferente esta semana. Parece mais animada. Aconteceu alguma coisa? Ou você não quer contar?

— Não é nada disso, Ana! Na verdade, conheci uma pessoa. — Fiz pausa, ela me encarou parecendo interessada. — Desculpe, não quero falar sobre isso, ainda. Acho cedo para divulgar. — Também não queria mentir para Ana. Ela sempre se mostrou tão amiga, parecia traição ficar escondendo. Preferi ser sincera.

— Foi domingo na cachoeira? — Ana especulou.

— Não. Já o conhecia antes. No domingo ficamos mesmo juntos.

— Dá pra ver. Você parece apaixonada. É difícil não notar. — Percebi que ela gostou da novidade. — Tudo bem! Não vou me intrometer em sua vida. Se tiver vontade de contar, estarei aqui para ouvir. Fico feliz por você.

Sorri. Ana era de fato uma boa amiga.

Saí do trabalho e fui direto para casa. Queria de novo fazer um jantar especial. Pedi que Seu Chico me trouxesse peixe. Iria prepará-lo.

Tinha outras intenções esta noite. Meu desejo por Thomas só aumentou nos últimos dias. Não via motivos para adiarmos mais. Queria que ficássemos juntos. Além do mais, ficar sozinha com ele numa casa vazia, sem acontecer nada, tornava-se cada vez mais difícil. Era um desperdício.

Deixei tudo preparado. Esperei ele chegar.

Quando a *pick-up* estacionou em frente de casa meu coração disparou.

Corri para abrir a porta.

Ele estava sorrindo. Precisei segurar no batente para não me derreter no chão.

— Olá! — cumprimentou já me abraçando.

Passei meus braços em seu pescoço, nos beijamos.

— Como foi o seu dia?

— Lento! E o seu?

— Melhor agora! — disse ao mordiscar suavemente meus lábios. — O cheiro está bom. Você cozinhou de novo?

— Aham!

— Você vai me acostumar mal. Não precisa fazer isso!

— Eu sei! Farei enquanto me der prazer. É gostoso nos sentarmos pra comer, apesar de achar que podemos fazer coisas muito mais interessantes — sugeri ao ficar na ponta dos pés e beijar-lhe o pescoço.

Ele não fez nenhum comentário, só me apertou junto ao peito, acariciando minhas costas, depois me soltou. Puxei-o pela mão, fazendo-o entrar.

— Hoje Ana perguntou se estava acontecendo algo. Disse que estou diferente.

— Você contou a ela?

— Em partes... Comentei ter conhecido alguém, só não queria entrar em detalhes.

— Por que não quis contar a ela?

— Não sei. Você contou pra sua família?

— Claro! Preciso justificar todas as minhas saídas. Quase nunca saio à noite, muito menos com esta frequência. Além do mais, meus pais torciam para isso acontecer. Minha mãe sabia que eu estava interessado em você.

— É mesmo? E pro Lucas, você contou?

— Contei hoje! — respondeu, torcendo os lábios.

— Ele não gostou? — Estranhei sua reação.

— Na verdade, ele adorou. Falei que começamos a namorar. Ele me agarrou e disse: Legal pai, é bom mesmo você arrumar uma namorada, além do mais uma namorada tão bonita — explicou, imitando a voz do filho.

Fiquei mais aliviada. A reação do garoto me preocupava. Apesar de saber de seu carinho por mim, isso poderia mudar, ao ter conhecimento do meu namoro com o pai dele. Ele podia naturalmente ter ciúme.

— Fiquei feliz por ter contado a ele — confessei ao colocar o jantar na mesa.

— Só temos um problema.

Nós nos sentamos, ele passou a mão em meu rosto.

— Qual é?

— Vou ter de dividi-la com ele.

— Por quê? — Achei engraçado.

— Ele quer te ver. Pediu que vá à fazenda de novo. Disse estar com saudades e não é justo só eu vir vê-la.

— Mesmo? Ele é demais! — Acariciei seu rosto. — Não posso resistir a nem um dos dois. — Inclinei-me para beijá-lo.

Estávamos acabando de jantar quando Thomas me perguntou:

— Vai contar pra Ana?

— Talvez. Você se importa?

— Claro que não! — exclamou, parecendo indignado. — Não precisamos esconder nada.

— Tudo bem. Vou contar a ela. De qualquer forma, detesto esconder as coisas.

Peguei os pratos para levá-los à pia. Ele veio me ajudar.

— Você poderia colocar música pra gente ouvir? — pedi com a voz macia.

Voltei da cozinha e fui ao encontro dele, já sentado no sofá. Apoiei meus joelhos nas laterais de sua perna. Sentei nelas. Thomas me olhou desconfiado. Passei meus braços em seus ombros, comecei a beijá-lo devagar. Ele passou as mãos em minha cintura, correspondendo ao beijo. Lentamente levei minha boca ao seu pescoço, beijando-o, senti ele se arrepiar. De repente Thomas pegou nos meus braços, me afastou.

— Não é justo fazer isso. Assim você não colabora.

— Por que não? — choraminguei.

— Fica difícil resistir assim.

— Não resista! Quero ficar com você — decidi.

— Também quero! Só precisamos ter certeza dos nossos sentimentos, antes de avançarmos mais.

— Eu tenho certeza! Você não tem? — Senti me desmoronar, só de imaginar que ele não tinha certeza de querer ficar comigo. *Ai...*

— Tenho! Porém, como você pode ter certeza, se estamos juntos há apenas quatro dias?

— Não fique preocupado comigo. Já disse, não tenho dúvidas. Tem de ser com você. Já tomei tantas decisões importantes na minha vida, sou capaz de tomar mais essa. Não tem sentido esperarmos. Eu só esperava a pessoa certa. Esta pessoa é você.

— Nossa! Não imagina como é bom ouvir isso. — Seus olhos brilharam, beijou-me carinhosamente. — Quero que o momento seja especial, num lugar especial. Pode ser? — Acariciou meu rosto. — Podemos esperar um pouco mais?

— É mesmo? Você quer me levar a um lugar especial? Nem sei o que dizer!

— Diga só que espera um pouco mais.

— Eu espero! — Acariciei o rosto dele. — Você é demais!

Thomas me abraçou, apoiei a cabeça em seu ombro e deixei-o me embalar aproveitando seu toque deslizando os dedos em minhas costas.

Precisava falar com Laura. Não nos falávamos há alguns dias. Assim que Thomas saiu, decidi me conectar. Talvez tivesse sorte.

— Olá, querida! Sinto saudades.

— *Ora, ora, se não é minha irmãzinha sumida. Tem estado muito ocupada, hein? O lugar onde mora é mais agitado que aqui?*

— Bem, pode-se dizer que sim — respondi relembrando meus últimos dias. — Mamãe e papai estão bem? Morro de saudades.

— *Eles estão bem! Falei com eles hoje. Liga depois. Também sentem saudades.*

— Tudo bem. Vou ligar.

— *Me conte as novidades! Por que tem estado tão ocupada? Resolveu aproveitar a vida, fazer coisas diferentes...* — Deu risada.

— É, vamos dizer que sim!

— *Não! Mentira! O doutor te conquistou?*

— Não é ele. Conheci outro cara. Estou tremendamente apaixonada.

— *Não posso acreditar! Maravilha! Quem é ele?*

— O nome dele é Thomas. É fazendeiro!

— *Mesmo? É bonito?*

— Muito!

— *Me mande fotos.*

— De jeito nenhum, vou deixar você bem curiosa. Assim virá correndo me visitar.

— *Vou partir no próximo voo.* — Ela riu.

— Legal! Tem mais...

— *Conta!*

— Ele é viúvo. Tem um filho de seis anos.

— *Não acredito! Você resolveu mesmo inovar, hein? Quantos anos ele tem?*

Contei a ela e pedi para não contar aos nossos pais. Queria eu mesma fazê-lo. Ela concordou.

— Como estão as crianças, o Felipe?

— *Bem! Nem nas redes sociais você tem estado nos últimos tempos. Veja lá que postei algumas.*

— Vou ver! Preciso de um favor.

— *Pode pedir.*

— Compre-me alguns vestidos, camisolas, e me envie. Só não exagere.

— *Uau! As coisas evoluíram mesmo! Preciso conhecer este cara, urgente.*

— Você vai! Bom, preciso acordar cedo amanhã. Mande beijos a todos. Amanhã ligarei pra mamãe.

Laura era ótima. Muita sorte minha ter uma irmã amiga assim.

A ansiedade por passar o final de semana na fazenda estava me consumindo. Irei encontrá-los como namorada dele. Nem mesmo o fato de saber terem aceitado nosso namoro me acalmava. Espalhei todas as peças de roupa trazidas por mim sobre a cama, totalmente indecisa. Achei melhor deixar a mala pronta pela manhã, no entanto a dificuldade de escolher começava a me atrasar para trabalhar.

Decidi pela calça jeans, duas camisetas e o vestido verde, o único que ainda me restava. Tomara que Laura me envie logo as roupas. Ajeitei todas as peças na pequena mala e parti para a Unidade.

Ao entrar encontrei Ana. Desta vez não teria escapatória, precisava contar a ela, pois desaparecer mais um final de semana seria estranho.

— Bom dia, Lívia! Na próxima terça-feira é aniversário do Carlos. Vou fazer um jantar em casa. Você vai?

— Claro! Posso levar uma pessoa?

— Nossa! Você vai levá-lo?

Confirmei.

— Certamente! Estou ansiosa em conhecer o cara misterioso.

— Não tem mistério. Você já o conhece.

— Mesmo?! Quem é?

— É Thomas Farrell.

— Isso sim é surpresa! — Ela meneou a cabeça. — Bom, terei de arrumar companhia pro Rodrigo. Garantir que o jantar seja ameno.

— Não tinha pensado nisso. Se Rodrigo está interessado em mim, este encontro será constrangedor. Seria melhor não ir?

— Claro que não! São coisas da vida. Ele vai superar.

Praticamente não nos encontramos nesta semana. Ele esteve dois dias em atendimento externo. As poucas vezes em que nos vimos, só nos cumprimentamos, sem nos estender muito. Bom, de fato, eu o estava evitando. Ele percebeu a mudança em mim. A cara de desconfiança dele não negava. Na primeira oportunidade ele me pressionará.

— Só para você saber — continuei —, vou passar o final de semana na fazenda dele. Estou avisando porque você pode tentar me ligar.

— Uau! É sério mesmo?

— Parece que sim!

— Fico feliz. Ele me parece ser um bom homem.

— Ele é mesmo!

Cheguei em casa e decidi ligar para meus pais. Laura tinha razão, há tempos não falava com eles.

— Oi, mãe! Tudo bem?

— *Liv querida! Nós estamos com muita saudade. Não te ligamos porque poderia estar ocupada. Esperávamos você ligar. Está tudo bem?*

— Tudo bem, mãe! Cadê o papai?

— *Saiu com seu tio Giovanni.*

— Ele está bem?

— *Está! Eles foram jogar bola. Sabe como é, sexta-feira...*

— Eu sei! Às vezes até me esqueço dessa rotina. — Fiquei aliviada. Ele não estava em casa. Melhor falar logo. — Bom, mãe, tenho novidade.

— *É mesmo? Qual novidade?* — perguntou, já desconfiada.

Conhecia bem minha mãe, ela já devia estar imaginando que a novidade não seria assim tão boa para ela.

— Conheci um cara. Comecei a namorar. O nome dele é Thomas.

— *Isto é muito bom. O que este Thomas faz?*

— Ele trabalha na fazenda do pai dele — expliquei e esperei a próxima pergunta.

— *Quantos anos tem este Thomas?*

— Mãe! Não gosto quando você fala assim! Pensei que ficaria feliz por eu estar namorando!

— *Lívia!* — A voz rígida.

Lá vem, pensei.

— *Se tudo estivesse certo, provavelmente me diria, Mãe, conheci um cara, comecei a namorar. Se você começa a frase com Mãe, tenho novidade, já sei que a novidade não é completamente boa, em especial para mim.*

— Por que você tem de me conhecer tão bem?

— *Deve ser porque sou sua mãe. Vamos lá, estou curiosa, conte-me.*

— Ele tem trinta e dois anos, é viúvo, e tem um filho de seis anos.

Silêncio total do outro lado da linha. Passou muito tempo. A mim pareceu interminável. Achei que a linha tivesse caído.

— *Bem, isto é inesperado* — percebi ela respirar fundo do outro lado. — *Bom, filha, você sempre soube fazer bem suas escolhas. Espero que seja este o caso. Você está feliz?*

— Sim!

— *Isso basta, por ora. Bem* — ela suspirou —, *vou contar ao seu pai a respeito.*

— Mãe, passarei o fim de semana na fazenda dele. Talvez o celular fique sem sinal. Volto a te ligar na segunda pra saber como o papai reagiu, tudo bem?

— *Ele mora sozinho?*

— Não, mãe! Ele mora com os pais dele.

— *Tudo bem. Se cuide! Não faça nenhuma besteira.*

— Está bem, mãe. Eu te amo! — desliguei.

Nosso relacionamento sempre foi aberto. Talvez por sermos somente eu e Laura, sempre conversamos com eles sobre tudo. Claro, às vezes guardávamos algumas coisas para nós, porém contávamos os assuntos mais importantes, assim nos precavíamos de problemas futuros. Eles sempre se mostraram disponíveis, abertos, as conversas eram francas. Quando não concordavam, impunham sua autoridade de pais, a qual procurávamos respeitar, ou, então, questionávamos até o convencimento deles, ou nosso.

A reação da minha mãe não foi das piores. Detestava ter este tipo de conversa ao telefone. Sabia que ficariam felizes em saber do namoro. Meu receio era não aceitarem a situação de Thomas. Talvez desejassem que eu me envolvesse com alguém solteiro. Sem compromisso. Não por serem preconceituosos, pois não são, só que isso poderia mudar se dissesse respeito à própria filha.

Foi bom meu pai estar ausente. Melhor ainda eu estar incomunicável no fim de semana. Ao menos ele teria tempo para digerir, antes de me ligar tendo um ataque.

Capítulo 11

— Está pronta? — Thomas perguntou ao entrar na sala de minha casa.

— Não! — Torci os lábios. — Tenho receio de reencontrá-los.

— Por quê? Nada mudou. Eles só estão mais felizes por estarmos juntos — disse e acolheu meu rosto entre as mãos. — Pare com isso. Não precisa se preocupar.

Tentei esboçar um sorriso, sem sucesso. Ele me encarou e voltou a acariciar meu rosto, parecendo querer reforçar as palavras ditas. Foi muito difícil amenizar a sensação de desconforto pela situação, ainda assim, sorri, peguei minha mala e fechei a porta. Caminhamos de mãos dadas até o carro. Como sempre, ele abriu a porta para mim.

— Ana nos convidou para jantarmos na casa dela terça-feira. Será aniversário do Carlos.

Ele dava partida no motor e desviou o olhar para mim.

— Você contou a ela?

— Contei! Disse que iríamos. Tudo bem? Você gostou?

— Sim! – Ele movimentou a cabeça e colocou o carro em movimento.

— Contei também à minha família. — Esperei sua reação.

Ele me encarou.

— Bem, contei para Laura e para minha mãe.

— O que contou a elas?

— Disse estar namorando você.

— Só isso? — Thomas arqueou as sobrancelhas.

— Contei que é viúvo e tem um filho de seis anos.

— E elas disseram?

— Bem, minha irmã gostou. Minha mãe perguntou se estou feliz.

— E você está?

— Muito! — respondi. Aproximei-me dele, apoiei o rosto em seu ombro. Ele me puxou mais junto dele e beijou minha testa.

Ao chegarmos à fazenda, Lucas veio ao meu encontro e me abraçou, entusiasmado. A mãe dele também me abraçou. O pai, sempre discreto, simplesmente sorriu.

— Lívia, você vai ficar no quarto de hóspedes. O Thomas vai te levar lá! Queremos que fique à vontade — Norma fez as honras da casa depois de me receber.

Ele pegou minha mão e me levou em direção ao corredor. Parou em frente a uma das várias portas.

— É este! O meu é o do lado. — Apontou a próxima porta.

— Você vai me levar lá? — perguntei na maior cara de pau.

— Vou, para você conhecer — respondeu e abriu a porta para entrarmos.

Como tudo na casa, o quarto era grande. A decoração agradável. A gravura de flores, acima da cama de casal, alegrava o ambiente.

— Bonito! — Caminhei e me sentei na cama. — Gostosa! — Movimentei as sobrancelhas enquanto batia a mão no colchão, convidando-o para sentar ao meu lado.

Thomas colocou minha mala no chão e sentou-se ao meu lado. Apoiei a mão na perna dele, me virei e encostei nossos lábios.

— Desculpe, é só brincadeira, não quero desrespeitar a casa dos seus pais.

Ele começou a rir.

— Não se preocupe! Pela minha mãe você ficaria no meu quarto.

— É mesmo? — A possibilidade me agradou. — Tudo bem! Acho cedo para isto. Não ficaria nada bem, na minha primeira vez na sua casa, como sua namorada, já dormir no seu quarto. Mesmo seus pais sendo liberais.

— Você é demais! — disse e me beijou. — Venha! — Pegou minha mão, conduzindo-me de volta ao corredor. — Vou te mostrar meu quarto.

O quarto dele, tão amplo quanto o outro, também tinha cama de casal. O armário ocupava uma das paredes. Em uma mesinha de canto estava o computador. Na frente da cama a TV de tela plana e abaixo dela uma estante com vários DVDs, próximos ao aparelho. Os móveis modernos de linhas retas combinavam com a construção em estilo rústico da casa.

— Nossa! Quantos DVDs você tem!

— Você gostou? — perguntou parecendo satisfeito com minha reação. — Vamos jantar. Se você quiser mais tarde podemos assistir filme.

Concordei. Fui para junto dele, aceitando sua mão estendida.

Depois do jantar nos sentamos no chão para brincar com Lucas. Nós o ajudamos a montar o quebra-cabeças. Ele exigia tanto a minha atenção quanto a do pai. Falava sem parar. Os avós ficaram sentados no sofá, observando-nos brincar. Às vezes Norma ajudava a encaixar alguma peça.

Não demorou pra ele começar a aquietar, demonstrar cansaço, com a pilha, sempre parecendo tão carregada, acabando.

— Vamos lá, filho! Hora de dormir. Diga boa-noite — Thomas orientou ao pegá-lo no colo.

— Boa noite! — o menino desejou, os olhinhos pequenos pelo sono. — Lívia, vou te acordar bem cedinho para tomarmos leite. Você quer?

— Quero! Vou te esperar — beijei o rostinho dele e fiz um carinho.

— Já volto! — Thomas piscou para mim.

— Se vocês me derem licença, também vou me deitar — Conrado avisou ao levantar do sofá. — Boa noite!

— Boa noite! — todos responderam.

— Bem, restaram só as mulheres — Norma comentou quando os homens saíram. — Estou muito feliz por você estar aqui.

— Obrigada!

— Meu filho gostou de você desde o dia que te conheceu, sabia?

Meu olhar questionador deve tê-la estimulado a continuar.

— É! Desde o primeiro dia mesmo. Ele nem sempre demonstra o que sente, mas o conheço bem. Ele já sofreu muito — fez uma pausa e continuou: — Vê-lo retomar a vida me alivia o coração. Fico feliz por ele ter encontrado você.

— Não deve ser fácil, a mãe ver o filho sofrer. — Eu me emocionei ao vê-la falar. — Gosto muito dele.

— Eu sei!

Thomas voltou.

— Ele dormiu? — perguntei.

— No mesmo instante em que o coloquei na cama. Quer assistir um filme?

— Não.

— Bem, também vou me deitar — Norma falou. — Boa noite!

Ele pegou minha mão e me levou ao sofá.

— O que você quer fazer?

— Nada! Quero ficar aqui com você. — Aconcheguei-me nele, abraçando-o.

— Isso parece muito bom. — Ele passou o braço sobre meu ombro, me puxou junto dele. Fez carinho em meus cabelos. Beijou meu rosto, depois meu pescoço. — Você cheira tão bem!

— Você também! — Percorri a curva de seu pescoço, o cheiro dele penetrando em minhas narinas. — É tão bom! Quanto mais sinto, mais perto quero ficar.

Deslizei os lábios do pescoço até sua boca. Como sempre, o beijo tinha o poder de acender o pavio, dando início à combustão de desejo que sentíamos. Quando as bocas se tocavam, nossos corpos explodiam na ânsia do desejo. De imediato as mãos dele me trouxeram mais perto. Eu o envolvi com a mesma ansiedade. Pressionei sua nuca, enrolei meus dedos em seus cabelos. Acariciei seu rosto, desci ao pescoço, ao peito. As mãos dele percorriam meu corpo de forma frenética. Sentei-me em seu colo. Não queria que ele parasse. Meu corpo todo suplicava por ele.

Dessa vez, reuni forças para me separar dele. Afastei meus lábios dos dele. Nossas respirações aceleradas.

— É melhor pararmos — sussurrei. — Não fica bem fazermos isso na sala dos seus pais.

Ele só meneou a cabeça. Seu corpo estava tão trêmulo quanto o meu.

— Quer dormir no meu quarto? — perguntou.

— Melhor não! — Custava-me tanto esta recusa! — O Lucas pode vir de manhã. Se não me encontrar no quarto, teremos de dar muitas explicações.

— Tem razão!

Continuamos abraçados, até nossos corpos se acalmarem. Nesta noite, mais uma vez, fui para a cama, infelizmente, sozinha.

Não tinha sequer amanhecido, Lucas veio me acordar. Reclamei, mas não adiantou, mesmo assim ele me levou, junto com o pai, ao curral. Eu devia parecer uma sonâmbula sendo arrastada pela relva úmida da manhã e Thomas se divertia com minha pouca vontade logo pela manhã. Ou melhor dizendo, quase madrugada. Como eles podiam ter tanta disposição logo cedo?

Lucas me arrastava, literalmente, para todo lado. Depois de tomar leite no curral, a preguiça foi cedendo lugar à alegria contagiante do menino. Brincamos com o cachorro, cavalgamos, colhemos fruta no pomar, até no rio ele me fez colocar os pés.

No final da tarde estava exausta, apesar disso me sentia leve. Ficar junto deles me fez bem. A interação entre eles não me excluía, era como se eu já fizesse parte dessa convivência há anos.

Thomas permanecia o tempo todo junto de mim, me abraçava, me beijava. Quando Lucas soltava minha mão, ele pegava. A necessidade dele por mim parecia tão intensa quanto a minha por ele. Lucas poucas vezes demonstrou ciúme e veio nos separar. No geral olhava e sorria, parecendo gostar.

Depois do jantar, Lucas quis brincar de novo. Norma intercedeu:

— Querido, vamos ficar com a vovó e o vovô? Nós sentimos sua falta hoje. Deixe seu pai e a Lívia namorarem. — Ela piscou para mim. — Vocês dois não gostariam de ir lá fora? A noite está tão linda!

Thomas agradeceu, sorriu para ela, peguei em sua mão e deixamos a sala.

— Sua mãe é demais! — comentei ao sairmos da casa.

— É verdade! Ela me ajuda muito. Meu pai também. Apesar do jeito quieto, ele tem um coração de ouro. Eu os admiro muito. Não sei o que faria sem eles.

Caminhamos pelo jardim. As luzes ao redor da casa iluminavam o caminho. Norma tinha razão, a noite estava linda. A lua cheia resplandecia no gramado. Thomas me levou ao galpão das redes, também iluminado.

— Posso apagar as luzes? Você verá como fica claro só com a luz da lua.

Concordei. Fui me sentar na rede bem de frente para a lua. Ela parecia tão próxima que dava a impressão de que, se estendêssemos a mão, poderíamos tocá-la. Ao apagar das luzes, a diferença de luminosidade foi mínima.

Thomas veio sentar-se ao meu lado. Ajeitei-me junto a ele.

— A natureza aqui parece se intensificar. Nunca vi tantas nuances de cores assim. Tenho a impressão que a lua está sorrindo para nós. Sua beleza me toca — disse-lhe, emocionada por participar de tamanho espetáculo.

— De fato, somos privilegiados.

Sempre gostei da lua cheia. Para mim sua energia era gloriosa, como se mergulhasse em toda a magia que ela representava.

Ele tinha razão, éramos privilegiados. Na verdade, eu era privilegiada. Estar num lugar destes, vendo a lua resplandecente, tão clara, intensa como nunca tinha visto. Transmitindo sua energia. Aconchegada nos braços dele. Este era meu momento mágico. Não podia pedir mais nada desta vida.

— Este é o momento perfeito, o lugar perfeito! — constatei ao elevar meu pescoço, juntando nossos lábios.

Thomas me envolveu em seus braços, passou as mãos por trás do meu corpo. Deitou na rede e me levou junto. Fiquei sobre ele. Nossos lábios se movimentavam com intensidade. As mãos dele acariciavam minhas costas, me comprimiam junto dele. Ele beijava meu pescoço, meu rosto, minha boca. Comecei a tirar sua camiseta. Ele parou subitamente, afastou-me.

— O que foi? — perguntei.

— Nada!

— Como, nada? Não é possível ter momento melhor, ou lugar melhor, que este.

— Concordo! Se tivesse planejado isso por meses, não seria mais perfeito.

Apoiei os antebraços em seu peito e foquei em seu rosto, parcialmente mergulhado na penumbra provocada pela sombra da rede.

— Então o que foi? Diz por que você não quer? Não acredito ser por você não me desejar como te desejo. Posso sentir isso. Por favor — ele continuou em completo silêncio —, por que você não quer?

— Eu quero! Muito! Nunca quis tanto alguém como quero você. Só não consigo.

— Por quê? O que te impede? Do que você tem medo?

— Tenho medo de te magoar. De não te fazer feliz. Tenho medo de destruir a sua vida.

— Isso não é possível. Nunca fui tão feliz como sou com você. Já te disse isso.

Thomas ficou em silêncio. Esperei ele falar e continuei encarando-o. Então, ele começou:

— Pode parecer irracional, mas tenho a sensação de ter destruído a vida dela. Se tivesse me segurado, se não tivesse apressado as coisas... Quem sabe se ela não tivesse engravidado, a vida dela poderia ter sido diferente.

Emudeci. Nunca poderia imaginar ele se sentir assim. Seus olhos estavam úmidos.

— Não é culpa sua! — disse ao conseguir assimilar como Thomas se sentia. — Ninguém tem culpa.

— Eu sei! — exclamou. — Ainda assim eu sinto.

— Só posso falar por mim, porque não a conheci. Se me dessem a opção de viver só uma semana ao seu lado, ou toda uma vida sem ter te conhecido, eu escolheria viver só uma semana. Você não tem ideia de como é especial. Não acredito que ela tenha se arrependido de ficar com você, ou de ter engravidado.

Thomas acariciou meu rosto. Peguei sua mão, a beijei. Deitei em seu peito, embalada pelo palpitar de seu coração. Ele movia a mão com suavidade pelas minhas costas.

— Você ficou decepcionada?

— Não! — Levantei o rosto e o fitei. — Vai chegar o momento certo, nós dois vamos querer tanto, tanto, que nada vai nos impedir.

— Você é demais!

— Agora você me deve uma noite sob o luar! — Encostei, de novo, meu rosto em seu peito.

— Prometo pagar!

Pude perceber seu sorriso.

— Vou cobrar! — eu o adverti.

Continuamos deitados, abraçados, até que adormeci.

Capítulo 12

Segunda pela manhã, enquanto bebia água na cozinha da Unidade, meus pensamentos vagavam pelo final de semana, preenchido por nossos beijos. Ah...

— Você parece bastante feliz. — Rodrigo encarava-me, encostado no batente da porta. — O fim de semana foi bom?

— Foi sim! E o seu?

— Monótono, como sempre! Passei na sua casa ontem, vi seu carro, bati várias vezes, ninguém atendeu.

— É mesmo? Não estava em casa.

— Percebi! Foi na cachoeira de novo? — questionou, sondando, a cara desconfiada.

— Não! Por que você foi me procurar? — Tratei de mudar de assunto.

— Fui te chamar para ir a Humaitá comigo. Onde você foi?

— Passei o final de semana fora. — Era bom já falar logo. Na certa, nos encontraríamos na casa da Ana.

— É mesmo? Fez novos amigos?

— Na verdade, sim.

— Onde você foi?

— Na fazenda dos Farrell.

— Ficou íntima deles? O cara me pareceu um grosseirão — o comentário rude me desafiou.

— Ele é bem legal. Na verdade, estamos juntos — exclamei num rompante. De imediato me arrependi.

— Vocês estão *juntos*? — Ele franziu as sobrancelhas. — Como assim?

— Estamos juntos! Ficando! — De novo, não gostei do tom de voz dele.

— Você ficou louca? O cara é um peão, sem cultura, vocês não têm nada em comum.

— Isso não é da sua conta!

Encarei-o.

Maria entrou na cozinha. Só então dei-me conta de que nossas vozes estavam alteradas.

— Doutora! Há pacientes à sua espera.

— Já vou! — respondi, sem desviar os olhos de Rodrigo enquanto saía.

Até o fim do dia não nos encontramos mais.

Senti-me mal por brigar com ele. Seria tão mais fácil se ele quisesse ser só meu amigo. Sabia que gostava de mim. Também gostava dele. Contudo, o meu gostar era um pouco diferente. Detestava ter de magoá-lo. Tive certeza de ter magoado. Não queria tê-lo feito. *A vida pode ser muito injusta.*

Para completar, não veria Thomas esta noite. Ele ficaria com Lucas na fazenda. O garoto sentia a ausência do pai. Apesar da decepção, busquei entender a situação e evitar ficar lamentando. Por isso, para me distrair, decidi ir a Humaitá, no final da tarde. Precisava comprar o presente do Carlos. Em Guayi o comércio era pequeno, restrito. Não havia muitas opções. Só em Humaitá poderia encontrar algo diferente.

Peguei o carro ao sair do trabalho. Já estava familiarizada com a cidade, sabia exatamente onde encontrar o que procurava. Nem precisei rodar muito, na primeira loja encontrei uma camisa perfeita.

Mal começou a anoitecer, já estava de volta.

Ao virar a esquina de casa, deparei-me com o carro do Rodrigo estacionado. Ele me esperava na varanda, sentado no banco. *Que droga!* Não estava disposta a uma nova discussão.

— Você pode ver um belo pôr do sol desta varanda, não é mesmo? — comentou esboçando um sorriso triste.

— O que você faz aqui? Certamente não veio ver o pôr do sol da minha varanda — falei, azeda.

— Calma! Não vim aqui brigar — argumentou, estendendo a palma da mão em minha direção, me barrando.

— Tudo bem! Também não quero brigar. — Suspirei.

Sentei ao lado dele. Coloquei o pacote no chão.

Ele o olhou.

— Onde você foi? — perguntou.

— Fui a Humaitá comprar o presente do Carlos.

— Legal! Vim aqui ontem para isso.

Permanecemos em silêncio, sentados. Só havia os ruídos de nossas respirações misturando-se aos sons dos grilos e cigarras nas árvores ao redor. Esperei ele continuar enquanto observava os últimos feixes de luz do dia baixando no crepúsculo.

— Você está mesmo saindo com ele?

— Sim!

— É sério?

— Por que você quer saber? — Voltei-me a ele, encarando-o.

— Preciso saber.

— Sim! Nós começamos a namorar — confessei e desviei o olhar à frente.

Rodrigo parecia estar assimilando a informação. Não consegui encontrar mais nada para dizer. Tinha inclusive receio de dizer algo que estimulasse novas discussões.

— Por que você não me quis?

— O quê? — Estranhei a pergunta.

A expressão dele parecia desanimada. Sofrida.

— É! Por que você não me quis? Preciso saber. Pensei ter sido por não querer envolver-se com ninguém, por isso não insisti. Dei tempo ao tempo. Esperei você confiar em mim. Saber que está com outro está me enlouquecendo.

Apoiei os cotovelos nos joelhos, amparei o rosto nas mãos. Não imaginava passar por isso. Levantei a cabeça, respirei fundo.

— É complicado! — ponderei. — Não se trata de preferir outro a você. Aconteceu. Não premeditei, não procurei, aconteceu.

— Por que não aconteceu comigo?

— Não sei! Não tem explicação pra isso. — Respirei fundo. — Olha, você é legal, bonito, divertido, bom amigo, temos muitas afinidades. Gosto muito de você, só não rolou. Não consigo explicar.

— Nós nem nos beijamos!

— Isso independe de beijo, você sabe!

— Gosto muito de você, apesar de saber que não sente o mesmo por mim. Não consigo aceitar. — Meneou a cabeça. — Não vou desistir. Ainda vou tentar te conquistar.

— Rodrigo, por favor, não faça isso. Quero que você encontre outra pessoa. Seja feliz. Você é muito bom, mas não me espere. Não posso te prometer nada.

— Mesmo assim vou tentar.

Dito isso, levantou-se e foi embora.

Continuei sentada, estática, observando-o dar partida no carro e desaparecer. Não imaginava que seus sentimentos fossem tão fortes. O jeito dele falar, parecia gostar mesmo de mim. Não queria magoá-lo. Só me faltava essa agora. Além disso, ainda teria de ligar pro meu pai. A noite prometia.

Terminava de me arrumar para ir ao aniversário do Carlos. As roupas que Laura ficou de me enviar não chegaram, teria de me ajeitar com as minhas mesmo. Nem em meus melhores sonhos, imaginei precisar de outras roupas. Se tivesse previsto, na certa traria peças mais femininas.

Enquanto passava o batom, a conversa com meu pai na noite anterior povoava minha mente. Eles de fato eram ótimos. Não poderia pedir pais melhores.

Seu André simplesmente perguntou se o rapaz era bom, trabalhador, se me respeitava, quase respondi "até demais", porém, decidi ficar de boca fechada. Daí pediu para eu me cuidar, não fazer nada de errado. "Pense em seu futuro.", disse ele. *Dá pra acreditar nisso?* Esperava que ele tivesse um ataque, e nada.

O som da *pick-up* me fez sair em disparada, abri a porta.

Lá vinha ele, caminhando em minha direção. O cabelo levemente despenteado, a barba feita, o rosto perfeito, iluminado pelo sorriso. Meu coração saltava no peito.

— Você está linda! — Envolveu seus braços em minha cintura, me puxou junto dele e colou nossos lábios. Não foi um selinho, foi um beijo intenso, capaz de tirar meu fôlego. — Senti sua falta.

— Também senti! — Bom mesmo ele estar me segurando, pois na certa eu cairia. — Você está tão cheiroso. Melhor não sairmos — provoquei, beijando seu pescoço.

— Podemos ficar! Não vou reclamar se ficar com você só pra mim. — E continuou a me beijar.

A vontade de satisfazer nossos desejos foi quase irresistível, mas...

— Temos de ir! — Lamentei, afastando-me dele. — Não posso deixar meus amigos esperarem. — Sorri, me virei para pegar a bolsa e o presente. Fechei a porta. — Você também está lindo! — A camisa branca acentuava a cor de sua pele bronzeada.

Ele sorriu antes de voltar a encostar seus lábios nos meus.

Chegamos à casa de Carlos e foi ele quem veio abrir a porta.

— Bem-vindos! — cumprimentou ao me abraçar.

Retribuí o abraço e entreguei-lhe o presente.

— Obrigado! Não precisava se preocupar.

— Você merece! Este é Thomas! — eu os apresentei.

— Claro! Já nos conhecemos. Bom recebê-lo em minha casa.

— Parabéns! Trouxe um presente — Thomas falou ao entregar-lhe o embrulho.

— Nossa, obrigado! — Carlos agradeceu rasgando o papel da bebida. — Adoro este aguardente, é de Minas, não é? Perfeito! Vamos entrar.

O burburinho das conversas cessou ao entrarmos. Ana veio ao nosso encontro, me abraçou, beijou meu rosto e fez o mesmo com Thomas. Percorri o olhar nos convidados, acomodados nos sofás. Rodrigo, sentado ao lado de Ângela, a professora a quem me lembrava de ter sido apresentada outro dia, me encarou. Além deles, Clarice, a enfermeira da Unidade, estava acompanhada do marido, Orlando.

Thomas já conhecia a todos. Ele os cumprimentou estendendo a mão, exceto Rodrigo, que parecia estar alheio aos cumprimentos.

— Lívia! Adorei a camisa. Obrigado! O que vocês querem beber? — Carlos perguntou.

— Vinho, se tiver — respondi.

— O mesmo pra mim — Thomas disse envolvendo seu braço em minha cintura.

Ana começou a conversar conosco. Os outros, aos poucos, retomaram a conversa. Podia sentir o olhar do Rodrigo em mim. Tentei ignorar enquanto acariciava a mão do Thomas, apoiada na frente do meu corpo. Carlos trouxe as bebidas e nos mantivemos atentos às histórias de Ana. Aos poucos comecei a relaxar, o vinho também ajudou a me deixar mais descontraída. Não que os olhares de Rodrigo tivessem cessado.

Às vezes as conversas tornavam-se coletivas e o clima parecia menos denso.

Orlando, diversas vezes, dominou a conversa ao contar histórias da região. Para confirmar os fatos, se dirigia sempre a Carlos. Jaguatiricas e outros animais da floresta que invadiam as ruas da cidade, provocando alvoroço, foram a parte central das histórias, por sinal provocando-me calafrios.

— Deixem disso, rapazes — Ana interveio. — Desse jeito nossos recém-chegados vão se assustar.

— Já estou me acostumando — Rodrigo falou. — Ah, Lívia! Lembra daquele amigo que está fazendo a especialização em Atlanta, para onde *nós dois* planejamos ir no próximo ano? Recebi um e-mail dele esta semana. Ele está adorando. Disse valer a pena.

Gelei na hora. Também senti os braços em minha volta congelarem. Retive o ar.

Ana pareceu perceber, porque no mesmo instante veio em meu auxílio.

— Lívia, você poderia me ajudar a trazer o jantar?

— Claro! — Toquei de leve o braço de Thomas, que imediatamente me soltou.

Carlos também devia ter notado a alfinetada de Rodrigo, pois se dirigiu a Thomas e perguntou:

— Como vai seu pai, Thomas? Há tempos não o vejo.

Nem ouvi sua resposta, porque as conversas paralelas continuaram.

— Você não tinha contado a ele, não é? — Ana perguntou quando estávamos na cozinha.

— Não! — respondi, abaixei as pálpebras.

Ela acariciou meus cabelos.

— Vai dar tudo certo! Você vai ver.

Voltamos à sala. Tentei me segurar, sorria quando conversavam comigo. O rosto de Thomas virou uma máscara impenetrável. Ele continuou a participar das conversas, deu atenção a todos, mas o clima pesado parecia palpável.

Acabamos de jantar, ele sussurrou em meu ouvido:

— Preciso ir. Acordo cedo amanhã. Você vem comigo?

Concordei. Nós nos despedimos, agradecemos o jantar e saímos.

Durante o curto percurso da casa de Ana até a minha, ele não falou nada. Não emitiu qualquer som. Eu tampouco conseguia arrumar algo para dizer.

Paramos em frente à minha casa. Ele não desligou o motor.

— Você quer entrar? — convidei.

— Não. — Continuou a olhar para frente, o rosto sério, rígido.

— Por favor, diga alguma coisa!

— O que quer que eu diga?

— O que está pensando.

— É verdade o que ele falou? Vocês querem fazer a especialização no exterior?

— Sim!

— Por que não me contou?

— Não tive coragem. Talvez pelo que disse no primeiro dia. Fui covarde. Não queria pensar ou te falar sobre isso. Por favor, me perdoa?

— Você ainda quer ir?

— Não sei! — respondi.

— Preciso ir. Boa noite!

— Por favor, não vá. Fica comigo. Não vá assim — pedi colocando minhas mãos em seus braços e ele continuou sem me olhar.

— Não posso. Não consigo. Preciso ficar sozinho.

Abri a porta, desci. Imediatamente o carro se foi. Entrei, fui direto me sentar no balanço do jardim, comecei a chorar.

Chorei até secarem as lágrimas. Depois, entrei em casa, caí na cama. Permaneci inerte, olhar fixo na luminária do teto. As fagulhas de luz embaçando a visão. Desejava dormir e não acordar mais, tamanha minha dor.

Depois de lamentar, comecei a sentir raiva. Primeiro do Rodrigo, por ele ter aberto a maldita boca, depois de mim, por ter mantido a minha fechada, quando poderia ter contado a Thomas de outra forma, sem magoá-lo. Fiquei com raiva de toda a situação causada por mim. Não conseguia discernir qual era a minha maior dor, se na região do coração ou na do estômago. Na verdade, elas deviam estar unidas.

Tive de acordar cedo, precisava trabalhar. Por maior que fosse meu desejo de desistir, a vida continuava. Peguei meu carro e rumei na direção do cais.

Para piorar meu estado, hoje teria de fazer atendimento externo. Carlos e Júlio me acompanhariam. No geral gostava desse tipo de atendimento, mas não hoje. Com as longas distâncias a percorrer, teria muito tempo para pensar e sentir.

Carlos e Júlio já estavam à minha espera, acompanhados do piloteiro do barco, Juvenal.

— Bom dia, Lívia! — Carlos cumprimentou. — Está pronta?

— Sim!

— Melhor, primeiro descermos o rio, depois, no retorno, começamos a parar. Você concorda?

— Tudo bem!

— Então vamos! Juvenal, Júlio — gritou aos dois que já estavam dentro do barco. — Estamos prontos.

Eu o segui como se fosse robô. Entramos no barco, cumprimentei os outros. Sentei no banco ao fundo da embarcação. Graças ao barulho do motor, não teria como conversarmos, o que seria muito bom, não estava disposta a conversas. Foquei meu olhar na água. Como se ela pudesse me orientar, me mostrar como falar com ele. Ah sim, esta certeza eu tinha. Iria procurá-lo ao voltar. Hoje ele teria de me ouvir.

Passamos o dia fazendo atendimento à população ribeirinha. Algumas famílias residiam em palafitas, outras em casas de madeira ou alvenaria, construídas próximas às margens do rio.

Também gostava desta parte do meu trabalho. Ter permissão de entrar na casa, na vida destas pessoas, ver como vivem, poder orientá-las a melhorar a higiene, falar sobre prevenção de doenças. Como tornar a água mais saudável para o consumo, como limpar e preparar os alimentos melhorando a alimentação. Como cuidar da higiene pessoal. Ganhar a confiança delas aos poucos, de forma permanente.

Curar doenças sem dúvida era importante, no entanto, preveni-las era tão gratificante. Por isso as visitas tornavam-se essenciais. Fazíamos com dedicação. Nisso, toda a equipe era extremamente coesa. Tínhamos sorte por pensar da mesma forma: dar tanto valor à prevenção quanto a qualquer outra forma de cuidado.

Só mesmo meu trabalho poderia ser capaz de me fazer esquecer a angústia. Ajudar a cuidar de quem necessitava trazia-me alívio.

Retornamos ao cais no final da tarde. O sol já baixava no horizonte.

— Bom trabalho, pessoal. Nosso dia foi muito produtivo — Carlos elogiou no momento em que Juvenal encostou o barco. — Bom descanso.

Peguei minhas coisas, Carlos me ajudou a sair do barco.

— Você parece melhor, Lívia!

— Estou sim!

— De manhã quase pedi a você para ficar. Parecia até doente.

— Não é nada! — Suspirei. — Como diz a Ana, tudo vai se ajeitar. Bom descanso. Obrigada pela força!

— Bom descanso, e se cuida!

Acenei para ele. Gostaria, de fato, de acreditar nas minhas palavras.

Foi só pisar em terra firme, todo sentimento colocado de lado durante o dia voltou com força total. A sensação angustiante dessa manhã dominando meu peito.

Dei partida no Jeep. Tinha de passar em casa. Precisava tomar banho, não tinha como não fazê-lo depois de um dia como esse, com minha roupa grudada no corpo pelo suor e respingos da água do rio. Logo depois do banho iria direto à fazenda. Precisava falar com ele. Não podia deixar o desentendimento estragar o que estávamos vivendo.

Assim que virei a esquina, deparei-me com o carro de Thomas estacionado em frente à minha casa.

Estacionei atrás da *pick-up*. Ele estava no banco na varanda. Desci, caminhei até ele.

— Oi! Como foi seu dia? — perguntou.

— Péssimo! E o seu?

— Também!

Como ele não fez menção de vir ao meu encontro, também não fui sentar-me ao seu lado.

— Quer entrar?

Abri a porta, deixei-a aberta. Esperei ele entrar. Joguei minhas coisas na cadeira.

— Preciso tomar um banho. Passei o dia percorrendo o rio. Quero tirar esta roupa. Você pode esperar?

Ele confirmou movimentando a cabeça, sério.

Fui direto ao banheiro. Não podia acreditar que ele tivesse vindo. Apesar da expressão de seu rosto, a atitude me encheu de esperança. Apressei-me no banho e retornei à sala.

Thomas continuava parado no mesmo lugar, ao lado da porta, só que olhava a rua através da janela. Quando entrei, ele se virou para mim. Encostei na cadeira. Ambos ficamos em pé.

A vontade de me jogar em seus braços, pedir perdão, foi quase incontrolável, mas me segurei.

— Vim aqui porque preciso falar com você. Não sabia como começar, então pensei, é melhor começar do início. Assim você poderá entender como me sinto — disse, o olhar fixo no meu. — Desde a primeira vez em que te vi, você mexeu comigo. Naquele dia estava tão nervoso, desesperado. Tinha um medo terrível de que algo ruim acontecesse ao meu filho. Ao vê-la entrar, me assustei. Aquela menina dizendo que cuidaria dele. Não acreditei. Não consegui me conter, aí você me desafiou; senti tanta firmeza em você... Sua atitude me desmoronou. Olhei meu filho tão assustado e você começou a falar com ele, a tratá-lo com tanto carinho, como nunca vi alguém tratá-lo, exceto a tia e os avós. Fiquei imobilizado. Você parecia um anjo entrando em nossas vidas.

Senti a lágrima escorrer pela minha face. A cena narrada por ele, passou de novo em minha mente, a expressão em seu rosto. Aflição e angústia pelo filho.

— Fui embora naquele dia — Thomas continuou —, porém, não conseguia te esquecer. Lutava com todas as minhas forças. Queria tirar você do meu pensamento, porque eu não queria aquilo. No dia do retorno, pedi à minha mãe para vir. Inventei uma desculpa, só que ela desconfiou. Ainda assim, concordou em vir. — Ele suspirou. — Depois encontrei você parada no meio daquela estrada. Parecia o destino brincando comigo. Quando começamos a conversar, soube que não tinha mais saída. Você já fazia parte da minha vida, mesmo tentando fugir, não conseguiria te apagar da minha memória. Ao te encontrar na festa, queria muito ficar com você. Aí ele chegou, te abraçou. Tive raiva. Não consegui me conter. Vi você sorrindo para ele. Aquilo acabou comigo. Precisava agredi-la, mas era raiva de mim mesmo que sentia, por me permitir ter esperança.

— Ele é só meu amigo. — Algumas lágrimas escorreram em meu rosto. Limpe-as com o dorso da mão. Thomas também tinha os olhos úmidos.

— Minha mãe já tinha percebido o quanto você mexia comigo. Então resolveu te convidar para ir à fazenda. Nem acreditei quando você aceitou. Passamos um dia maravilhoso. Há muito tempo não me divertia tanto. Não queria que fosse embora. Daí você me convidou para jantar. Não tem ideia de como me senti. Tive esperança de novo. Conforme fomos nos conhecendo, me apaixonei cada vez mais. Mesmo que quisesse, agora não poderia excluí-la da minha vida, porque você faz parte dela. Quero ficar com você o quanto puder. Ainda que amanhã você me diga adeus, quero viver este amor. Quero amar você como ninguém nunca amou ou irá amar.

Percorri o pouco espaço existente entre nós e o abracei. Não queria mais nada. Só ficar abraçada a ele. Nem podia acreditar: o quanto ele me amava. Comecei a beijá-lo. Nossas lágrimas se misturando no beijo. Havia tanta paixão, entrega. Nossos lábios não conseguiam se separar, assim como nossos corpos.

— Eu amo você! — eu disse, voltando a beijá-lo.

— Quero ficar com você! Preciso ficar! Não suporto mais — ele exaltou separando os lábios dos meus. — Vamos passar um tempo juntos. Podemos viajar. Ir a outro lugar. Vamos no final de semana? Ficar só nós dois. Você quer?

— Quero! Muito! — Não queria me separar dele. Tampouco ele de mim. — Fica comigo esta noite. Não vá embora. Nós não precisamos fazer nada, só quero ficar com você. Quero dormir abraçada a você. Por favor, fica — pedi.

— Fico! — prometeu e acariciou meu rosto, limpando as lágrimas. — Eu amo você.

Continuamos abraçados. Ele acariciando meus cabelos. Nem percebi o tempo passar. Só notei a sala ficar na penumbra, quase no escuro. A única iluminação vinha de fora, das luzes da rua.

— Você quer comer? — perguntei.

— Não sei. Não estou pensando nisso — ele respondeu, e percebi seu sorriso.

— Em que está pensando? — Elevei o rosto e o encarei.

A face dele corada, seus olhos brilhando.

— Você é a melhor coisa que me aconteceu nos últimos anos.

— Digo o mesmo. Nem em meus melhores sonhos poderia imaginar sentir por alguém o que sinto por você. — Encostei nossos lábios. — Vou preparar um lanche para nós. Você vai ficar? — questionei sem desgrudar dele.

— Vou!

Thomas ficou. Nós nos deitamos em minha cama. Ele me abraçou. Adormeci em seus braços. Acordei com o beijo de despedida dele, antes do amanhecer. Foi a melhor noite da minha vida. Esperava que tivéssemos outras como esta, ou até melhores.

Capítulo 13

Já tinha arrumado minha mala na noite anterior. Felizmente chegaram as roupas enviadas por Laura.

Sábado de manhã, ainda não tinha a menor ideia de onde iríamos. Thomas só disse para eu levar roupa para sair à noite numa cidade grande. Levando em consideração que a maior cidade da região era Porto Velho, e também a de mais fácil acesso, provavelmente seria para lá onde iríamos e passaríamos a noite. Aguardava ansiosamente este momento. Esperava que meu namorado estivesse tão empolgado quanto eu. Assim seria difícil ele arrumar qualquer motivo para adiarmos.

Não, não podia pensar nisso. Com certeza seria hoje. *Ah, ele chegou!*

Disparei para abrir a porta.

— Dormiu bem? — Thomas perguntou ao me puxar para junto de seu corpo.

— Na verdade, não. Minha cama tinha muito espaço. — Rocei meu rosto no dele, deslizei os lábios até chegar à sua boca. Como era bom beijá-lo. Não conhecia sensação melhor. — Senti sua falta!

— Também senti a sua! Está pronta?

Confirmei.

— Vamos? — convidou e pegou minha mala.

— Vai me contar para onde iremos? — perguntei ao entrar na *pick-up.*

— Daqui a pouco. — Sorriu. — Está curiosa?

— Sim e não.

Ele arqueou as sobrancelhas parecendo não entender.

— Sim, porque é natural eu ficar curiosa, e não, porque o lugar não faz diferença.

— Você logo saberá!

Saímos de Guayi em direção a Humaitá. Atravessar essa cidade era necessário para pegar a estrada até Porto Velho, porém isso nada significava, pois este caminho também dava acesso a outros municípios do Amazonas, conforme Carlos comentou quando cheguei.

Só quando pegamos a BR 319, confirmei minhas suspeitas.

— Vamos a Porto Velho! — exclamei categórica, abrindo o sorriso vitorioso.

— Sim e não. — Ele me imitou e retribuiu o sorriso. — Vamos até Porto Velho, mas não ficaremos lá.

— Não?!

— Vamos a outro lugar. Você verá.

Achei melhor me conter e parar de perguntar, apesar da curiosidade. Se ele queria fazer surpresa, eu a aceitaria. De fato, não tinha importância. O melhor era estar junto dele.

Fiz um carinho em seu rosto, me aconcheguei no seu corpo e decidi relaxar.

Após algumas horas, chegamos a Porto Velho. Como não conhecia bem a cidade, não tinha a menor ideia de onde iríamos. Seguíamos por uma avenida e, de repente, a reconheci de minha chegada.

— Aeroporto? — Indiquei ao passarmos pela placa de sinalização.

— Sim!

— Viajaremos de avião, então? — Remexi no banco, desconfortável. Voar ainda me causava certa tensão. Na viagem de Campinas a Manaus quando prestei o concurso, pegamos uma tempestade e a turbulência me causou náusea. Arrepiava-me só de lembrar.

— Sim! — ele respondeu, rindo. — Vamos a Manaus. Já comprei as passagens. Estamos dentro do horário previsto.

— Você não precisa me levar a Manaus — afirmei na clara tentativa de fazê-lo mudar os planos.

— Eu sei! Porém quero mostrá-la a você.

— Em Porto Velho deve ter lugares interessantes para conhecer, não tem?

— Tem! Outro dia, podemos voltar. Hoje quero levá-la para conhecer a capital.

— Já estive em Manaus! — exclamei azeda.

— Mesmo? Quando? — Thomas afastou-se me encarando.

— Quando vim fazer os testes do emprego.

— Tudo bem! Só que não deve ter conhecido toda a cidade — ponderou voltando a prestar atenção à estrada. — Até porque ela não deve ter sido apresentada a você por um amazonense, não é mesmo?

— Isso é! — tive de concordar.

— Quanto tempo você ficou na cidade?

— Um dia! — confessei. — Cheguei à noite, fiquei no hotel. No dia seguinte realizei os testes, e embarquei de volta para casa.

— Isso não é conhecer a cidade. — Tornou a rir.

— Você tem razão! — Eu me rendi ao seu sorriso.

Chegamos ao aeroporto. Como Thomas comentou, estávamos dentro do horário. O movimento de passageiros estava tranquilo. Fizemos o *check-in* e embarcamos.

— Logo estaremos em Manaus, você verá. — Ele parecia muito animado.

Conforme o avião decolou, pressionei minha mão na dele. Ele a acariciou em um nítido gesto de conforto e confiança. Talvez o apoio tenha me possibilitado acalmar, tanto que espiei pela janela. A imensidão da floresta dominava a paisagem. As copas das árvores unindo-se, criando um amontoado de tons esverdeados sendo recortada pela faixa do rio. À medida que o avião ganhava altitude, a floresta mais parecia um imenso tapete verde. Vislumbrei toda a vida contida no interior deste lugar. Os animais, a vegetação abundante, as comunidades indígenas, a população ribeirinha, enfim, tantas formas diferentes de vida a conviver há milênios.

Apesar do receio em voar, não poderia negar a beleza deslumbrante de ver a paisagem de cima. A visão da floresta, tão esplêndida, ao mesmo tempo assustadora e fascinante. Abri o sorriso diante de tamanha magnitude.

— É uma paisagem de tirar o fôlego — exclamei.

— Sim! Adoro a sensação de estar sobre a floresta.

— Você gosta de aviões?

— Gosto! Meu pai teve um. Vendeu há alguns anos. Era pequeno, do tipo bimotor. Hoje em dia melhorou muito o acesso à fazenda, então não faz sentido mantermos este tipo de transporte. Em Humaitá tem aeroporto, com alguns voos regulares.

— Você pilota? — perguntei espantada.

— Piloto! Aprendi a pilotar muito jovem. Este era um meio de transporte necessário nesta região devido às condições precárias das estradas. Hoje é desperdício mantermos um avião.

— Você pode fazer qualquer coisa, não?

— Você também!

— Nem tanto. Não tenho coragem assim!

— Lívia, você tem muito mais!

Não o contestei, só continuei a observá-lo. De fato Thomas podia fazer muitas coisas. Quanto mais o conhecia, mais o admirava.

— Manaus é muito bonita. Você vai gostar. Além disso, poderemos ver o encontro das águas dos rios Solimões e Negro. Vale a pena!

Sempre tive vontade de ver este fenômeno. Ao assumir o emprego, cogitei essa possibilidade e desisti, a distância de Manaus a Guayi era inviável, bem como o acesso.

Estávamos voando há aproximadamente uma hora, quando ele falou:

— Chegamos!

Através da janela, visualizei a mudança na paisagem. Apesar da visão das árvores prevalecer, a volume de água do rio também se destacava.

— Olhe! — Ele apontou.

Acompanhei a direção indicada. Eram duas linhas de cores distintas, até parecia uma estrada de terra junto ao rio, porém conforme o avião descia, ficou nítido serem ambas faixas de água. A diferença de cores fantástica da água escura, quase cinza, do Rio Negro, de encontro à água barrenta, marrom-clara, do Rio Solimões. A correnteza fluindo paralelamente, sem se misturar.

— Como é possível?

— Dizem que é devido à diferença na velocidade da correnteza e à temperatura da água. Elas não se misturam. Ficam assim por quilômetros.

— Fantástico! Não imaginei que pudesse ser tão lindo.

— Lá está Manaus! — Apontou a capital surgindo ao longe.

O rio a contornava de forma sinuosa. Parecia até mesmo uma cidade litorânea, tal o volume de água que a banhava. Recostei no banco imersa na sensação de encantamento diante da natureza exuberante abaixo de nós.

Não demorou para aterrissarmos. Desembarcamos e fomos direto ao saguão do aeroporto.

— Vamos pegar um táxi para nos levar ao hotel — ele informou enquanto atravessávamos a área de desembarque.

Passada toda a emoção da viagem, me dei conta que ficaríamos de fato sozinhos. *Os quartos seriam separados?* Ao mesmo tempo em que ansiava pelo momento, também senti receio.

Deixei Thomas me arrastar pelo aeroporto, junto com nossas duas malas. Ao entrarmos no táxi, ele informou o endereço ao motorista.

— Você está bem? — questionou franzindo as sobrancelhas.

— Claro! Tudo bem! — Minha voz saiu num sussurro.

Chegamos ao hotel e seguimos para a recepção, passando pelo amplo *hall*, com um belo espelho d'água. O som da cascata d'água ressoava pelo saguão. O recepcionista entregou a chave a Thomas. Ao vê-la, meu coração acelerou, parecia ter subido à garganta.

Acompanhei-o ao elevador. Quando chegamos no andar, ele abriu a porta do quarto, gesticulou para eu entrar. Sabia que seus olhos estavam fixos em mim. Tentei disfarçar meu nervosismo e abri o sorriso.

Ao entrar, me senti aliviada, era uma suíte. A pequena sala acomodava um sofá, a cortina aberta deixava a sacada à mostra. Havia outra porta na lateral.

— Tudo bem? — perguntou de novo ao colocar as malas no chão. — O quarto é ali. — Prosseguiu, indicando-me a porta na lateral da sala.

Caminhei até ela, entrei no cômodo com a imensa cama de casal. Atravessei-o em direção a outra porta, que deveria ser a do banheiro. A banheira de hidromassagem no canto ao lado da pia revestida em mármore se destacava no cômodo.

— É perfeito! — exclamei retornando ao quarto.

Thomas veio ao meu encontro, me envolveu num abraço.

— Você está nervosa? — Quis saber.

Não conseguia encará-lo, abaixei os olhos.

— Nós não precisamos fazer nada — ele afirmou. — Você sabe disso, não é?

— Sei! — Envolvi seu rosto entre as mãos e respondi. — Só que eu quero!

Com suavidade, ele se inclinou e me beijou. No momento em que os lábios dele tocaram os meus, meus frágeis medos desapareceram. Nenhuma emoção se mantinha a não ser a avalanche de desejo desencadeada ao nos beijarmos. Só conseguia senti-lo, o abracei, apertando seu corpo junto ao meu.

— Quer ficar? — ele perguntou, nossos rostos muito próximos, respirações ofegantes.

— Não! Vamos sair!

Sem vontade, me separei dele. Apesar da empolgação do beijo, preferia esperar até a noite. Já tinha esperado tanto, que seriam estas poucas horas?

Thomas me levou para conhecer vários pontos da cidade. Na maior parte do tempo caminhávamos. Só pegamos táxi quando o local era distante. Ele parecia um perfeito e animado guia turístico. Em determinado momento me lembrou o Lucas, ao me mostrar a fazenda. Não me contive e comecei a rir.

— Do que você está rindo?

— Você parece seu filho como guia turístico.

— Não ria de mim! — Thomas pediu.

Ele me levantou do chão, me girou. Estávamos numa praça movimentada, no centro da cidade. Alguns pedestres pararam parecendo admirar nossa empolgação. Um senhor de chapéu até fez uma reverência a nós.

O dia foi perfeito. Passeamos, sentamos na praça, andamos de mãos dadas. Comemos pipoca, dividimos sorvete. Namoramos. Ele me mostrou a cidade com absoluta paixão, levou-me a lugares lindos.

No fim da tarde retornamos ao hotel. Thomas me deu total privacidade para me arrumar. Ficou na sala, enquanto eu usava o quarto. Depois fiz o mesmo com ele.

Parecia difícil para ambos agirmos de forma natural, apesar da intensa atração que sentíamos.

Thomas comprou ingressos para irmos ao teatro. Iríamos assistir a uma apresentação de dança folclórica típica do Amazonas. O evento aconteceria no Teatro Amazonas. O prédio, construído há mais de um século, era lindo. Já foi palco de grandes apresentações, tanto nacionais, quanto internacionais. Ao chegarmos, fomos direto nos sentar em nossos lugares na terceira fileira do teatro já quase lotado.

Os bailarinos movimentavam-se de forma sincronizada, as roupas coloridas, coreografia perfeita representando um dos mitos folclóricos típicos da Amazônia, o famoso Boi-Bumbá. Este Estado possui um folclore completamente presente e enraizado nos costumes e tradições de seu povo. Ver isso ser representado em forma de dança, era magnífico.

Quando a peça acabou, saímos para jantar em um restaurante italiano. O local possuía velas sobre as mesas, ressaltando o clima romântico e aconchegante. Saboreamos a massa escolhida por ele, regada ao vinho tinto. A noite não poderia ser mais perfeita!

— Obrigada por este dia! Me diverti muito! — Peguei em sua mão e a beijei.

— Eu também. É tão bom estar aqui com você! — Ele acariciou meu rosto, começou a me beijar, primeiro na face, sutilmente desceu até minha boca. O arrepio percorreu meu corpo.

— Vamos! — pedi.

Ele aquiesceu e retornamos ao hotel.

— Vou te deixar à vontade — avisou-me, ao entrarmos na sala da suíte.

Caminhei ao quarto, peguei minha camisola e fui me trocar no banheiro.

Mal entrei, comecei a tremer. Recostei na porta. A ansiedade dominou-me. O estômago revirava. Respirei fundo. Fechei meus olhos. *Será que tenho dúvida?* Pensei em Thomas, cenas de nosso dia perfeito surgiram em minha mente. O sorriso dele, doce e sincero, que iluminava os olhos. *Não tenho nenhuma. Tem de ser ele! Tenho certeza!*

Respirei fundo, de novo, porque se não tinha dúvida, não precisava temer. Devia ser difícil pra ele tanto quanto era pra mim. Se eu demorasse, só iria aumentar a ansiedade dele também.

Escovei os dentes, penteei os cabelos e vesti a camisola, mirei meu reflexo no espelho. Gostei de como o tecido de seda negra contornava meu corpo, a renda junto ao decote moldava meus seios. Me senti sensual. A vergonha foi sendo substituída pelo desejo.

Abri a porta para o quarto, as luzes reduzidas do cômodo iluminando Thomas esperando-me junto a cama. Ele vestia só um short, nunca tinha o visto sem camisa. Ofeguei.

Thomas veio em minha direção. Ao chegar perto, estendi meus braços para ele. Passei minhas mãos pelo seu peito, subi aos ombros, envolvendo sua nuca. Encarei-o, seus olhos brilhavam na penumbra. Ele me puxou junto dele, passou os braços em minha cintura e começou a me beijar, iniciando pela testa, desceu suavemente pelo meu rosto, até chegar ao pescoço. À medida que me beijava, o fogo crescia em mim. Minha respiração alterada. Novamente a explosão de sensações me dominou. Sentia cada célula do meu corpo vibrar. O fogo fluindo em minhas veias, quente, intenso quanto um rio de lavas. Todas essas semanas refreando o desejo. Neste momento, explodiu.

A necessidade por ele só aumentava. Não conseguia mais me conter. Ele passou do pescoço à minha boca. Tocou suavemente os lábios nos meus. O beijo suave foi se transformando em um beijo ardente, intensificando a vontade de ficar mais junto dele.

Thomas me pegou no colo e carregou até a cama. Agarrei-me a ele, nos deitamos. Nossas bocas inseparáveis. Minhas mãos percorreram o corpo dele, apalpei cada parte, os músculos dos seus braços, peito, seu abdômen. A sensação dos pelos de sua perna tocando a minha. Roçando a pele quente pelo desejo me consumindo. Puxei-o mais perto de mim. Ele soltou um gemido e começou a descer as alças da minha camisola, sua boca acompanhando a mão, removendo a peça. Suave em uma doce tortura.

Não podíamos mais suportar nada nos separando. Eu o queria tanto quanto ele me queria. Não seria só uma transa, seria a demonstração do amor que sentíamos. Um sentimento intenso. Nossos corpos não podiam mais ficar separados. Eu o puxei para junto de mim. Nossos lábios se juntaram num beijo tão ardente quanto o movimento de nossos corpos. Então, tornamo-nos um só.

Comecei a despertar. Antes mesmo de abrir os olhos, lembrava cada detalhe da noite anterior. Podia sentir todo o meu corpo energizado. Tinha total consciência dos braços à minha volta. Da sensação da minha pele ao tocar a dele. Nunca imaginei me sentir tão completa.

Abri os olhos devagar. Ele me observava. Os lindos olhos azuis demonstravam a mais plena ternura.

— Bom dia! — Thomas desejou ao acariciar minha face. — Tudo bem?

— Muito bem! — Suspirei. — Nunca me senti tão bem. — Levei a mão ao seu rosto, ele fechou os olhos, passei os dedos pelas têmporas, sobrancelhas, face, lábios. — Não acredito que estou aqui com você.

Ele pegou minha mão, a beijou. Envolveu minha cintura trazendo-me ainda mais junto dele.

— Você é o meu amor! — ele confessou e começou a me beijar.

Se a noite anterior tinha sido maravilhosa, esta nova experiência superou todas as expectativas. Estávamos mais soltos, mais entregues, mais seguros. Não havia receio, medo, nem desejo reprimido. Só a vontade de estarmos juntos. Vivenciar esse amor que aconteceu, sem nenhum de nós ter planejado, e que estava transformando nossas vidas.

— Quer usar a banheira? — perguntou.

— Quero!

— Vou prepará-la! — Beijou meu rosto e levantou da cama. — Posso pedir o café da manhã aqui, se você quiser.

— Será maravilhoso! — continuei deitada aproveitando a bela visão do corpo dele caminhando em direção ao banheiro.

Quando Thomas retornou ao quarto, estendi os braços.

— Vem ficar comigo! — choraminguei. — Não consigo mais ficar longe de você!

Ele mordeu o lábio, sorriu e se jogou na cama, agarrando minha cintura e me colocando sobre ele.

— Nem eu de você!

Em meu consultório na segunda pela manhã, refletia no quanto foi difícil separar-me de Thomas no domingo, mas precisava. Lucas devia sentir falta do pai. Não podia privá-lo por tanto tempo da presença de Thomas, ainda que o final de semana tivesse sido maravilhoso. O melhor da minha vida, na verdade. Tantas experiências novas. Nem conseguia acreditar em como elas me transformaram. Nunca, nem em meus melhores sonhos, poderia imaginar sentir tantas sensações diferentes. Extraordinárias. Não poderia ter conhecido ninguém melhor para despertá-las em mim. Thomas foi carinhoso, preocupado, sensível, ao mesmo tempo forte, determinado e corajoso. Se antes estava apaixonada, agora com certeza o amava.

Os toques na porta tiraram-me do devaneio. Já tinha atendido todos os pacientes do período da manhã e estava só arquivando as fichas dos atendimentos. Maria já havia saído para o almoço.

— Pode entrar! — permiti ajeitando a última ficha no arquivo sobre a mesa.

— Olá, doutora! Há quanto tempo! — Rodrigo cumprimentou ao entrar. Puxou a cadeira e sentou-se à minha frente.

— Olá, Rodrigo! Tudo bem? Faz tempo mesmo. — Não o via desde o fatídico episódio na casa da Ana, na terça-feira anterior. Aconteceram tantas coisas desde então. — Por onde você tem andado?

— Na quarta fiz visitas na região. Na quinta-feira, sua agenda estava lotada, não tivemos a oportunidade de nos ver. Na sexta, fui com a Ana numa fazenda. Você não ficou aqui no fim de semana?

Meneei a cabeça em negativa. Não estava muito a fim de conversa. Lembrava-me claramente das palavras dele na festa. A lembrança me colocou na defensiva.

— A Ana me disse que você iria viajar. Tive esperança de que desistisse. Passei na sua casa no sábado.

— Mesmo?! — O sarcasmo carregado em minha voz. — Pois é, não desisti. Inclusive me diverti muito.

— Posso saber onde você foi? — perguntou, a voz tranquila, parecendo não se abalar diante do meu tom.

— Fui a Manaus! A cidade é linda!

— Manaus? — questionou espantado, franziu as sobrancelhas como se não acreditasse. Quando confirmei, sua face se transformou. A serenidade desapareceu. — Posso saber como você foi até lá?

— De avião! Qual outro meio de transporte seria possível fazer essa viagem num fim de semana?

— Vocês foram juntos?

— Fomos! Já te falei, nós estamos namorando.

Ele levantou da cadeira num salto, furioso. Até me assustei. Tive a impressão de que fosse voar no meu pescoço. Encarou-me, a raiva estampada no rosto.

— Não acredito que você me trocou por um peão!

— Não te troquei! Nós nunca tivemos nada! — respondi de forma ríspida. Também levantei.

Ele manteve o olhar fixo em mim. Parecia não encontrar as palavras, ou estava assimilando as minhas.

— Você tem razão!

Saiu batendo a porta.

Desmontei na cadeira. Apoiei o rosto nas mãos e fechei os olhos. O jeito dele falar me tirava do sério. Detestava brigar com o Rodrigo. Incomodava-me vê-lo sofrer. Não queria isso. Gostava dele como amigo, queria compartilhar coisas da minha vida. Por que ele tinha de ficar interessado em mim? *Droga!* Esperava com sinceridade que ele encontrasse alguém que o fizesse feliz, assim como eu estava agora.

— Estou morrendo de saudades! — Estendi os braços para Thomas, subindo as escadas de acesso a varanda de minha casa.

— Eu também! — Ele agarrou meus quadris, me tirou do chão, sua boca veio ao encontro da minha, passou minha perna em sua cintura, me carregou para o quarto.

Foi sofrido passar tanto tempo sem ele. Quando estávamos juntos, parecia que minha vida se completava. Nada se comparava a esta sensação. O fogo ardente da paixão nos consumindo. Quanto mais ficávamos juntos, mais queríamos ficar. Até me questionava por quanto tempo isso duraria, porém, com meus lábios e corpo colados ao dele, pouco me importava, a não ser saciar o desejo e me deixar consumir nele. Thomas parecia sentir o mesmo, pois nos amamos loucamente mais uma vez.

— Estamos ficando bons nisso! — ele disse me beijando, abraçados em minha cama.

— Concordo! — Retribuí o beijo. — Tenho tanta necessidade de você...

— Eu também!

— Está com fome? — perguntei.

— Estou! Você esgota minha energia.

— Vamos repor! — Beijei seu pescoço, aproveitando o cheiro dele acentuado pelo suor.

Segui para o banheiro, fui direto tomar outro banho. Thomas me acompanhou e tomamos banho juntos. Depois de nos vestirmos, rumamos para a cozinha. Ele me ajudou a preparar o lanche.

— A segunda-feira foi lenta. A noite nunca chegava — comentei, estávamos sentados, comendo.

— Para mim também! É tão difícil ficar longe de você... também sente isso?

— Sim! — Acariciei seu rosto.

— Não poderei vir toda noite. Você sabe, não é?

— Eu sei!

— Há cinco anos ficamos direto juntos, todos os dias. — Sabia ele estar se referindo ao Lucas. — Só quando viajo a negócios ficamos longe. Ele sente minha falta. Não posso deixá-lo.

— Thomas, não espero que você o deixe. Ele é seu filho, antes de eu ser sua namorada. Nunca pediria isso. Nem seria justo com vocês.

— Você é incrível, sabia? Não sei o que fiz para merecer você. — Ele envolveu meu rosto entre as mãos, me beijou.

— Eu te amo! Não quero ver você sofrer. — Não podia, em hipótese nenhuma, pensar em separá-lo do filho.

— Também te amo! Não quero que você se sinta abandonada.

— Não vou me sentir! Encontraremos um meio-termo, não é?

Ele concordou.

— Você pode ficar hoje pra dormir?

— Posso!

— Bom, então vamos aproveitar nosso tempo.

Capítulo 14

Enquanto preparava meu lanche na cozinha de casa à noite, refleti o quanto o tempo passou rápido. Estávamos juntos há dois meses. Não conseguia definir se a sensação era devido a minha ansiedade em encontrá-lo, o que não acontecia com a frequência desejada por mim, ou se eram nossos momentos juntos, sempre insuficientes. Nesta semana, Thomas viajou, foi na segunda-feira para Belém e só deverá retornar amanhã, sexta-feira. Ainda se estivesse na cidade, estaria revezando sua atenção entre mim e o Lucas.

Thomas ficava comigo algumas noites e outras com o filho. No início, ele mencionou ser eu a estar dividida entre eles, no entanto a rotina demonstrou o contrário. Evitava falar da minha angústia em estarmos longe, pois sabia que ele também sentia minha falta e sofria nos dias em que não podia vir encontrar-me.

Os finais de semana, passávamos na fazenda. Assim podíamos ficar juntos e não deixar Lucas sozinho. Eu me divertia também. Gostava de ficar com o garoto. Ele sempre foi carinhoso comigo. Me incluía em suas brincadeiras de forma natural. Quando eu percebia despontar o ciúme dele da atenção do pai, procurava me afastar e deixá-los sozinhos. Fazer isso não era fácil, mas me esforçava em entender, tentando não fazer drama. Mesmo porque as noites eram exclusivas minhas. Desde nosso retorno de Manaus, dormíamos em seu quarto nos finais de semana. Em nosso refúgio, assistíamos filmes, namorávamos, ficávamos juntos.

Peguei meu lanche e rumei para o computador. Necessitava preencher meu tempo e estudar parecia a melhor alternativa ao invés de ficar me lamentando. Desde minha chegada a Guayi, poucas vezes consegui estudar, porém precisava. Não apenas estudar assuntos da minha função atual, como também de temas relativos à especialização.

Ah, minha especialização! Pensar neste assunto causava-me um aperto no peito, pois sabia que em algum momento precisaria enfrentar e tomar a decisão. Fazer escolhas. Não teria como conciliar as duas coisas. Procurei eliminar o pensamento incômodo, afinal faltava muito tempo para isso acontecer. Melhor evitar sofrer por antecipação.

Suspirei e tentei focar a atenção no artigo sobre cirurgias estampando a tela do computador. Percorri todo o texto sem conseguir absorver nem sequer um parágrafo. Esta noite minha atenção não colaborava. Devia ser pela aproximação também do final de semana. O garoto fará sete anos no sábado. Até já programamos a festa e a irmã de Thomas, Kate, deverá estar conosco. Quem sabe minha ansiedade esteja aumentando pela expectativa de conhecê-la. Sem dúvida, ela era importante na vida deles. Apesar da distância, os dois pareciam ser muito amigos.

Fechei o artigo e decidi abrir os e-mails. No topo da lista estava o de Laura. Minha irmã anexou algumas fotos recentes dela e dos meus sobrinhos brincando em um parque que adorava, onde costumávamos fazer caminhadas. Como sentia falta de casa!

Ao menos tinha o meu trabalho. Ele me mantinha ocupada e ajudava a dissolver a saudade. Nessa semana também minha rotina estava mais agitada. Fui com Ana numa vila distante, apesar de os médicos nos acompanharem com maior frequência. Neste lugar em particular, eu cuidava de um grupo de crianças e Ana dava assistência a uma grávida, cuja gestação corria riscos. Por isso, fomos juntas.

Amanhã Rodrigo e eu iremos visitar uma vila de moradores também distante, cujo acesso só era possível pelo rio. Desde o dia da discussão em meu consultório, mal nos falávamos. Minha raiva já tinha passado. E a dele também, ao menos foi o que percebi quando ele veio oferecer carona nesta tarde. Sentia falta de nossas conversas. Ele sempre me fazia rir. Quando cheguei, ele se tornou um bom amigo. Talvez por sermos dois forasteiros na cidade, nosso vínculo ficou mais forte, apesar do dele ter ido além da amizade.

Respondi o e-mail de Laura, mencionando o quanto de saudades eu sentia, e continuei a ler a caixa de mensagem. O nome da agência de intercâmbio da especialização saltou-me aos olhos. O e-mail trazia diversos esclarecimentos sobre locais, exigências, valores, informando inclusive prazos já estabelecidos para chamada dos aprovados nos testes.

Fixei o olhar no arquivo, o aperto em meu peito foi ampliando. As letras começaram a embaralhar na tela. Fechei a caixa de mensagem e desliguei o computador. Melhor dormir. Precisava de uma boa noite de sono, o dia seguinte prometia ser longo.

A noite foi agitada. Não sei se foi devido à falta que Thomas me fazia, a saudade de minha família ou o e-mail da agência. Talvez o conjunto destes fatores. Acordei várias vezes, custava voltar a dormir. Só fui pegar no sono de madrugada, próximo do amanhecer. Fechei os olhos e o despertador tocou.

Pontualmente às sete, Rodrigo bateu em minha porta.

— Bom dia! — ele me cumprimentou, entusiasmado.

— Bom dia! — respondi. — Vocês homens têm muita disposição de manhã, não?! — constatei já pegando minhas coisas.

Saí comendo o pão e fechei a porta de casa.

— Por quê? Você não está disposta esta manhã? — perguntou ao abrir a porta da Pajero para mim.

— Na verdade não! Dormi muito mal à noite.

— Bom, com certeza poderia ter resolvido isso, se você tivesse me chamado — argumentou, piscando para mim e deu partida no motor do carro exibindo um risinho provocante.

Torci os lábios. Nem respondi.

— O seu namorado não dá conta? — alfinetou.

— Ele com certeza dá conta! — exclamei azeda. — O problema é que ele não está.

— Onde ele foi? — Quis saber.

Suspirei. Resolvi falar, pois já tinha começado mesmo.

— Ele foi viajar esta semana.

— Que pena!

— Por quê? — Estranhei a colocação dele.

— Pensei que tivesse desistido dele. Criado juízo nesta cabecinha. — Deu três batidinhas com o indicador na minha cabeça.

— Ah, por favor! — vociferei, já sem paciência.

— Tudo bem! Não vou mais tocar neste assunto. Não quero brigar hoje. Mudando de assunto, você recebeu e-mail da agência?

— Recebi sim!

— E então?! Novidades?

— Não! Eles só me enviaram outro teste. Por quê?

— Eles também me enviaram os testes. Pediram, inclusive, para fazer a opção pelo país. Além disso, queriam saber se eu teria interesse em fazer outros cursos, caso não seja aprovado na especialização, ou ainda se gostaria de fazê-lo como qualificação. Queria saber sua opinião sobre isto.

— Por quê? — perguntei.

— Ora, é sempre bom sabermos de outras opiniões, das sugestões. Pode ampliar nossa escolha. Você já pensou sobre isso?

— Ainda não! — Exalei o ar, parecendo estar congestionando meu peito. — Podemos falar sobre esse assunto depois?

— Claro! Vamos aproveitar e marcar um jantar. Só nós dois. O que acha? — ofereceu estampando no rosto o sorriso maroto, ao qual já me acostumei.

Tive de sorrir de volta, Rodrigo era mesmo impossível.

Chegávamos ao cais. Avistei Antônio, Juvenal e Júlio nos aguardando dentro do barco.

— Muito bem pessoal! Vamos lá! — Rodrigo disse ao entrar na embarcação e estender a mão para me ajudar.

O balanço do barco me fez perder o equilíbrio, agarrei firme nos braços dele. Rodrigo abriu o sorriso sedutor. Revirei os olhos e me apoiei no banco mais próximo fugindo do contato dele.

Navegamos duas horas no rio até chegar à vila. Como nossa visita não era frequente, quando íamos, tínhamos muitas tarefas. Esta seria minha segunda visita no local. Na primeira vez foi engraçado, as crianças me rodearam, como se eu fosse um brinquedo novo. Pegaram em meus cabelos, alisando-os, pareciam estranhar a cor. Passaram a mão em meu rosto. Penduraram-se em mim. Onde ia, uma comitiva de pequeninos me seguia. Dessa vez como já me conheciam, fizeram só festa, gritaram, farrearam ao meu redor. Este contato tornava-se cada vez mais especial. Elas pareciam confiar tanto! Deixavam-se vacinar, sem pestanejar. Recebiam o tratamento como se fosse brincadeira.

Já passava das cinco horas quando retornamos a Guayi e o barco aportou no cais. Antônio e Júlio se despediram. Saí da embarcação, ajudando Rodrigo a pegar o material que levamos. Despedimo-nos do Juvenal e seguimos no deck de madeira em direção ao carro. Rodrigo pegou em meu braço, parou e me fez ficar de frente para ele.

— Foi muito produtivo o dia, não foi?

— Sim! O trabalho nestas comunidades é muito gratificante, você não acha?

— Acho! — Sorriu e abaixou os olhos. Parecia tomar coragem para falar. — Nós temos tantas afinidades, não é mesmo? — Elevou o olhar parecendo aguardar minha resposta.

— Concordo, Rodrigo!

— Isto não basta, não é?

— Você sabe que não! — Mordi meu lábio antes de continuar. — São afinidades profissionais!

— Poderíamos descobrir outras afinidades, se você deixasse.

— Por favor, Rodrigo! Você não está namorando a Ângela? — fiquei sabendo pela Ana, me senti até aliviada.

— Ângela é só passatempo!

— Não fale assim.

— Também sou passatempo para ela. Quero ficar com você, Lívia! Eu gosto muito de você! — Estendeu a mão para tocar em meu rosto.

— Lívia! — A voz de Thomas fez meu coração congelar.

Girei de imediato na direção dele. Nem conseguia acreditar em quanta falta ele me fez. Corri ao seu encontro deixando Rodrigo.

— Oi! Você voltou! — Eu me joguei nos braços dele. — Senti tanta saudade... — Afastei-me e afaguei seu rosto.

Ele estava atipicamente sério. Sorriu, mas suas feições não se alteraram. Desviou os olhos de mim e encarou o lugar onde Rodrigo ainda devia estar.

— Vim te buscar! — disse ao voltar sua atenção ao meu rosto. — Passei na Unidade. Disseram-me que chegaria aqui! A Kate já chegou e quer te conhecer. Vamos? — Enlaçou minha cintura, arrastando-me na direção da *pick-up*.

Despedi de Rodrigo com um aceno de mão. Ele se mantinha no mesmo lugar e sua expressão parecia tão, ou mais, séria quanto a de Thomas, que pouco falou durante todo o percurso até minha casa. Apenas respondeu minhas perguntas. Procurei parecer descontraída e quis saber sobre a viagem dele. A expectativa de Lucas com relação à festa. Assuntos amenos. Ainda assim, as respostas foram monossilábicas.

Chegamos a minha casa e o deixei na sala. Rumei para o quarto. Precisava de tempo para respirar. Sabia que as perguntas viriam, provavelmente ele havia ouvido boa parte das argumentações de Rodrigo. Tomei banho e demorei, além do necessário, arrumando minha pequena mala.

Quando retornei à sala, depois do banho, percebi a tensão pulsante no ambiente.

— Estou pronta! Podemos ir!

— Ele está dando em cima de você, não é mesmo?

— Rodrigo é só um amigo! — afirmei, ao chegar próxima dele.

Thomas não fez qualquer movimento em minha direção.

— Já te falei!

— Pode ser para você! Porém não é só amizade para ele. — Talvez ele esperasse minha resposta, algum argumento, fiquei calada. Então ele continuou: — Pelo jeito dele olhar. Sei disso desde a primeira vez que os vi juntos.

— Não tenho nada com o Rodrigo, além de amizade. Não posso dizer por ele, talvez até pense gostar de mim, mas nunca lhe dei esperança.

— Sei disso! Só não deixo de me sentir incomodado.

Ainda estávamos separados. A distância começou a me angustiar. Cruzei a pouca distância entre nós e o abracei, envolvendo meus braços em sua cintura.

— Você sente ciúme? Se sentir, não precisa! — afirmei encarando-o.

— Mesmo?

— Você não faz ideia do quanto gosto de você, não é?

Ele me puxou mais junto dele, meneou a cabeça em negativa.

— Quando você me toca, sinto todo o meu corpo vibrar.

Ele colocou a ponta dos dedos em meu rosto e acariciou.

— Como estou agora. — Peguei sua mão e a beijei. — Sinto como se uma corrente elétrica percorresse meu corpo. Não consigo ficar perto de você sem tocá-lo. Se estamos distantes, parece faltar um pedaço de mim. Conto os minutos para estarmos juntos. Nunca, jamais, senti algo assim por ninguém. Nem mesmo um milésimo disso. Se tudo o que disse não é suficiente para você não sentir ciúme, então não posso dizer mais nada.

Ele se inclinou, tocou seus lábios nos meus. O beijo começou suave, lento. Todos estes dias distante dele, a saudade, a falta que senti, só fez minha paixão aumentar. Agarrei-o. O beijo se tornou ardente. As mãos dele já percorriam o meu corpo, nossas respirações alteradas. Ele me pegou no colo, me carregou para o quarto.

— A Kate está à nossa espera! — Minha voz se entrecortava pela respiração ofegante.

— Ela pode esperar! — afirmou, já me colocando na cama.

Capítulo 15

Chegamos à fazenda já era noite. Ao entrarmos, Lucas correu ao meu encontro. Saltou em meus braços, entusiasmado.

— Oi, Lívia! Você não imagina! Meu pai me trouxe uma bicicleta. Ela é linda! Vem, vamos lá fora, vou te mostrar! — Pegou em minha mão e foi me puxando. Comecei a rir. O contentamento dele era contagiante.

— Ei, ei, garotão! Calma! A Lívia quer conhecer a tia Kate, depois você mostra a ela sua bicicleta.

Só então me dei conta dos outros na sala. A moça de cabelos castanhos, levemente encaracolados, sentada no sofá ao lado de Norma. Ela parecia a mãe numa versão mais jovem, inclusive pelos expressivos olhos castanhos. Conrado, de pernas cruzadas, estava acomodado no outro sofá. Sentados no chão, havia um homem moreno, de cabelos ralos e negros, e duas crianças em volta de um jogo de tabuleiro com as peças coloridas espalhadas pelo tapete.

— Kate, esta é Lívia! — Thomas nos apresentou, gesticulando com as mãos.

Ele parecia ansioso.

— Oi, Kate, prazer! — Caminhei em sua direção e estendi minha mão.

— Finalmente, Lívia! Não sabe como estava ansiosa em conhecê-la. Você não faz ideia de como o Lucas não parou de falar em você. — Levantou-se e me estendeu a mão, sorrindo. — E não foi só ele — completou, ao olhar direto para o irmão. — Este é meu marido, Marcelo — ela continuou —, e meus filhos, Marina e Caio.

Marcelo colocou-se em pé e estendeu a mão para cumprimentar-me. Ele era mais alto que Thomas.

— Prazer! É um alívio ter chegado! Assim, podemos ter outro assunto, além de falar de você. Enfim surgiu alguém para desencalhar meu cunhado. Não aguentava mais as lamentações.

O jeito divertido com o qual ele disse algo tão sério me espantou. Parecia brincadeira de mau gosto.

— Ah, cale a boca! — Thomas exclamou. — Você só fica chateado por não ser o centro das atenções. Pare de falar assim, você me deixa sem jeito e a ela também. — Em seguida, empurrou o ombro do cunhado, que quase tombou para trás.

Sorri ao notar a cumplicidade entre os dois e voltei-me às crianças, ainda sentadas no tapete.

— Olá! Tudo bem? — perguntei ao abaixar e estender minha mão à Marina, que aparentava ser pouco mais velha que Lucas.

— Olá! — respondeu acanhada.

— Oi, Caio! Tudo bem? Brinquedo legal, hein? — Apontei o jogo no chão.

— Você é médica? — O garoto perguntou de olhos arregalados.

— Sou! – Percebi a preocupação estampada em seu rostinho. Ele não devia ter mais de quatro anos.

— Vai me dar injeção? — indagou.

Comecei a rir.

— Não! Claro que não!

— Desculpe por isto! — Kate pediu. — Este artifício da injeção às vezes é necessário.

— Melhor você arrumar outro! — orientei sorrindo para ela. — Ou ele não vai conseguir ficar perto de mim.

— Tem razão!

— Bom, agora você já conheceu todo mundo! — Lucas interrompeu e pegou minha mão, me fazendo levantar. — Vem ver minha bicicleta. — E me arrastou porta afora.

— Com licença — pedi e deixei-me conduzir.

Lucas me levou ao jardim e ninguém nos acompanhou, nem mesmo Thomas.

— Olha como ela é linda! — ele exclamou em voz alta, saltitando em volta da bicicleta.

— É mesmo linda! Você já aprendeu a andar? — Quis saber.

A felicidade estampada em seu rosto, demonstrada pelos olhinhos brilhando, despertava em mim um enorme carinho. *Como poderia não gostar dele?*

— Não! — respondeu e se postou ao meu lado. — Meu pai falou que vai me ensinar amanhã. Se precisar, ele pode colocar as rodinhas. — Os olhos dele mantinham-se fixos na bicicleta, como se avaliasse a necessidade de aceitar a sugestão do pai.

Abaixei e passei meu braço pela cinturinha dele.

— Também posso ajudar, se você quiser. Quando criança, meu pai me ensinou. — Com um sorriso, passei a mão em seu rostinho.

— É claro! Quero sim! Demais! — Virou-se, me abraçou.

Eu o abracei de volta, ainda mais forte. Senti um aperto na garganta. Beijei seu rosto, pisquei para ele.

— Você quer ver o meu presente agora? — perguntei me levantando. — Não é tão legal quanto este.

— Quero! Quero! — exaltou já pulando no meu pescoço.

— Mãe, sua comida é tão boa. Tento fazer igual, mas não consigo! — Kate lamentou na mesa de jantar.

— É mesmo! Comida de mãe é diferente. É especial — eu disse.

— Lívia! Meu irmão contou que sempre morou com seus pais — Kate puxou assunto.

— É isso mesmo! É a primeira vez que fico tanto tempo longe.

— Deve sentir muita falta deles, não?

— Sinto! Se pensar bem, nem faz tanto tempo assim que saí de casa. — Remexi na comida.

Thomas, sentado ao meu lado, pegou minha mão.

— Esta semana minha irmã enviou-me algumas fotos por e-mail, assim vou matando as saudades. Nos falamos por telefone também. Conversar com eles ajuda a amenizar a distância.

— Você está se adaptando bem aqui?

— Estou! Fui muito bem acolhida! — dirigi-me a Thomas, levei minha mão ao seu rosto e acariciei. — Além da sua família, gosto muito do pessoal do trabalho. O Carlos e a Ana me receberam na casa deles no início. As pessoas daqui são muito boas. Tive sorte.

— E do trabalho, você gosta?

— Muito! Estou me entendendo bem com a população. Este trabalho me aproxima muito da vida das pessoas. Cria vínculos. Consigo ver resultados nos tratamentos. Nunca tinha trabalhado assim na saúde pública. Achei bem interessante — comentei animada.

— É mesmo? Fico feliz que gosta daqui.

Acabamos de jantar, fui ajudar a tirar a mesa.

— Lívia, você pode também me ajudar a lavar a louça? — Kate perguntou. — Assim damos folga pra minha mãe. — Levantou-se e começou a recolher os pratos.

— Claro!

Terminamos de recolher as louças para levá-las à cozinha.

Durante o dia sempre tinham empregados pela casa. À noite, Norma tinha de cuidar de tudo, por isso sempre ajudávamos. Eles me recebiam com tanta hospitalidade, seria um abuso não ajudar.

— Eu lavo, você enxuga! Pode ser? — Kate sugeriu ao chegarmos à cozinha.

— Tudo bem! — Peguei o pano para enxugar.

Gostava da cozinha da fazenda. Ampla, toda revestida de azulejos brancos, tinha tudo disposto de forma prática. Fogão a lenha, além de todos os eletrodomésticos necessários.

— Estou feliz por meu irmão ter conhecido você — Kate falou enquanto lavava a louça. — Nunca vi os olhos dele com este brilho tão intenso. É muito bom vê-lo assim.

— Nós nos gostamos muito.

— Eu sei! Dá pra ver! O Lucas também gosta de você.

— É verdade. Ele é muito especial.

— Quando posso, venho ficar com ele. Gosto dele como se fosse meu filho. Ele é carente. Sente falta de uma mãe.

Também percebi isso. Apesar da mãe do Thomas estar sempre presente, ainda assim, podia sentir nele esta necessidade.

— Thomas me disse que você quer fazer especialização no exterior.

Estranhei a colocação dela. Nós nunca mais tocamos nesse assunto. Inclusive o evitávamos, como uma ferida que não devia ser mexida.

— Ele fala mesmo tudo para você, não? Não tome como crítica, estou só constatando.

— Quase tudo! Por favor, não se sinta invadida. Somos muito amigos. Durante toda nossa infância ficamos juntos, sempre brincamos, aprontamos, bagunçamos e brigávamos, é claro, mas acima de tudo protegíamos um ao outro. Depois aconteceu todo o episódio da Daniela. Isso também ajudou a ficarmos mais próximos.

— O nome dela era Daniela?

— Era! Ele nunca tocou nesse assunto? — Ela me encarou, juntado a sobrancelha, parecendo espantada.

— Muito pouco. Ele não fala sobre isso. Também não pergunto. Não quero resgatar lembranças amargas e fazê-lo sofrer. — Abaixei os olhos para o prato em minha mão e voltei a enxugá-lo.

— Então ele não contou sobre o episódio com Lucas?

— Qual episódio? O que aconteceu? — Thomas nunca havia dito nada sobre o Lucas durante a época de casado.

— Não foi nada grave. — Respirou fundo. — Prefiro não dizer. Melhor ele te contar. Desculpe-me, já falei demais!

— Tudo bem! — Achei justo seu argumento. Também não achei certo insistir.

Continuamos em silêncio. Estávamos quase acabando quando ela voltou a perguntar.

— E então? Você quer fazer a especialização?

— Não sei! Procuro não pensar muito nisso.

Ela parou de lavar, olhou fixamente para mim, e disse:

— Espero que você encontre aqui o verdadeiro sentido de ter escolhido essa profissão, e decida ficar. — Seu olhar era tão intenso, me desconcertou.

Thomas entrou na cozinha.

— Vocês vão passar a noite aqui? — brincou, puxando-me pela cintura. Tirou o pano da minha mão, jogou sobre a mesa. — Já chega! Você mal chegou e já abusa dela — disse se dirigindo à irmã e piscando para ela.

— Você sabe como sou carrasca, não é? Logo Lívia se acostuma.

— Vou te ensinar a se livrar dela — ele disse me beijando em seguida.

O diálogo entre eles era bastante carinhoso e destacava a afinidade existente entre si.

— Tudo bem! Ainda estou inteira pra você. — Peguei seu rosto entre as mãos, retribuí o beijo.

— Muito bem. Já vou sair. Finjam que não estou mais aqui. — Kate colocou o último prato sobre o escorredor e foi deixando a cozinha.

— O Lucas adorou o livro que você deu. Já me fez ler duas vezes. Agora está lendo sozinho.

— Isto é bom! E o jogo, ele abriu?

— Aí é que vem a parte difícil — ele avisou, comprimindo os lábios. — Eles nos esperam para jogarmos juntos. Sinto muito!

— Tudo bem! Gosto de jogar. — Peguei em sua mão. — Vamos!

Jogamos várias vezes, os adultos sentados no chão junto das crianças. Até mesmo os pais de Thomas participaram. Só Caio teve dificuldade em jogar e ficou no colo da mãe, tentando acompanhar as adivinhações propostas pelo jogo.

Aos poucos as crianças foram mostrando sinais de cansaço. Lucas mal conseguia manter os olhos abertos. Kate pegou os três e os levou para a cama.

Os que ficaram na sala, sentaram-se novamente no sofá. Acomodei-me ao lado de Thomas, apoiando a cabeça em seu ombro. Ele me envolveu num abraço.

— Está cansada? — perguntou acariciando meus cabelos.

Assenti.

— Quer ir pro quarto?

— Quero!

Kate retornou à sala. Ele fez movimento para se levantar.

— Não! — eu disse. — Fica! Vou sozinha. Faz tempo que não vê sua irmã. Além disso, você não parece cansado.

— Tem certeza? — respondi positivamente para ele. — Vou te levar lá, depois eu volto.

Despedi de todos e fui deitar. Mal caí na cama, adormeci. Dormi profundamente. Nem percebi Thomas vir se deitar. Acordei quando estava começando a amanhecer. Alguns feixes de luz entravam pela janela. Ele, deitado ao meu lado, dormia tranquilo. A face relaxada. Nunca acordava antes dele. Todas as vezes ao acordar, ele já estava desperto.

Aproveitei a oportunidade para ver nitidamente seu rosto, iluminado pela claridade, tão perfeito. Tive vontade de tocá-lo. Eu me segurei. Com certeza, isso iria acordá-lo.

De repente me lembrei da conversa na cozinha. Pensei no que Kate dissera, sobre encontrar o sentido em minha profissão. Gostaria muito que isso acontecesse. Doía-me pensar em um dia me separar do meu amor. Só a possibilidade já me fazia mal. Também não conseguia deixar de lado meu sonho. Como conciliar os dois? Não conseguia encontrar a resposta.

Permaneci quieta só o observando. Thomas, como se sentisse meu olhar, abriu os olhos.

— Bom dia, amor! — desejei acariciando seu rosto.

— Vem cá! — Ele me puxou mais junto dele, beijou meu rosto. — Você já acordou? É cedo!

— Eu sei! — Cheguei mais perto, entrelacei minhas pernas nas dele.

Ele estava sem camisa. Sempre dormia sem camisa. Toquei seu peito com a ponta dos meus dedos, desci e contornei seu abdômen, bem devagar. Ele fechou os olhos, gemeu.

— Quer voltar a dormir? — sussurrei junto a seu ouvido.

— Não! Tenho coisa melhor pra fazer — envolveu minha cintura, colando meu corpo ao dele.

Ao levantarmos, começamos a preparar a festa do Lucas. Todos ajudaram. Tiramos as redes do galpão, penduramos balões nos pilares, arrumamos as mesas. Norma e outras duas cozinheiras preparavam a comida.

Antes de chegar o primeiro convidado, já estava tudo pronto. Lucas não cabia em si de felicidade. Pulava para todos os lados com os primos. Parecia que todas as crianças da fazenda vieram para a festa, também os amigos da escola. Thomas convidou Carlos e Ana, não só para retribuir a gentileza do jantar, também porque se afeiçoou a eles.

As crianças tomavam conta do espaço. Corriam, brincavam, faziam a maior algazarra pra todo lado. Um vai e vem sem fim.

Resolvi juntar-me a Ana e Carlos, enquanto Thomas dava atenção a Lucas. Meus amigos já conheciam quase todos na festa, inclusive Kate e o marido.

Ficamos conversando até Carlos levantar.

— Vou falar com Conrado — ele avisou.

Nós continuamos sentadas, Ana e eu, e desviei o olhar para Thomas, fiquei o observando enquanto ele brincava com um grupo de crianças.

— Você está muito apaixonada — Ana constatou.

— Estou! Dá pra perceber, não é?! — Sorri voltando minha atenção a ela.

— Muito! Seus olhos brilham de forma diferente ao vê-lo.

— Mesmo?

Ela concordou. Em seguida, seu rosto ficou sério.

— O Rodrigo esteve ontem em casa.

— Foi? — Parei de sorrir.

— É. Convidamos ele e Ângela. Porém ele apareceu sozinho — ela comentou me encarando. — Ele me falou do episódio no cais.

— E? — perguntei, pois ela não continuou.

— Ele está sofrendo.

— O que posso fazer? Nem acredito que goste de mim do jeito como ele pensa. Nunca tivemos nada — eu me defendi.

— Não ter nenhum contato físico não significa inexistir sentimentos, não é mesmo? Ele é um homem maduro. Deve saber o que sente. Você não acha?

— Por que você está me dizendo isso? — questionei.

Ana nunca tinha tocado nesse assunto, nem esse parecia o momento para ele.

— Desculpe-me, Lívia! Não quero me intrometer na sua vida. Já tive uma experiência como essa. Parecida, posso dizer — fez uma pausa e se inclinou em minha direção —, bem, não queria me envolver, mas tenho necessidade de pelo menos te contar.

— Tudo bem, Ana! Pode falar. — Respirei fundo. — Você é boa amiga. Não me importo em ouvi-la.

— Obrigada, Lívia! — Voltou a se recostar na cadeira e esboçou um tímido sorriso. — Gosto de você como se fosse minha filha. Caso tivesse tido uma, gostaria que ela fosse determinada como você.

— Qual foi sua experiência? — perguntei, curiosa.

— Quando cursava a universidade, me apaixonei por um rapaz. A atração que sentia por ele dificultava até meu raciocínio. Ele era muito bonito e eu morria de ciúme. Nossas brigas eram frequentes. Numa delas, conheci o Carlos, nos tornamos amigos. Então ele me pediu em namoro. Aceitei. Estava cansada de tantas emoções intensas, muitas vezes conflitantes. Carlos e eu nos demos bem, tínhamos os mesmos interesses. Aos poucos nos apaixonamos. O restante você sabe, estamos juntos até hoje.

— Agradeço sua preocupação, Ana. Só que as experiências são diferentes para cada um, assim como a vida. Você não faz ideia do que sinto pelo Thomas. Gosto do Rodrigo como amigo. Fico triste em saber do sofrimento dele. — Desviei o olhar, para ver se alguém prestava atenção em nossa conversa. Estávamos rodeadas de crianças brincando, alheias a nós. No entanto, vi Thomas se aproximar. Sorri e estendi meus braços em sua direção.

Ele se ajoelhou na minha frente.

— Vou procurar o Carlos — Ana informou, levantando.

— Tudo bem? — Thomas me perguntou.

— Sim! E você? Se divertindo? — Ajeitei os cabelos bagunçados dele.

— Muito! — respondeu com ironia. — Este sempre foi meu sonho, ser dilacerado pelas crianças — disse rindo.

Não resisti, inclinei-me, o abracei e coloquei meu rosto em seu ombro.

— O que aconteceu? — questionou demonstrando preocupação na voz. Abraçou-me acariciando minha cabeça, afastando meus cabelos do rosto.

Tentei me recuperar e elevei o rosto.

— Nada! Está tudo bem! Só tive vontade de te abraçar.

Ele me encarou, sério, juntou as sobrancelhas.

— Ah, sei! — exclamou desconfiado.

— Vou ajudar sua mãe — disse e me levantei.

Ele também levantou. Virei-me e saí sem olhar para trás.

Passei o resto da festa me ocupando. Eu me incluí nas brincadeiras das crianças. Ajudei a servir a comida, a distribuir os doces, a tirar o lixo. Evitando a todo custo ficar de novo a sós com qualquer pessoa que pudesse me questionar sobre coisas que não estava disposta a remexer. Estava fugindo. Fugindo de Ana, de Kate, de Thomas, que não parava de me olhar mesmo à distância. Quando ele se aproximava, eu lhe dava atenção, e na primeira oportunidade esquivava-me. Fugia até mesmo dos meus pensamentos. Freneticamente procurei me ocupar, até a exaustão. As fotos da minha família, sorrindo e se divertindo, em lugares nos quais sempre fui apaixonada em estar, vinham a minha mente em *flashes* misturando-se ao e-mail recebido da agência, a conversa com Rodrigo e aos questionamentos de Ana com relação a minha paixão por Thomas. Abrir mão de tudo o que sempre sonhei, valia mesmo a pena?

— Dia agitado, hein?! — Kate comentou me tirando dos questionamentos.

A maioria dos convidados já tinha ido embora e ela estava com um saco de lixo nas mãos. Poucas crianças ainda brincavam.

— É mesmo! O Lucas está muito feliz. Valeu a pena! — Observei-o no meio dos amigos, a roupa suja de tanto brincar.

— Concordo! — Ela parecia também focada na brincadeira das crianças. — Estou exausta! E você?

— Um pouco! — Retirei o saco da mão dela e recolhi os guardanapos sujos sobre uma das mesas.

— Sorte eles só fazerem aniversário uma vez ao ano. — Ela estava bastante descontraída, apesar de cansada.

Tive de rir junto com ela. Kate também sabia ser divertida. O riso ajudou a dissipar um pouco a tensão em mim.

Já era noite quando o último convidado saiu. Então terminamos de organizar o galpão e entramos. Estávamos todos esgotados pelo dia agitado, inclusive as crianças. Kate mandou-as tomar banho, depois as colocou para dormir.

— Quer tomar banho? — Thomas me perguntou. — Depois, se você quiser, podemos deitar.

— Pode ser!

Acabei de tomar banho, fui para o quarto de Thomas. Ele me esperava sentado na cama. Fez sinal para eu sentar em seu colo. Sentei-me e o abracei. Thomas fez o mesmo, envolvendo os braços em minha cintura.

— Você está tão cheirosa! — elogiou, beijando meu pescoço. Era difícil resistir quando ele me beijava assim. — Vou tomar banho! Você me espera?

— Espero!

Preparei a cama e me deitei. Não demorou, ele voltou.

— Quer ouvir música? — sugeriu.

— Não! Quero ficar quietinha. — Estendi meus braços pra ele. — Vem aqui!

Ele veio deitar junto a mim. Ficamos abraçados.

— O que você tem? — Thomas quis saber.

— Nada! — Escondi meu rosto junto de seu pescoço.

— Como nada? Percebi você diferente durante a festa. Agora também. Não é só cansaço.

— Não aconteceu nada! Só estou cansada mesmo.

Como poderia dizer a ele todo o conflito pelo qual estava passando?

— Tudo isto está difícil demais pra você?

— Como assim?

— A convivência com o Lucas e a minha família. O tempo que ficamos juntos. Está tudo muito acelerado pra você? É isso? Você se sente pressionada?

— Não! Claro que não!

— Então o que é? Podemos viajar de novo. Se você não quiser ir de avião, podemos ir a Porto Velho. Vamos no final de semana. Ficar só nós dois.

— Isto é tentador — observei fazendo um carinho em seu rosto. — Não precisamos ir. Estou bem! De verdade. Ficar ao seu lado já basta. Só quero ficar aqui abraçada.

— Tudo bem! Não vou insistir. Se você quiser falar, estou aqui para ouvir. Quero saber o que você pensa e sente. Sempre! Mesmo se achar que pode me incomodar. Tá bom?

— Sim! — Encostei meus lábios nos dele. — Eu te amo!

— Eu também! — Beijou minha testa e me apertou mais junto dele.

Capítulo 16

Lívia? — Ana chamou ao entrar em meu consultório na quarta-feira. — Vou fazer um jantar em casa na sexta-feira. Você e Thomas querem ir?

— Agradeço o convite, Ana. Mas acho que não! Não quero encontrar o Rodrigo que, imagino, também estará lá.

— Deixe disso. É inevitável encontrá-lo. Você o vê todos os dias — contestou.

— Aqui é diferente! Não tenho a obrigação de ficar na mesma sala que ele.

— De todo jeito, é bom Rodrigo se acostumar. Além disso, ele vai levar a Ângela. Estou também chamando o Gilberto e a Lúcia. Você se lembra deles? Da festa da igreja?

Assenti.

— Então, o papo será variado. É provável nem falarmos sobre trabalho.

— Falarei com Thomas, tá bom?

— Tudo bem! Por favor, se esforce. Não quero que você se afaste de nós, Lívia! — pediu, piscando para mim. — Gostamos muito de você.

— Não me afastarei. Prometo!

— Bom, vou voltar ao meu consultório. Minha agenda está lotada hoje. Até mais — disse, já saindo.

Nesta semana encontrei Rodrigo duas vezes. Em ambas só nos cumprimentamos. Ana tinha razão, precisávamos mesmo nos acostumar com a situação, ao invés de fugir dela.

Apesar de todo o conflito do final de semana, eu estava bem. Procurei não pensar mais naqueles assuntos tirando minha paz. Enquanto não conseguir vislumbrar uma saída, irei levando. Sorte minha ter meu trabalho. Ele conseguia me distrair a ponto de não ficar remoendo meus conflitos. Além disso, Thomas estava muito mais próximo nos últimos dias. Veio me buscar todas as tardes no trabalho. Desconfiava que seu comportamento devia ser por minha atitude diferente no final de semana. Sentia-me até culpada, pois Lucas devia sentir falta do pai. Porém era tão difícil dispensá-lo. Mas precisava.

— Ana nos convidou para jantar na casa dela. Você quer ir? — perguntei enquanto jantávamos.

— Não sei! Você quer? — Colocou o talher de lado e me encarou.

— Pode ser. Já faz tempo que não vamos. Gosto muito deles. — Remexi a comida.

— Tudo bem, podemos ir! — Thomas voltou a comer. — Ele vai também?

— Ele quem? — questionei, apesar de já saber a quem ele se referia.

— Seu amigo! O médico.

— O nome dele é Rodrigo. E sim, ele vai!

— Não gosto de como ele olha pra você!

— Escuta — coloquei os talheres de lado e exigi sua atenção —, nós trabalhamos juntos, ficamos muito unidos quando cheguei. Não vou mentir pra você, gosto muito dele. Além do mais, temos amigos em comum. Não é justo fazer estes amigos terem de decidir quem eles preferem convidar.

— Você está certa! Desculpe — pediu e acariciou meu rosto. — Não quero brigar.

— Eu sei! — Tentei me acalmar, respirei fundo e beijei sua mão. — Preciso te dizer mais uma coisa.

Dessa vez foi Thomas quem colocou o talher de lado, me olhando com expectativa.

— Quero que amanhã você fique com o Lucas. Não precisa vir.

— Você está me dispensando? — perguntou em tom magoado.

— Não! Só não é justo você vir a semana toda. Lucas também deve querer ficar com você.

— Ele está mesmo carente de atenção. Só quero saber se *você* ficará bem.

— Claro! Que bobagem! Estou bem! — Tentei abrir o sorriso. — Tem medo que te deixe? — brinquei.

— Tenho! — Thomas repuxou os lábios.

Levantei, sentei-me em seu colo.

— Não vou te deixar. Você não vai se livrar de mim tão fácil! — Comecei a beijá-lo no rosto, pescoço até chegar à boca.

Ele me acomodou mais junto dele. Sempre que nossos corpos se tocavam, o fogo nos incendiava. Era incontrolável. Quando lia sobre isso nos livros, ou via ser retratado nos filmes, nunca imaginei poder ser tão intenso. O fogo nos consumindo. Existia uma força magnética entre nós. A energia nos impulsionava ao encontro um do outro. Como ímã. Queria ficar junto dele. Só com ele. Não me separar jamais. Vivenciar esta ânsia era algo inimaginável. Fugia ao controle. Tampouco queríamos o controle. Queríamos nos entregar e deixar nossos corpos expressarem a paixão.

Terminava de me arrumar para irmos ao jantar na casa de Ana quando Thomas chegou. Incrível como só o fato de saber que irei encontrá-lo era suficiente para acelerar meu coração, fazer surgir o frio no estômago, tremer as mãos...

Antes mesmo de ele bater na porta, eu a abri. Gostava de vê-lo caminhar ao meu encontro, com o sorriso aberto. No entanto, hoje percebi algo diferente. Apesar de ele sorrir, sua face demonstrava preocupação.

— O que aconteceu?

— Oi! — cumprimentou, me beijando. — Minha cara está tão ruim assim?

— Tem algo errado? Você não parece bem.

Ele suspirou.

— É o Lucas. Teve febre o dia todo, não quis nem brincar.

— Por que você não me ligou?

— Achamos que ele iria melhorar. Não quisemos incomodar.

— Ah, por favor! Vou pegar minhas coisas. — Busquei minha mala e a valise. — Vamos!

— Nós não vamos ao jantar? — questionou.

— Claro que não! Eu quero vê-lo! Ligo pra Ana no caminho.

Ele me abraçou.

— Eu detesto fazer isso! — lamentou. — Você se arrumou, está tão linda! Íamos sair.

— Não seja bobo. Está tudo bem! Não posso me divertir sem saber como ele está.

Ao entrarmos na sala da fazenda, a imagem do garoto deitado no colo da avó, fez meu peito se comprimir. Coberto com uma manta, apesar do calor de mais de trinta graus, seus olhinhos miúdos estavam vermelhos.

— Oi! — cumprimentei ao me aproximar dele. Acenei para Conrado, sentado na poltrona com o tronco inclinado na direção do neto.

— Você veio ficar comigo? — perguntou Lucas choramingando.

Coloquei a mão em sua testa para avaliar a temperatura. Quente.

— Vim! — Sorri e me ajoelhei na sua frente. — Me conte, o que você sente?

— Sinto frio!

— Só isso? — Abri e remexi na valise em busca do termômetro.

— Não consigo engolir.

Localizei o termômetro e o coloquei sobre sua axila. Apalpei o abdômen com ele ainda no colo de Norma. Peguei o abaixador de língua para examinar a garganta.

Lucas tossiu.

— Já fizeram alguma coisa? — eu me dirigi à Norma.

— Dei banho faz duas horas. Preparei também chá de ervas, comecei a dar a ele há pouco tempo.

— Parece inflamação na garganta mesmo. Pode até surgir uma infecção.

O termômetro apitou, o retirei e conferi a temperatura.

—A febre não está tão alta. Podemos dar banho de novo, pra ver se a temperatura cede, e monitorar. Se não resolver, daremos antitérmico. Continuamos a dar o chá e se precisar entraremos com medicação. — Abri o sorriso para Lucas, buscando o tranquilizar. — Posso ajudar você a tomar banho?

Ele assentiu.

— Tudo bem! Vamos lá!

Thomas o pegou no colo, levou-o ao banheiro. Deixamos Norma e Conrado na sala.

Ajudei Lucas a tomar banho, depois Thomas o carregou ao quarto. Nunca tinha entrado em seu quarto antes. O quarto de um rapazinho, decorado em tons de azul e amarelo, com um grande baú de brinquedos junto à janela.

Nós o colocamos na cama. Ajoelhei-me ao seu lado.

— Vou ficar aqui, tudo bem?

Lucas concordou, com um movimento ínfimo. Sentei na cama, apoiei a cabeça dele em meu colo. Acariciei o rostinho, sentindo a temperatura. Só ao toque pude perceber que baixara. Thomas se postou ao nosso lado, nos observando.

— Vocês querem jantar? — ele perguntou.

— Não! — respondi.

— Também não! — Lucas sussurrou.

— A febre tira o apetite. — Justifiquei por ele. — Além disso, ele deve ter medo de comer. Podemos respeitar a sua vontade. Esperar ele ter fome.

— Só que você não está doente! É bom comer. Vou me trocar, já volto e iremos jantar. Minha mãe com certeza preparou comida. — Ele beijou minha testa, fez o mesmo no Lucas e caminhou até a porta. — Volto logo!

Continuei a fazer carinho no garoto, agora em seus cabelos úmidos. Devagar ele começou a fechar os olhos, até adormecer. Os traços de seu rosto eram incrivelmente parecidos aos de Thomas. Não pude deixar de sorrir ao perceber o quanto esta criança se tornou importante em minha vida.

Desviei o olhar para os detalhes de seu quarto. Tudo muito organizado. Os livrinhos numa prateleira baixa, a estante junto à parede repleta de brinquedos, além do baú sob a janela. Ao lado da cama, a mesinha com várias fotos. Ele e os avós, outra ele montado sobre o cavalo, outra no colo do pai. Havia também a imagem de uma jovem com um bebê no colo. A criança devia ter seis meses. Imediatamente soube ser Daniela, sua mãe. A cor dos cabelos dela iguais às do garoto. O bebê na imagem devia ser Lucas, reconheci suas feições. Ela sorria, tinha seu rosto junto ao dele. Meu peito comprimiu.

Deparar-me com o retrato dela fez surgir um misto de compaixão, tristeza, pena, ciúme. A verdade era que eu estava assumindo boa parte da vida dela. Se estivesse viva, seria ela a estar hoje com esta criança no colo. Ela receberia os carinhos de Thomas, não eu. O rompimento deles não aconteceu por opção dele ou dela. A vida causou esse rompimento. Tomar conhecimento disso me deu um nó na garganta e vontade de chorar. Talvez o sentimento de pena fosse por mim mesma. Se a vida dela não tivesse sido interrompida pela doença, eu provavelmente não viveria esta experiência ao lado deles.

O barulho de passos no corredor me agitou. Enxuguei a lágrima com um gesto brusco e engoli o choro. Respirei fundo.

Thomas entrou no quarto.

— Tudo bem? — perguntou.

— Sim! Ele dormiu. A febre baixou, posso sentir.

— Vamos jantar?

— Não! Quero ficar junto dele. — Acariciei a testa de Lucas. — Caso ele acorde, quero estar aqui.

— Ele não deve acordar agora.

— Mesmo assim quero ficar.

— Então, posso trazer algo pra comermos aqui.

— Tá bom!

— Volto já!

Recostei na cabeceira da cama, apreciando o silêncio e tentando colocar meus sentimentos em ordem.

Bateram na porta. Devia ser Norma.

— Pode entrar! — sussurrei.

A porta abriu e Conrado entrou.

— Ele melhorou?

— Parece estar melhor. — Sorri para o homem de olhar doce, sempre reservado.

— Fico contente de você estar aqui — ele disse, colocando as mãos nos bolsos da calça.

— É sempre bom ter um médico por perto — brinquei.

— Não me referia a isso.

A interrogação estampada em meu rosto, devia tê-lo estimulado, pois ele completou:

— Quero dizer, por estar com meu filho.

Nunca tivemos muitas oportunidades de conversar, só nos cumprimentávamos. Ele sempre me tratou com cortesia. Eu o via como um homem mais reservado, quieto, por isso estranhei sua colocação.

— Você não tem filho, então não tem como saber — comentou, o olhar fixo em mim. — Não conheço dor pior nesta vida, que ver um filho sofrer. — Fez pausa, parecia se preparar para continuar, tirou as mãos do bolso e cruzou os braços em frente ao corpo. — Há anos via meu filho se esconder neste lugar. Ele tinha desistido de viver. Muitas vezes tive vontade de mandá-lo embora daqui, assim como fiz quando ele era adolescente. Eu o mandei embora naquela época, para conhecer o mundo. Crescer. Se tornar homem. — Seu olhar parecia muito distante, como perdido no passado. — Só não esperava que voltasse como voltou. O coração dilacerado e um filho para criar. Tão jovem e com tantas dores pesando em seu peito. Mesmo achando necessário, não pude mandá-lo embora novamente. Nós éramos seu apoio. No entanto, éramos insuficientes para fazê-lo voltar a viver. Dia após dia nós o víamos se levantar, trabalhar, cuidar do filho, dormir. Só fazia isso, como robô, cumprindo as tarefas. Apenas com o filho, conseguia se descontrair. Ainda assim, seu olhar era sempre triste. Na verdade, nem sei se ele a amava tanto, ou se foi toda a situação que o fez ficar assim.

Percebi sua comoção. Não devia ter sido fácil vivenciar tamanha dor.

— Daí ele te conheceu e despertou pra vida. Desculpe o desabafo. Você parece gostar tanto dele, achei justo saber o que aconteceu em sua vida.

— O senhor tem razão. Gosto mesmo. De verdade ele também transformou a minha vida. — Abaixei os olhos e fiz um carinho no rosto de Lucas. — Sinto muito pelo sofrimento deles.

A porta abriu.

— Oi, pai! Você por aqui? — Thomas questionou entrando no quarto.

— Estamos conversando! — Conrado respondeu.

— Minha mãe pediu para você ir jantar — Thomas disse se dirigindo a mim. — Se você não for, ela vai pensar que está escondendo algo de nós e virá aqui. — Começou a rir.

Norma brava? Achava difícil de acontecer.

— O senhor se importa de ficar aqui? — perguntei a Conrado. — Não quero que ele acorde e se sinta sozinho.

— Claro! Podem ir jantar. Eu já jantei — explicou. — Espero vocês voltarem.

Jantamos e voltamos ao quarto do Lucas. Não sei por que, só sei que tive vontade de estar com ele. O estado de saúde do garoto não era preocupante. Provavelmente estaria melhor de manhã. Ainda assim, quis lhe dar atenção.

— Podemos dormir aqui?

— Se você preferir — Thomas deu de ombros. — Posso colocar um colchão no chão. Você não está me escondendo nada?

— Claro que não! Só quero estar aqui quando ele acordar.

Thomas saiu e retornou carregando um colchão. Em seguida o colocou ao lado da cama. Acomodei-me bem próxima a Lucas. Thomas junto a mim. Peguei na mão do menino, apoiada sobre a cama. Thomas passou os braços em mim, me envolvendo num abraço. Adormecemos assim, aconchegados.

Conforme previ, Lucas acordou na manhã seguinte sem febre, já na maior agitação. Ficou tão feliz de nos ver deitados junto à sua cama, imediatamente pulou no meio de nós. Começou a bagunçar, empolgado. Eu me senti aliviada em vê-lo novamente brincando.

Passamos o final de semana juntos, como sempre acontecia nos últimos meses. Cada vez mais Lucas pedia minha atenção. Às vezes até mais que a do próprio pai. De verdade, a relação dele comigo me encantava, no entanto, também me deixava mais e mais apreensiva sobre a decisão que teria de tomar, em breve.

Capítulo 17

A caminho de meu consultório na segunda-feira, Rodrigo me chamou, quando eu passava em frente a sala dele.

— Bom dia, Rodrigo! — saudei empurrando a porta entreaberta. — E aí, como foi o jantar na casa do Carlos?

— Muito bom! Pena você não ter ido. — Seu lamento não me convenceu. — E o menino? Estava mesmo doente?

— Sim. Foi apenas amigdalite. Ele já está bem!

— É, ter filho não deve ser fácil. Coloca muitas restrições em nossa vida. — Ele remexeu em um bloco de papéis sobre a mesa. Sua postura arrogante me irritou.

— É verdade! — concordei. — Também traz muitas alegrias.

— Pode ser. Porém, tudo tem seu tempo — disse me encarando.

— O que você quer dizer?

De novo iríamos discutir, tinha certeza, mas não consegui me conter.

— Você está assumindo responsabilidades que não são suas. Você é jovem. Tem toda a vida pela frente, repleta de inúmeras possibilidades. Não é possível querer começar pela vida que foi de outra pessoa.

— Não estou fazendo isso! — rebati sem muita convicção na voz.

Ele pegou no ato.

— Será mesmo? — Abaixou os olhos, respirou fundo. — Bom, não te chamei para isto.

— Por que foi então?

— Você quer jantar lá em casa?

— Não! Só quero te pedir para não insistir mais.

— Opa, espera aí! Não estou convidando só você. É um jantar de amigos no sábado. Você pode levar seu namorado. O Carlos e a Ana irão também. Convidei a Ângela e ela deve ir. Vocês nunca foram jantar lá em casa. — Fez uma pausa. — Bom, na verdade, nunca convidei. Só quero retribuir todas as vezes em que jantei na casa de vocês. Principalmente na deles.

— Não sei não!

— Vamos lá. Nós somos amigos. Eu mesmo vou cozinhar.

— Ah não! Então não vou! — brinquei.

— Você fere o meu orgulho assim. — Rodrigo também sorria. — Você verá como sou bom cozinheiro. Vou preparar comida típica do meu estado.

— Tudo bem! Vou pensar.

— Por favor, pense com carinho. — Piscou.

— Tá bom! Nos falamos depois! Bom dia!

— Pra você também!

Jantar na casa dele podia ser perigoso. Thomas não ia gostar nada, nada. A relação entre eles, se poderia ser classificada assim, nunca foi das melhores. Jamais os vi trocar mais de um cumprimento. Só que não poderia deixar a animosidade entre eles atrapalhar minha amizade com Rodrigo, tampouco com Ana e Carlos. Neste lugar, eles passaram a ser minha família. E, se fosse bem convincente, talvez meu namorado estivesse mais seguro com nossa relação e disposto a reconsiderar a forma de lidar com meu amigo.

Porém, não aconteceu bem assim. Conforme previ inicialmente, Thomas não ficou nada animado com o convite. Na verdade, só consegui convencê-lo por estar chateado por termos perdido o jantar na casa da Ana, tinha certeza.

Fui dar a resposta a Rodrigo e ele ficou bastante animado. A reação dele me fez querer voltar atrás. Imediatamente desconfiei de suas intenções.

Insegura, decidi falar com Ana.

Entrei em seu consultório, ao ver sua última paciente sair.

— Você vai à casa do Rodrigo no sábado?

— Vamos sim! Ele nos convidou. Você vai também?

— Vou! Já confirmei hoje. — Sentei na cadeira à sua frente. — Na verdade, estranhei a reação dele. Tenho medo dele aprontar alguma.

— Por que desconfia disso? — Ela se espantou.

Contei a ela sobre a animação dele ao receber a confirmação da nossa presença.

— Não! — Ana movimentou a cabeça. — Talvez ele só tenha ficado contente. Você sabe, não é segredo ele gostar de você, mas não creio que vá aprontar.

— Espero sinceramente estar errada! Não quero causar constrangimento, principalmente ao Thomas.

— Acho que ficará tudo bem. A Ângela também vai. Eles estão juntos. Duvido que ele fará uma cena perto dela.

— Você tem razão! Talvez esteja imaginando coisas.

Despedi-me de Ana e saí de sua sala. Melhor parar de pensar nisso. Ana devia estar certa.

Thomas me pegou no sábado à noite. Ele estava quieto, apesar de ter me abraçado, beijado, como sempre. Parecia cuidadoso. Talvez até um pouco distante. Ou seria desconfortável?

— Tem certeza que quer entrar? — sondei ao pararmos em frente à casa do Rodrigo.

— Claro! — confirmou e sorriu. Seu sorriso pareceu forçado.

— Se você não estiver bem, podemos ir embora — sugeri a ele.

— Não se preocupe! — tranquilizou-me. — Vamos nos divertir! — Em seguida saltou da *pick-up*.

Thomas deu a volta no carro e observou a casa de Rodrigo. As luzes da varanda estavam acesas. Desci e peguei na mão dele, eu o encarei e Thomas tentou sorrir. *Sim! Ele está estranho*. Mesmo assim, me conduziu até a porta da casa de Rodrigo.

— Bem-vindos! — Rodrigo exaltou abrindo a porta para nos receber, já me abraçando.

Beijou meu rosto.

— Você está linda! Como sempre, claro!

— Obrigada! — respondi seca, desvencilhando-me dele.

Puxei Thomas pela mão para entrar.

— Boa noite! — Rodrigo se dirigiu a Thomas, sem manifestar qualquer outra forma de cumprimento.

Thomas respondeu educadamente e acrescentou:

— Agradeço o convite!

— Não há de quê. Gosto muito da Lívia. Não poderia fazer um jantar na minha casa sem convidá-la.

Não foram as palavras, mas sim o tom cortante feito navalha que me fez ter vontade de dar meia-volta e ir embora, mas me contive, passei a mão de Thomas pela minha cintura, trazendo-o mais perto.

— Estamos agradecidos pelo convite, então — alfinetei. Esperava que ele tivesse entendido o recado.

Voltei-me a Ana e Carlos, sentados no sofá e nos cumprimentamos. Eles se levantaram também para receber Thomas.

— Cadê a Ângela? Você não disse que ela estaria aqui? — dirigi-me ao Rodrigo.

— Então, fui buscá-la e ela não estava bem. Enxaqueca. Pediu desculpas a vocês, por não poder estar aqui.

— Mesmo?! Um analgésico provavelmente resolveria, não é? Você não pensou em receitar um a ela? — reforcei o tom sarcástico na voz.

— Claro! Só que ela já tinha tomado. Como não passou, achou melhor fazer repouso. Você sabe, não é bom tomar vários medicamentos — respondeu na maior tranquilidade.

Podia sentir o olhar dos outros em nós. Tentei me controlar.

— Bom — Carlos interrompeu quebrando o clima —, sua casa está bem arrumada, Rodrigo. Você mandou pintá-la? Esta estante também é nova, não é? Não me lembro dela.

— É sim, Carlos! Mandei fazer. Ela ajudou a organizar minhas coisas, principalmente os livros. Estavam entulhados no quarto desde que comprei uma cama maior e removi o móvel que os acomodava, por falta de espaço.

Só então corri os olhos pelo ambiente. Nunca havia entrado na casa dele. A sala, maior que a minha, acomodava dois sofás num canto, na frente da estante. A mesa de seis lugares no centro ficava próxima ao aparador, com várias garrafas de bebidas. Sabia que a casa só tinha um quarto, porque ele me contou quando fez as mudanças dos móveis.

— O que querem beber? — Rodrigo perguntou para nós. — Lívia, você vai querer vinho? Comprei um excelente do sul.

— Não, obrigada! Hoje vou tomar suco. Se não tiver, pode ser água.

— Sério? — Comprimiu os lábios, parecendo se divertir com a minha resposta. — E você, o que gostaria? — dirigiu-se a Thomas, que durante todo o tempo permaneceu com a mão na minha cintura, em silêncio.

— A mesma bebida dela. — Sua voz parecia muito tranquila.

Fiquei aliviada por ele estar calmo. Minha paciência estava no limite. Talvez por já ter certeza de Rodrigo não estar com boas intenções, podia ver pelo seu olhar.

— Carlos? Ana? — Virou-se e perguntou a eles.

— Eu quero vinho! — Ana respondeu.

— Vou acompanhá-la — Carlos comentou.

Rodrigo assentiu e caminhou em direção à cozinha.

— E então, Thomas! Como está seu pai? — Carlos perguntou.

— Muito bem!

— Ele me disse ter intenção de viajar com sua mãe este ano.

— É verdade. Estão pensando em ir no final do ano. Eles não viajam há tempos. Precisam descansar, aproveitar a vida.

— Concordo! Todos os anos, eu e Ana, viajamos. A viagem pode ser curta, mas precisamos disso.

Rodrigo voltou, trazendo as bebidas. Encheu os copos já distribuídos sobre a mesa.

— Sugiro fazermos um brinde! — ele exaltou. — A Guayi. Esta bela cidade onde foi possível nos encontrarmos.

Respirei aliviada. Talvez estivesse vendo fantasmas onde não existiam. Resolvi me descontrair.

— Você mesmo cozinhou, ou está nos enganando? — Ana perguntou.

— Fui eu, claro! Fiz galinhada! É um prato típico de Cuiabá. Espero que gostem.

— Já provei — Ana comentou. — É muito gostoso. Já te contei, certa vez eu e Carlos fomos ao Pantanal. Passamos alguns dias em Cuiabá. A cidade é muito agradável.

— Concordo totalmente! — Rodrigo riu. — O sistema de saúde de lá também é bom, como em todas as capitais deste país.

— É mesmo? — Thomas perguntou, irônico. — Por que então decidiu vir a Guayi?

— Conhecer gente nova, ampliar meu conhecimento — Rodrigo pareceu tomar a pergunta como desafio. — Se não viesse, não teria conhecido Lívia, nem Ana ou Carlos. Já imaginou quanto desperdício? Não posso nem pensar.

— Se fosse a outro lugar, provavelmente encontraria boas pessoas também — Thomas continuou.

— Sem dúvida — Rodrigo concordou, parecendo avaliar. — Porém não teria encontrado alguém com interesses tão comuns aos meus quanto a Lívia. — Virou-se em direção à cozinha e avisou que buscaria o jantar.

Ana, de frente para mim, não manifestou qualquer alteração na expressão, só percebi Carlos tentar disfarçar e ir se acomodar na mesa.

— Nossa! É um belo prato, Rodrigo! — Ana exclamou ao vê-lo colocar o refratário na mesa. — Quer ajuda?

— Não é preciso, Ana, obrigado! Só vou buscar a salada.

Assim que ele voltou, nos sentamos à mesa.

— Puxa Rodrigo, está bom mesmo! — Carlos elogiou. — E eu sou exigente pra comida, hein?

— Está delicioso! — elogiei. — Estava escondendo seu talento de nós?

— Tenho muitos talentos que você não conhece.

De imediato me arrependi de ter aberto a boca.

— Por falar em talentos, você já pensou se quer fazer a opção de outro curso, além da especialização?

— Não — respondi seca.

— Precisamos conversar sobre estas possibilidades — declarou na maior cara de pau.

Parecia sermos somente nós na sala. Não conseguia ouvir sequer a respiração dos outros.

— Não sei se estou mais interessada nisso!

— Nisso o quê?

— Em fazer a especialização.

— Como assim? — devolveu, com a expressão assustada. — Você será uma excelente cirurgiã.

— Gosto do atendimento clínico.

— Ela nasceu para isso. Você sabia? — perguntou se dirigindo a Thomas, que permanecia ao meu lado, rígido. — Nenhum de nós faz tão bem sutura quanto ela. É extremamente delicada, minuciosa, centrada. Tenho certeza, poderia fazer qualquer tipo de cirurgia. Nem todos nascem com este dom.

— Já falei! Gosto da pediatria — reforcei. — Não quero mais falar sobre isso. — Meu tom de voz saiu ríspido.

— Como não quer?! — Pegou no meu braço, apoiado sobre a mesa. — Não acredito! Vai desistir do seu sonho? Quer ficar aqui? Navegar neste rio pra cima e pra baixo? Você pode muito mais! — exclamou quase aos gritos, apertando meu braço.

— Solte o meu braço. Já disse, não quero falar sobre isso.

— Solte o braço dela! — Thomas falou baixo, porém firme.

— Você não vê? Vai destruir o futuro dela. Não percebeu, ou faz de propósito? — acusou, encarando Thomas.

O aperto em meu braço se intensificou.

— Mandei soltar o braço dela! — Thomas exclamou entre dentes.

— Vamos parar com isso! — Carlos pediu.

Sinal de que a situação havia fugido do controle.

Devagar, Rodrigo soltou meu braço. Puxei de imediato da mão dele. Voltei para Thomas.

— Vamos embora! — Levantei.

— Não acredito! Você está fugindo! — Rodrigo vociferou e também ficou em pé.

— Não se meta! Não é da sua conta. — Saí da mesa.

Ele veio atrás de mim e os outros se levantaram.

— Quando verá a razão? Quando estiver cheia de filhos? Inclusive de outras? Aí será tarde demais pra pensar na vida que poderia ter tido!

— Não grite com ela — Thomas falou, postando-se à minha frente.

Eu o percebi pronto para socar a cara do Rodrigo.

— Por favor, deixem disso — Carlos pediu, novamente.

— Tudo bem, Carlos! Estamos de saída. Não deveríamos ter vindo. — Segurei na mão de Thomas e o arrastei porta afora.

Entramos no carro. Podia sentir meu rosto queimando de raiva. O rosto de Thomas estava rígido, tenso.

— Me desculpe! Pressenti que isso pudesse acontecer, mesmo assim aceitei o convite.

— Tudo bem — ele falou, a voz alterada pela raiva. — Você não tem culpa!

— Vamos pra casa.

Durante o percurso da casa do Rodrigo até a minha não conversamos. Ao entrarmos em casa Thomas voltou-se a mim. Seu rosto ainda sério.

— Ele tem razão! Detesto ter de dizer isto, concordo com ele.

— Do que você está falando?

— Estou mesmo te desviando do seu caminho. Ficar comigo significa assumir responsabilidades que não são suas.

— Ah! Por favor, pare de falar assim.

— É verdade. Já comecei uma família. Tenho um filho. Você é solteira. Independente. Tem sua profissão. Quer se dedicar a ela. Esse sempre foi seu objetivo até...

— Conhecer você! — completei e me aproximei dele.

— Exatamente. Você não pode ter certeza de seus sentimentos por mim. Não pode saber se sou a pessoa certa pra sua vida. Você nunca teve outros relacionamentos duradouros.

— É inacreditável! O Rodrigo vai conseguir o que quer.

— Não se trata dele, mas sim de você. Ele tem razão, você não pode abrir mão do seu sonho.

— Olha — cheguei mais perto dele, toquei seu rosto —, minha maior vontade é ficar com você. Só não tive outros relacionamentos porque esperava você. Na verdade, não sei se ainda se desejo tanto fazer essa especialização. No momento, não quero.

— Amanhã você pode se arrepender, então será tarde demais, como ele disse.

— Nós estamos perdendo nosso tempo. Não tenho de decidir agora. Até porque posso não ser aprovada. Estamos discutindo sobre hipóteses — argumentei e o abracei, apoiando minha cabeça em seu peito.

— Quanto mais o tempo passa, mais forte o nosso relacionamento se torna. — Ele encostou o queixo na minha cabeça. — Pode parecer muito egoísta, mas não sei se consigo deixar você.

— Isso é bom! — Elevei o rosto e o beijei. — Não quero mais falar sobre isto.

— Tudo bem! Só que este assunto não está encerrado.

Ao chegar na Unidade, fui direto ao consultório de Rodrigo. Nem bati na porta. Entrei. Ele estava sozinho.

— Não admito você se meter na minha vida — intimei-o. — Sua atitude no sábado foi imperdoável. Nunca lhe dei este tipo de abertura — despejei num rompante.

Rodrigo não devia esperar esse tipo de reação e pareceu precisar de tempo para absorver as palavras.

— Apesar de você não querer nada a mais comigo, sou seu amigo. Por isso tenho a obrigação de tentar abrir seus olhos — disse em voz baixa.

— Não é mais! A partir de hoje somos só colegas de trabalho. Você armou este jantar com más intenções. Tenho certeza.

Já ia me virar para sair, quando ele falou que Thomas não servia pra mim.

— É mesmo? E quem serve? Você, que nem consegue respeitar um relacionamento?

— Só tentei te fazer enxergar. Você não pode abrir mão de coisas que sonhou toda a vida, por uma pessoa que acabou de conhecer.

— Isso não é da sua conta. Mesmo porque também acabei de conhecer você. — Vi o rosto dele contorcer de raiva. — Além do mais, não é ao nosso relacionamento que me refiro.

— Qual então? — Ele pareceu não entender.

— Estou falando do seu e da Ângela. Vocês ainda estão juntos, não?

— Não a estou enganando. Ela sabe de tudo.

— Então, talvez seja hora de se tornar homem e passar a valorizar quem se sujeita a isso para ficar com você.

Saí do consultório batendo a porta atrás de mim.

Capítulo 18

Como o tempo podia passar tão depressa? Sentada em frente ao computador à noite, esperando a conexão se completar para tentar falar com Laura, refletia sobre os seis meses da minha chegada à pequena Guayi. Parecia tão pouco tempo para tantas transformações. Muitas coisas aconteceram. Passei de menina a mulher. Sentia-me mais segura. Isso se refletia inclusive em minha vida profissional. Prescrevia os tratamentos com confiança. Cuidar das pessoas de forma tão próxima tornou-se estimulante. Muitas vezes o resultado acontecia de imediato, ajudando também a aumentar minha autoconfiança.

Thomas era meu principal ponto de apoio. Minha fonte inesgotável de carinho e segurança. Nosso relacionamento se fortalecia a cada dia. Continuávamos completamente apaixonados.

Depois do episódio com Rodrigo, passei a evitar os jantares na casa dos meus amigos, inclusive da Ana e do Carlos. Sentia muito, porque gostava deles. Em compensação, às vezes os convidava para jantar em casa. Era uma maneira de nos encontrarmos longe do trabalho. Com Rodrigo evitava me relacionar para além do trabalho. Quando precisávamos estar juntos, nossas conversas eram estritamente profissionais. Falávamos somente o necessário. No início ele tentou fazer brincadeiras, porém fechei a cara. Aos poucos ele pareceu entender e parou. Ele e Ângela estavam juntos. Cheguei a encontrá-la quando ela vinha buscá-lo na Unidade. Nós nos cumprimentávamos formalmente. Com frequência percebia ela me encarando, mas procurava evitar seu olhar. Em seu lugar talvez fizesse o mesmo. Situações difíceis que tinha esperança de passar em breve.

A conexão do computador chiou e caiu, desviando minha atenção dos pensamentos incômodos. Desliguei e tentei reativar a chamada para Laura.

O mais difícil era lidar com a distância da minha família. A saudade, às vezes, até doía. Mesmo mantendo contato por telefone, WhatsApp, ou e-mail, não era suficiente para aplacá-la. Nunca estive tanto tempo distante assim. As férias escolares se aproximavam. Esperava que Laura pudesse me visitar. Ao menos poderia matar a saudade da minha querida irmã e dos meus sobrinhos.

Ainda bem que ela estava conectada.

— Oi! Tudo bem?

— *Claro, e você? E o namorado?*

— Estamos bem. Não poderia estar melhor.

— *Uau... Quem diria que um amazonense fosse te tirar do eixo.*

— Ele não me tirou. Na verdade, me colocou nele. Como estão nossos pais?

— *Estão bem! No fim de semana passado, papai pegou as nossas fotos de criança. Quase chorou.*

— Poxa! Sinto tanto a falta deles...

— *Eu sei. É bom podermos conversar. Tenho novidades.*

— É?! Você tá grávida?

— *Não! Falando nisso, você tá se prevenindo, né?*

— Lógico. Que pergunta! Sou médica, lembra?

— *Eu sim, mas talvez você se esqueça...*

— Não fale bobagem!

— *Só não quero que seja pressionada a tomar uma decisão, sabe como é.*

— Tá bom! — Movimentei a cabeça como se pudesse jogar para longe essa possibilidade. — Qual é a novidade?

— *Já comprei as passagens pra te visitar. Vou no meio de julho.*

— Mesmo?! Não acredito! Estou tão feliz! — Meus olhos encheram-se de lágrimas.

— *Vou com as crianças. Felipe não poderá ir. Estamos atolados de trabalho, não dá pra sairmos juntos.*

— E nossos pais?

— *Você sabe! Ele não vai e a mamãe não o deixa.*

— Ao menos você virá! Quanto tempo vai ficar?

— *Uma semana.*

— Uau! Adorei.

Fiquei agitadíssima ao saber da vinda de Laura. Gostaria que o tempo voasse e chegasse o dia de estarmos juntas de novo. Uma amiga fazia-me falta. Desde minha última conversa sobre o Rodrigo com Ana, evitava falar a respeito de assuntos pessoais. Como sei de sua posição sobre meu relacionamento com Thomas, não me sentia confortável de conversar sobre mim.

Minha relação com Laura sempre foi de confiança. Contava tudo a ela. Conversava sobre minhas dúvidas, anseios, inseguranças. Ela me conhecia como ninguém. Até mais que minha própria mãe. Não via a hora de contar a Thomas a novidade. Ele sabia o quanto eu esperava pela visita da minha irmã. Amanhã à noite ele viria me buscar para irmos ao cinema em Humaitá. Às vezes fazíamos isso. Era bom sair da rotina. Aproveitávamos muito esses momentos. Depois, dormiríamos na fazenda, afinal a sexta-feira chegou, pensei ao me deitar, ainda com o coração aquecido pela possibilidade de encontrar Laura em breve.

Levantei de manhã no maior contentamento, mal consegui dormir à noite.

Quando cheguei à Unidade, já havia pacientes aguardando o atendimento. Como nessa semana a temperatura caiu alguns graus, muitas crianças estavam gripadas ou com algum tipo de infecção respiratória. O clima na região, sempre quente e úmido, provocava desequilíbrio na saúde quando esfriava e isso fatalmente se refletia em minha sala de espera.

A manhã passou rápido, nem sequer notei. Atendi o último paciente, já passava da hora do almoço. Decidi ir à cozinha comer algo, antes de iniciar os próximos atendimentos.

Encontrei Rodrigo sentado na pequena mesa, comendo um lanche. Nos cumprimentamos usando o tom formal de sempre.

— A Maria te deixou um lanche. Deve ser este aí — avisou-me apontado o embrulho dentro da geladeira.

— Ah, tá! Obrigada! — Peguei o lanche, acomodei-me na cadeira em frente a ele.

— Na próxima semana, teremos visita naquela região mais distante. Você se lembra, não é?

— Lembro sim! A Maria já fechou minha agenda nesse dia. — Mordi o lanche.

— Só é difícil a distância. No mais acho bom. É interessante este contato. Você também acha?

— Acho sim! — Mastiguei, sem olhar para ele.

Permanecemos em silêncio enquanto comíamos. Ele parecia já ter terminado, mas manteve-se sentado. Eu continuei com a atenção voltada a minha comida.

— Sinto falta de nossas conversas! — Rodrigo disse.

Encarei-o. Então ele continuou:

— Você não quer mais ser minha amiga?

— Você sabe, nossa amizade não deu muito certo. Ambos saímos magoados.

— Me magoa mais ainda não podermos conversar. Gostava de nossas conversas.

— O que você quer?

— Ainda sente raiva de mim?

— Não tenho raiva de você. Ah, por favor! Não me olhe como se eu fosse a bruxa malvada. Para mim, quanto mais distante ficarmos, melhor pra nós dois.

— Discordo! Gosto de ser seu amigo. Não tenho ninguém pra conversar sobre música, filmes, livros, até mesmo carreira, que tenha gosto tão parecidos quanto os nossos. Mesmo quando divergimos, até isso nos faz bem, porque conseguimos ver as coisas de outro ângulo. Refletir, pensar. Com os outros, não consigo este entrosamento.

— Rodrigo! — Parei de comer. — Também gostava de nossas conversas. Gosto de você. Porém, o que fez foi muito ruim. Você quis prejudicar meu namoro.

— Tem razão! Tinha esperança de que seu relacionamento não fosse tão sério. É diferente agora, também estou namorando. Só peço a sua amizade. Vamos continuar a nos falar como antes?

— Não sei!

— Ele não concorda em sermos amigos?

— Isto não tem a ver com ele. É mesmo entre nós dois.

— Então nós não podemos tentar? Prometo não pisar na bola de novo.

Suspirei, antes de responder.

— Ok! Vamos tentar! — Tive de sorrir. Na verdade, também sentia falta da amizade dele.

— Então, tem novidades? — quis saber.

— Ontem minha irmã e eu falamos pelo WhatsApp. Ela vem em julho. Já até comprou as passagens.

— Sério?! Enfim, conhecerei Laura. Nem acredito. Você sempre falou tanto dela!

— Estou muito feliz! — Meu sorriso se expandiu. — Na verdade, sinto falta de toda a minha família.

— Também sinto da minha — concordou com tristeza. — Conversei com meus irmãos na semana passada. Eles programavam uma festa no fim de semana. Iam comemorar o aniversário da minha sobrinha caçula, que fez dois anos. Tive tanta vontade de estar lá...

— Eu te entendo!

— E você, tem se divertido? Semana passada fui ao cinema em Humaitá. O filme foi bom. Romântico demais. Contudo, a história é boa. Enredo legal.

— É mesmo? Vou hoje ao cinema, quem sabe poderei assistir este.

— Legal! Divirta-se então. Preciso ir. Tenho pacientes esperando. — Ele levantou e se inclinou, beijou meu rosto. — Tchau, Lívia! Fiquei feliz de voltarmos a conversar.

— Eu também!

De fato, fiquei aliviada por retomarmos nossa amizade. Gostava muito do Rodrigo. Nosso entrosamento sempre foi bom. Era alguém com quem podia conversar sobre várias coisas. Claro, exceto assuntos delicados, porém no geral, tínhamos muito em comum.

Quando Thomas me buscou à noite, contei a ele sobre a vinda de Laura.

— Não vejo a hora de conhecê-la. É muito bom ver você feliz! Quando ela chega?

— Na terceira semana de julho. Meus sobrinhos também vêm.

— Por que seus pais não vêm também?

— Meu pai não viajaria de avião, ele tem pavor. E minha mãe não consegue deixá-lo.

— Podemos pensar em visitá-los. Quero conhecê-los.

— Eu adoraria. Só que é tão longe!

— Quem sabe num feriado? Em poucas horas, estaríamos lá.

— Talvez. Quem sabe? Não quero criar expectativas. De repente não dá certo — disse desanimada.

— Vamos ver! — Sorriu virando-se para mim. — Tem outra viagem para fazermos juntos. Esta com certeza dará.

— Qual?

— Vou levar o Lucas pro Rio de Janeiro. Ele ficará duas semanas com os avós maternos.

— É mesmo?

Thomas nunca havia comentado nada sobre a família da Daniela. Nem sabia se Lucas tinha contato com eles. Bom, na verdade, eu não sabia nada.

— Sim! Vamos sair na sexta-feira, no final da tarde.

— Quando será?

— Na primeira semana de julho — respondeu animado.

— Isto é, daqui a duas semanas! — exclamei.

— Exatamente! Quero te levar. Você vai adorar. O Rio é lindo!

— Você não terá problemas com a família dela por me levar?

— Não se preocupe, você não irá conhecê-los. Vou apenas levá-lo, depois podemos aproveitar o final de semana.

Quando questionei o fato dele nunca ter feito qualquer comentário sobre a família dela, Thomas respirou profundamente.

— Procuro manter o contato de Lucas com eles, porque acho justo a convivência. Nosso relacionamento se limita a isto: eles são os avós do meu filho e só.

Tive vontade de saber mais, mas ele não deu abertura. Também não quis estragar nossa noite. O final de semana estava começando e não seria justo conversarmos sobre assuntos ainda parecendo muito dolorosos para ele.

Conseguimos assistir o filme comentado por Rodrigo. Depois da sessão, fomos jantar num restaurante da cidade. As opções de lazer não eram muitas, no entanto, como raramente saíamos, pra nós qualquer programa nos divertia.

Antes de nos conhecermos, Thomas me contou que suas noites se limitavam a ficar na fazenda em companhia do filho. Mesmo nas viagens ele não costumava sair.

Também gostávamos de ficar em casa, porém, sem dúvida, sair da rotina enriquecia nosso relacionamento. Era a oportunidade de conversarmos sobre outros assuntos, ver pessoas diferentes, conhecer lugares.

Estávamos jantando e decidi contar sobre Rodrigo. Seria provável ele não gostar, mas arrisquei, não queria ficar escondendo.

— Hoje falei com Rodrigo — comecei a dizer.

Thomas arqueou as sobrancelhas, e pareceu esperar eu continuar. Assim o fiz.

— Na verdade, o encontrei na cozinha na hora do almoço.

Ele manteve o olhar firme, a expressão séria. Continuei:

— Rodrigo quer que voltemos a ser amigos. — Então parei de falar e esperei sua reação.

— E... — estimulou-me.

— Respondi que tudo bem.

A expressão do rosto dele ficou tensa, um músculo na fronte pulsava com intensidade e seus olhos demonstravam descontentamento.

— Você não vai dizer nada? — perguntei depois de um tempo nos encarando.

— Não posso dizer que gostei disso. Também não tenho o direito de escolher suas amizades. Sei dos sentimentos dele por você. E isso é extremamente... deixe-me pensar numa palavra adequada. — Suspirou — Desagradável é adequada. — Ele fez uma pausa. — É, sem dúvida, essa situação é desagradável. É o máximo que direi sobre isso.

— Ele também está namorando — justifiquei.

— Ele já estava na ocasião — rebateu.

— Eu sei, mas tanto tempo já passou... Talvez ele só quisesse amizade mesmo. Disse sentir falta de nossas conversas. Também temos gostos muito parecidos.

— Este é o meu medo! — declarou, suspirando de novo. — Se você quer retomar a amizade, tudo bem. Não vou contestar. Só não quero me relacionar com ele.

Assenti. Estendi minha mão e fiz carinho no seu rosto. Não queria continuar discutindo. No fundo, sabia que ele tinha razão. Para manter a paz entre todos, melhor seria evitar os encontros entre eles.

Capítulo 19

Ajeitei-me na poltrona do avião. Saber que poderia encontrar os pais de Daniela deixava-me ansiosa. Lucas, sentado ao meu lado, também não parecia muito à vontade. Sua quietude era muito diferente da agitação expressada em nosso primeiro voo. Embarcamos em Porto Velho e fizemos conexão em Brasília. Só então seguimos para o Rio de Janeiro. Passamos praticamente o dia todo em trânsito. As nuances do fim de tarde riscavam o céu de tons alaranjados. Nosso voo deveria aterrissar no Aeroporto Santos Dumont em menos de uma hora.

— Tudo bem? — perguntei a Lucas.

— Está! — respondeu desanimado e tentou espiar Thomas, sentado no banco detrás.

— Prefere que eu troque de lugar com seu pai?

Ele negou.

— Você tem medo de viajar de avião?

Mais uma vez ele negou. Tentei estimulá-lo.

— Por que esta tristeza, então? Não acha legal visitar seus avós?

— Acho! Gosto deles. — Lucas entrelaçou as mãozinhas e parecia muito ansioso.

— Então o que é?

— Sinto falta do meu pai.

— Entendo! Você gosta de ficar com seus avós, não é?

Ele assentiu.

— Também deve ser difícil para eles ficarem sem você tanto tempo.

— Eu sei! Eles sentem minha falta.

— Você tem primos?

— Tenho quatro!

— Você pode brincar com eles?

— Posso! Eles sempre ficam comigo nas férias.

— Legal! Então você vai poder se divertir, não é? E tem a praia.

— É! Também gosto da praia.

— Viu? Vai ser divertido! Logo, logo, seu pai volta pra te pegar, meus sobrinhos estarão lá, vocês poderão brincar juntos.

— Verdade! Legal!

A animação inicial voltou.

— Você conhece o Rio? — Lucas me perguntou, entusiasmado.

— Não! É a primeira vez — respondi sorrindo.

— Você vai adorar! Peça pro meu pai te levar pra surfar.

— Vou deixar esta parte pra próxima.

Não acreditava ter coordenação suficiente para surfar. Bem provável não conseguir ficar nem um segundo sobre a prancha, mas o garoto insistiu que sim. Envolvido por todas as possibilidades que a semana poderia trazer, ele continuou a contar sobre a última visita aos avós. Conforme ele comentava, o aperto em meu peito se intensificava.

— Olha lá! — Ele me indicou a janela do avião. — Já chegamos!

A cidade maravilhosa despontou. À noite as luzes pareciam torná-la ainda mais bela. Uma vastidão de cores a iluminar a pequena planície repleta de morros no entorno. A escuridão do mar, quebrada por alguns pontos de luz das embarcações na Baía de Guanabara e pelos contornos das praias, fez surgir um friozinho em meu estômago.

Desembarcamos e a ansiedade, mais uma vez, me dominou. O motivo deveria ser por estar tão próxima do lugar onde eles viveram. Talvez até no mesmo lugar. A família de Thomas tinha um apartamento no Rio, onde ficaríamos. Faltou-me coragem para perguntar se foi onde ele morou com a esposa. Nem sei ao certo, se queria realmente saber. Apesar de ter certeza de seu amor por mim, não conseguia controlar o ciúme. De forma consciente sabia que precisava compreender, pois o passado dele era algo com o qual teria de conviver. Não poderia apagá-lo. No entanto, controlar os sentimentos me parecia impossível.

Pegamos o táxi no aeroporto para nos levar ao apartamento. Fazia tanto tempo que não estava numa grande cidade, tinha até esquecido da agitação. As largas avenidas repletas de veículos. Diferentes sons emitidos pelos roncos dos motores, sirenes. Trafegávamos junto à praia, então pude vislumbrar o mar ao longe, impregnando-me com o cheiro de maresia, a brisa fresca soprando dele, resgatando memórias da minha infância, quando meus pais me levavam à praia.

Em menos de vinte minutos estacionávamos em frente ao prédio de apartamentos no bairro de Copacabana. As ruas movimentadas, tanto de pedestres, quanto de veículos, revelavam a agitação de uma grande cidade. Apesar de o clima estar quente, a brisa da noite refrescava.

— Chegamos! — Thomas informou ao descermos do táxi.

Lucas, ainda agitado, correu para a portaria do prédio, movimentando-se freneticamente, indo de um ponto ao outro do saguão, parecendo sentir-se em casa. Qualquer resquício de tristeza foi dissolvido na expectativa de diversão.

Thomas pegou nossas malas e subimos ao apartamento.

A sala ampla, sem muitos móveis, exibia a parede frontal em vidro. As luzes externas cintilavam através da persiana fechada.

— Preciso ir no banheiro — Lucas avisou disparando em direção ao corredor.

— Pedi para limparem o apartamento pra nós. Fica muito tempo fechado. Kate é quem mais o usa. Ela e as crianças sempre vêm nas férias — Thomas explicou. Ele estendeu a mão em minha direção, ainda parada próxima à porta de entrada. — Vem comigo!

Eu o segui na direção do corredor, entramos numa das portas.

— Este será o nosso quarto — indicou o cômodo com a cama de casal no centro. — O Lucas vai ficar no outro hoje.

— Quando você vai levá-lo? — Caminhei até a cama, sentei e observei o quarto claro e aconchegante. Além da cama, só havia uma pequena mesa de cabeceira e o armário.

— Amanhã cedo. — Ele sentou ao meu lado.

Apoiei minha cabeça em seu ombro, Thomas me abraçou.

— Está com fome? — perguntou.

— Não! — Elevei o rosto e o beijei.

— Se o Lucas tiver fome, podemos sair.

Em seguida, o menino entrou no quarto, pulou no colo do pai.

— Pai! Tenho fome! — ele exclamou, a voz animada.

— Não falei? — Thomas gargalhou. — É bom mesmo sairmos, vamos ver se você se cansa. — Ele abraçou o filho. — Antes, quero mostrar uma coisa à Lívia. — Soltou Lucas e pegou minha mão, levou-me de volta à sala.

Abriu a janela, me indicou a direção para eu olhar. Coloquei meu rosto para fora, percorri com o olhar na direção apontada. Lá estava Ele, todo iluminado. O Cristo Redentor, um dos símbolos mais famosos do Rio, parecendo suspenso sobre a montanha.

— Magnífico! — exclamei.

— Aqui é um dos pontos onde é possível vê-Lo, se o céu estiver limpo. A última reforma deixou-O mais resplandecente.

Saímos pra comer num restaurante próximo ao apartamento. As ruas de Copacabana continuavam agitadas com muita gente passeando. Lucas era de novo o mesmo tagarela. Contava histórias da cidade, falava ao pai onde ele deveria me levar. Só concordávamos, movendo a cabeça e rindo de sua agitação. Ao voltarmos para o apartamento, o cansaço do garoto começou a aparecer.

Nós o colocamos para dormir. Beijei sua face, desejei-lhe boas férias. Na manhã seguinte ele sairia muito cedo, talvez não estivesse acordada.

Thomas e eu fomos também pro quarto. Entrei, sentei na cama e o chamei para junto de mim.

— Vocês moravam aqui?

Precisava perguntar. Não conseguiria ficar à vontade sem saber.

— Não! — Ele me olhou espantado. — Morávamos em Ipanema. — Por que você quer saber?

— Não sei se ficaria confortável em usar a cama que foi de vocês.

— Não se preocupe! — disse me puxando junto a si. — Os lugares onde te levo são exclusivos seus. Experiências que só tenho com você.

Sua declaração pareceu dissolver em mim o ciúme. Eu o abracei, comecei a beijá-lo. Ele me envolveu, deitou na cama e me levou com ele.

Era inevitável, quando nossos corpos se tocavam, pegava fogo. Em circunstâncias normais já era intenso. Neste momento então, temperado com esta nova sensação de exclusividade, tudo se intensificava. Nós nos amamos louca e apaixonadamente. Depois continuei abraçada a ele até adormecer.

— Bom dia, dorminhoca! — Thomas disse beijando meu rosto.

— Quero ficar na cama! — resmunguei sem abrir os olhos.

— Vamos aproveitar o dia — falou mexendo nos meus cabelos, beijou meu pescoço.

Apesar da tentação de agarrá-lo fiz charme e continuei de olhos fechados, espreguiçando na cama.

— Levanta, dorminhoca. O dia está lindo!

— Cadê o Lucas? — Abri os olhos e fiz um carinho na mão dele segurando a minha.

— Já o levei. Preparei o nosso café da manhã. Depois vamos caminhar na praia. Podemos tomar banho de mar.

— De onde você tira tanta disposição? — perguntei, sonolenta.

— De você!

— Ah, então é isso. Estou doando a você.

Ele caiu na gargalhada.

— Deixe de preguiça, vamos levantar.

— Tudo bem! — Eu me rendi.

Levantei, passando por ele, e segui para o banheiro. Tomei banho, coloquei o biquíni por baixo do vestido e fui para a sala.

A mesa posta, impecavelmente arrumada, com suco, fruta, café, pão, frios e até uma flor.

— Nossa! — exclamei. — Estou recebendo tratamento VIP. — Aproximei-me dele, esperando-me ao lado da mesa, e o beijei. — Bom dia!

— Dormiu bem? — Seus olhos estavam ainda mais azuis e o sorriso sedutor estampado no rosto.

— Melhor impossível! — Peguei uma pera e me sentei na cadeira ao seu lado.

— Vamos tomar café — convidou me passando o copo de suco. — Depois podemos andar no calçadão.

O céu sem nuvens intensificava a luminosidade do sol. Caminhamos pelo calçadão da praia de Copacabana. A areia clara, limpa. Vários coqueiros ao longo da praia margeando a calçada larga de desenho sinuoso.

Em todos os lugares, pessoas se exercitavam. Jogando futebol, vôlei, andando de bicicleta, correndo ou, assim como nós, apenas caminhando. Por toda a extensão da praia havia quiosques em estilo moderno com mesinhas dispostas em decks ou no próprio calçadão vendendo água de coco, suco, batidas, cervejas, porções de peixes, mariscos e tantas outras.

— Vamos sentar? — convidou ao passarmos por um dos bancos de concreto.

Thomas sentou de frente para o mar e me acomodei na sua lateral colocando uma perna para cada lado do banco. Abracei sua cintura e apoiei meu queixo em seu ombro. De onde estávamos, não conseguia ver as ondas, a água mais parecia a extensão da areia.

— Adoro praia! — contei. — Quando criança, ficava tanto tempo na água que minha pele enrugava. — Sorri ao relembrar. — Meu pai me chamava de esponjinha do mar.

Ele sorriu e manteve o olhar fixo no horizonte.

— Eu a conheci na faculdade — Thomas começou a falar, elevei minha cabeça e busquei prestar atenção, abstendo-me do burburinho de vozes no quiosque próximo. — Estudamos juntos desde o primeiro ano. — Ele continuava com o olhar fixo na direção do mar. — Apesar de sempre estarmos no mesmo grupo de estudos, só começamos a namorar no terceiro ano. No quarto ano, ela engravidou. Decidimos nos casar. Os pais dela nunca foram muito favoráveis. Pediram a ela para assumir o filho sozinha. Eles temiam que eu a levasse embora. Daniela era a única filha, os outros dois são homens. Nós nos casamos no mesmo ano de nossa formatura. Lucas nasceu logo depois. Preferimos continuar no Rio. Ela queria ficar perto da família dela. Meu pai concordou que cuidasse dos negócios daqui. Lucas tinha oito meses quando descobrimos a doença. Os tratamentos começaram pelas sessões de quimioterapia. Os médicos também tentavam encontrar uma pessoa compatível para o transplante. O que parecia impossível aconteceu. Eles conseguiram um doador no banco de medula. Um verdadeiro milagre, conseguir assim tão rápido. Mas a doença avançou, ela ficou debilitada, e não puderam fazer o transplante. Quatro meses após o diagnóstico ela morreu. — Os olhos dele estavam úmidos.

Estendi minha mão para puxar seu rosto na minha direção, o beijei. Ele esboçou um sorriso, voltou a olhar o mar.

— Depois de sua morte — ele continuou — os pais dela me culparam. Disseram que a gravidez acelerou o processo da doença. Como haviam perdido a filha, decidiram ficar com Lucas. Me neguei a deixá-lo. Então eles entraram na justiça. Queriam a guarda definitiva. Alegaram eu ser imaturo, que não teria condições de criá-lo bem. Eles são pessoas influentes nesta cidade — fez uma pausa, como se não pudesse suportar resgatar as lembranças. Os músculos de sua face rígidos. — Contratei um bom advogado. Minha mãe e Kate vieram ficar comigo. Deram-me todo o suporte no decorrer do processo. Felizmente a justiça deixou a guarda comigo — suspirou. — Mesmo não sendo obrigado, gosto de trazê-lo para visitar os avós. Não tenho raiva deles. Hoje entendo que, a seu modo, esta foi a maneira de suportar a dor pela perda da única filha.

Não podia sequer imaginar a dor pela qual passou. O sofrimento pela perda da esposa, acompanhado da tensão do processo judicial. Eu queria poder apagar tudo isso da sua vida. A dor dele se refletia em mim. Apertei mais meus braços em sua cintura. Deitei minha cabeça em seu ombro. Ele me abraçou, beijou o topo da minha cabeça.

— Vamos nadar! — convidou tentando esboçar um sorriso.

Levantou e pegou minha mão. Tiramos a roupa e entramos no mar. Além de nos refrescar, a água também parecia limpar nossa alma. Precisávamos disso. Mergulhamos, deixamos a água levar para as profundezas do mar toda sensação de dor, perda, mágoa, impregnados em nossos corpos. Ao sair, voltamos a brincar e sorrir de novo, desligando-nos do passado.

À tarde fomos ao Corcovado visitar a estátua do Cristo Redentor, há mais de setecentos metros de altura. Lá foi possível visualizar toda a cidade. A Baía de Guanabara, o Pão de Açúcar, a Pedra da Gávea, o mar azul banhando o continente. As praias, as diversas montanhas, a floresta exibindo a vegetação da Mata Atlântica, além de pequenas ilhas e a Ponte Rio-Niterói, fazendo-me perder o fôlego diante de tamanha beleza.

Decidimos curtir nossa noite em Copacabana e caminhar de novo pelo calçadão. A brisa fresca soprava do mar acariciando minha pele. Em alguns quiosques, a música ao vivo convidava-nos a aproveitar uma das mais famosas expressões de arte desta cidade. Decidimos parar num deles, onde um casal se apresentava. Eles cantavam principalmente MPB. A voz da mulher, suave, porém profunda, fazia o som penetrar em mim. O rapaz tocava o violão, retirando do instrumento o som contagiante. Ali, comemos, bebemos, namoramos e curtimos nossa última noite na cidade maravilhosa.

Capítulo 20

O final de semana foi incrível. Difícil foi me separar dele na segunda de manhã. Com o Lucas viajando, esta semana Thomas estaria comigo todas as noites. Só de pensar, meu corpo já vibrava em expectativa. Nosso relacionamento estava cada vez mais sério. Ao mesmo tempo que desejava isso, também não conseguia evitar o medo. Chegará o momento de tomar uma decisão. No entanto, não me sentia preparada ainda. Quando o pensamento surgia, buscava afastá-lo.

Rodrigo tinha razão, estava mesmo fugindo. Em algum momento teria de decidir o rumo a dar para minha vida.

Parecia tão fácil, bastava adiar minha especialização ou então convidar Thomas a me acompanhar. Poderia também desistir e simplesmente ficar aqui, exercendo minha profissão nesta especialidade, sem alterar nada. Nenhuma destas possibilidades se mostrava fácil. Será que se adiasse meu planejamento de anos, teria uma nova oportunidade? Convidá-lo a ir comigo também parecia uma atitude da mais egoísta. Como poderia pedir-lhe para mudar completamente sua vida? E não só a sua, também a do filho.

Sem conseguir definir, o melhor a fazer era continuar levando até a solução aparecer. Precisava confiar que a vida traria uma solução, sem causar maiores danos.

Porém, a vida parecia me empurrar mais e mais para os conflitos. Foi o que aconteceu ao pisar na Unidade pela manhã.

— Como foi o fim de semana? — Rodrigo surgiu na porta do meu consultório.

— Foi bom. E o seu?

— Também. Passou na fazenda? — O tom dele parecia muito amigável.

— Não! Na verdade viajamos. Fomos levar Lucas para visitar os avós no Rio de Janeiro — respondi com o tom de voz descontraído, como se comentasse ter ido até a cidade mais próxima.

— É mesmo! Parece viajar mais agora, do que durante toda a sua vida. Não é?

— É! — Dei de ombros e cruzei os braços sobre a mesa.

— E aí? Gostou do Rio?

— É mesmo maravilhoso! Sem dúvida vale a pena.

— Bom ter se divertido — disse abrindo um sorriso.

Apesar das palavras de apoio, pela sua expressão, percebi que ele não estava gostando da conversa.

— Bem, queria mesmo te encontrar. Preciso falar com você.

Assenti aguardando ele continuar.

— Se lembra daquela sua paciente, a criança com hérnia umbilical? Se não me engano, o nome dela é Yara, não? Ela fará a cirurgia para a qual você a encaminhou em breve. Conseguiram agendar no Hospital. Você gostaria de acompanhar?

— Como você soube disso? — questionei espantada.

— O Carlos me disse na sexta-feira à tarde. Falávamos sobre meus pacientes, ao acaso ele falou desta.

— Por que pergunta se quero acompanhar a cirurgia? — Afastei-me e recostei na cadeira, encarando-o.

— Sei que se afeiçoou a esta criança. Também há tempos não participa de uma cirurgia. Como gosta, pensei ser esta uma oportunidade.

— Não entendi, Rodrigo! O que o faz pensar que o hospital vai me deixar assistir a cirurgia?

— O cirurgião é meu conhecido. Perguntei a ele se você podia participar, antes de falar com você. Comentei que é pediatra e pretende fazer especialização em cirurgia também. Ele não vê nenhum problema em você assistir. Além do mais, é uma oportunidade para recordar. Ver se é isto mesmo que quer. Fazer coisas diferentes. Sair da rotina. Se você não quiser, tudo bem, já entendi! Esquece — ele concluiu saindo pelo corredor.

— Espere! — chamei e fui atrás dele. — Já marcaram a data?

— Não tenho certeza, talvez sexta-feira da próxima semana.

— Pode ser interessante. — Acompanhei-o pelo corredor. — Vou falar com Carlos.

— Faça isso! — exclamou da porta de seu consultório.

— Obrigada! — Sorri para ele.

— Não há de quê.

Quando Thomas chegou a minha casa, contei a ele.

— Você vai participar da cirurgia? — Quis saber, sentado ao meu lado no sofá.

— Não! Vou só assistir — esclareci enquanto Thomas brincava com uma mecha do meu cabelo. — Não posso participar. Mesmo assim, estou animada. Há tempos não entro num centro cirúrgico. — Depois de saber que iria, fiquei bem agitada, lembrei-me dos tempos de residência.

— É! Você parece mesmo animada — constatou.

— O que foi?

— Nada! — Respirou fundo, franziu os lábios. — Acho bom você fazer coisas diferentes.

— Não parece achar bom. — Eu o encarei.

— Bobagem! — Ele desviou os olhos. — Mudando de assunto, poderíamos fazer trilha no sábado, você quer?

— Quero!

— Conheço uma cachoeira linda, onde ainda não te levei. É bem distante, boa parte do percurso tem de ser de carro.

Saímos no sábado de manhã, levando água e guloseimas para passar o dia. Algumas vezes, fazíamos trilha no final de semana, incursionando pela floresta. Lucas também costumava nos acompanhar. No início tive medo. Receava nos perdermos. Em determinados trechos, mal conseguia ver a trilha coberta pela vegetação. Porém, Thomas conhecia como ninguém os caminhos e logo chegávamos ao destino, em geral cachoeiras, ou simplesmente um local onde existiam árvores diferentes. Ele dizia que a floresta era sua casa. Tendo vivido tantos anos junto dela, conseguia diferenciar até o canto de alguns pássaros. Nestes passeios, ele costumava fechar meus olhos e pedia para deixar os ouvidos atentos aos sons. Discernir cada ruido, cada canto, cada sussurrar da mata, fazia eu também me conectar com a natureza vibrante da floresta. Nunca encontramos animais perigosos, já nos deparamos com parcas e porcos do mato, macacos. Estes com frequência cruzavam nosso caminho, parecendo não se intimidarem pela nossa presença, era como se fizéssemos parte da paisagem.

Já conseguia reconhecer árvores nativas da floresta, cujos nomes me eram conhecidos, como mogno, carvalho, jatobá, seringueira, e outras das quais nunca ouvi falar, como bandarra, juerana, monjoleiro, samaumeira, além das frutíferas como o cacaueiro, o cupuaçuzeiro, a pupunheira. A floresta, riquíssima em sua biodiversidade, me instigava a preservá-la. Este deveria ser um dever de todos os habitantes deste país. Preservar a riqueza inestimável de nossa natureza.

Certa vez, num passeio, uma imagem me chocou. Fazíamos trilha procurando cachoeiras e chegamos a um descampado, onde o fogo havia consumido boa parte da vegetação. A área extensa estava dominada pelos tocos cinzentos, quase rentes ao chão, do que deveriam ter sido belas árvores. No centro do descampado, uma árvore de tronco imenso havia resistido à queimada. Ela se impunha na paisagem, mostrando sua grandiosidade em sobreviver. Apesar das lesões em muitos lugares, suas raízes cercavam seu entorno, penetrando na terra e voltando à superfície, parecendo reafirmar sua resistência. Muitas de suas folhas estavam desgastadas, mas os brotos mostravam renovação. Neste dia, não resisti e chorei.

Hoje, logo percebi o caminho ser diferente. Seguimos na direção oeste.

— Vamos de carro até certo ponto — Thomas explicou —, depois teremos de caminhar, a trilha é livre. Bom, pelo menos era. Faz algum tempo que não vou até esse lugar.

— É muito selvagem? — perguntei receosa. Apesar de todas as incursões realizadas floresta adentro, ainda não conseguia evitar o temor em encontrar animais selvagens. Sabia da existência de jaguatiricas, onças e outros também ferozes.

— Não muito! — Ele sorriu, talvez tentando me tranquilizar.

Thomas estacionou a *pick-up*. Entramos pelo caminho demarcado, ladeado por árvores altas de copas não tão fechadas. As folhas secas e vegetação rasteira não cobriam totalmente a trilha, ela era bem delimitada, como se fosse frequentemente utilizada.

— Ainda estamos no estado do Amazonas?

— Não! Estamos em Rondônia. A divisa estadual é muito próxima. Aqui também tem lugares lindos.

Depois de quase uma hora de caminhada, o som inconfundível de água jorrando surgiu.

— Chegamos! — Thomas exclamou ao entrarmos na campina.

A vegetação se estendia pela área em torno da queda-d'água, a grama se misturando às pequenas folhagens, mesclando tons de verde. Palmeiras, pinheiros e jatobás cercavam o lugar. A queda de água, esculpida em pedra, devia ter cinco metros. Em sua base formava-se a piscina natural, de água límpida e azulada. Na direção oposta à queda, o fluxo da água seguia seu caminho, desaparecendo ao entrar na mata. Flores silvestres coloridas adornavam as pedras nas laterais da cachoeira. A luz do sol refletia na água criando um arco-íris, servindo de reflexos às borboletas voando ao redor. O aroma de grama e folhagens úmidas envolveram-me e, apesar do sol forte, o lugar exalava frescor. Parecia a cachoeira que um dia imaginei existir numa floresta encantada.

Desviei o olhar da hipnotizante paisagem e encarei Thomas ao meu lado. Ele me observava, talvez avaliando minha reação.

— Maravilhoso! — exclamei.

Caminhei até a piscina. A água límpida, transparente, me fez ter vontade de tocá-la. Não devia ter mais de um metro de profundidade. Podia ver as pedras no fundo.

Devagar comecei a tirar minha roupa. Peça a peça, fui deixando-as cair na grama úmida. Ao terminar, entrei na piscina lentamente, percebendo as diferenças de temperatura em minha pele. A água morna envolvia algumas partes de meu corpo, a fria outras, provocando ligeiros arrepios. Mesmo com o movimento, provocado pela queda, elas não se misturavam. Mergulhei, senti a sensação em todo meu corpo. Emergi, olhei na direção onde o deixei. Ele continuava no mesmo lugar, me observando. Estendi minhas mãos e o convidei a vir comigo.

Thomas se despiu e caminhou ao meu encontro, sem desviar o olhar do meu rosto. Seus olhos azuis contrastavam com a pele bronzeada. Os cabelos castanhos, despenteados. Seu corpo era perfeito. Ele fazia parte deste lugar, disso tinha certeza.

Com tranquilidade ele também entrou na água, aproximou-se. Estendi minhas mãos, peguei as dele, trouxe-o mais perto. Ele passou os braços em minha cintura, me enlaçou. Acariciei seu rosto, deslizando a ponta dos meus dedos molhados em sua face. O olhar dele refletia todo o desejo que podia sentir em seu corpo. Os lábios dele desceram pelo meu pescoço, colo e subiram até tocar meus lábios. Os suspiros do desejo misturando-se aos sons da água, do vento e das folhagens. Nem sequer uma palavra foi dita. Não deviam existir palavras para expressar este momento e dizê-las talvez quebrasse a magia. Nós estávamos envolvidos pela exuberante natureza que se manifestava ao nosso redor. Os elementos entrelaçados, harmonizados. A terra, a água, o ar, o espaço e o fogo. Ah, o fogo! Este elemento incendiando nossos corpos, tornando este momento perfeito em todos os sentidos.

Deitados no gramado, sobre a toalha, visualizei o céu azul, sem nuvens, entrecortado por algumas copas de árvores. Thomas, ao meu lado, com a cabeça apoiada na mão, me observava.

— Este é o lugar mais lindo que já conheci! — Voltei-me a ele. — Nunca vou me esquecer. Vou guardar para sempre essa lembrança comigo.

— Você é linda! — exclamou acariciando meu rosto, a ternura expressada nas palavras e no olhar. Inclinou-se e me beijou. — Não precisa ter só a lembrança. Podemos voltar sempre.

Puxei-o junto a mim e o abracei. Não sei por que, me deu vontade de chorar. Engoli e continuei abraçada a ele, escondendo meu rosto na curva de seu pescoço.

Cheguei cedo ao hospital. A cirurgia de Yara estava agendada no início da manhã. Queria conhecer o médico, ter tempo de conversar antes do procedimento.

Entrei na recepção e fui invadida pela mistura de cheiros: álcool, cloro, vários tipos de soluções, que tornavam este aroma tão característico das áreas hospitalares.

Cruzei o espaço na direção do balcão da recepcionista.

— Por favor, gostaria de falar com o Doutor Paulo Ferreira.

— Ele deve estar em cirurgia no momento. Posso ajudar? — A menina, de cabelos negros presos num coque, sorriu.

— Meu nome é Lívia. Também sou médica. Vim assistir a uma cirurgia dele.

— Ah, claro! O doutor deixou avisado. Pediu pra senhora esperar no centro cirúrgico. Vou levá-la até lá — ela informou já passando pela porta basculante. — Ele está no final de uma cirurgia. Não deve demorar.

A recepcionista me deixou na sala de espera do centro cirúrgico. Observei o lugar, recordando-me da minha residência. Se pensasse bem nem fazia tanto tempo assim, no entanto tinha a sensação de terem passado décadas. Apesar de o ambiente hospitalar ser em muitos momentos deprimente, para mim sempre foi estimulante. Poder ajudar a melhorar as condições de quem buscava auxílio, num momento de debilidade física. Sanar a dor, ver a recuperação acontecer na maioria dos casos, era muitas vezes gratificante. Existia uma diversidade de situações que exigiam empenho do profissional de saúde, mais e mais, na busca de amenizar o sofrimento dos doentes. Realizar uma cirurgia, salvar a vida de uma pessoa, possibilitar melhorar a qualidade de vida de quem necessitava, foi o que me levou a desejar ser cirurgiã. Sempre persegui essa especialidade. Agora aqui, neste hospital desconhecido, no aguardo para assistir a um procedimento cirúrgico, parecia ainda não estar capacitada a fazer o que, de fato, me motivou a ser médica.

— Bom dia! — o senhor grisalho cumprimentou ao sair da porta de acesso ao centro cirúrgico, interrompendo meus pensamentos. — Você deve ser Lívia, não?

— Sim. Bom dia!

— Sou Paulo! Prazer! — ele disse ao me estender a mão. — O Rodrigo me avisou que você viria. A cirurgia da criança será daqui a meia hora. Você gostaria de tomar café?

— Pode ser!

— Vamos até o refeitório — indicou-me o caminho. — Ele mencionou sua pretensão em fazer especialização em cirurgia.

— É verdade! Quero fazer esta outra especialização — respondi, seguindo-o no corredor.

Entramos no refeitório e ele pediu duas xícaras de café à atendente atrás do balcão.

— Por que não fez residência em cirurgia ao invés de pediatria? Assim você poderia fazer depois a cirurgia pediátrica se optasse como complementação.

— Não consegui a vaga para cirurgia. Então optei pela pediatria. Fiz residência na área hospitalar mesmo assim.

— Bom, sem dúvida as possibilidades de emprego para a área clínica são maiores. Vendo por este lado, você sempre terá mais opções — ele sugeriu ao me passar a xícara de café.

— Você acha que a cirurgia da Yara será simples?

— Com certeza! Não teremos grandes dificuldades.

Tomamos o café e voltamos ao centro cirúrgico para nos prepararmos.

Ao entrarmos na sala de cirurgia, os demais membros da equipe já pareciam preparados. Paulo me apresentou a todos. A pequena Yara já estava deitada na mesa, sedada.

Observei todo o procedimento. A habilidade de Paulo ao fazer a incisão, depois da correção, a sutura na região abdominal. Durante toda cirurgia a equipe conversou. Contaram histórias da região, piadas, falaram sobre diversos assuntos. Essa descontração presente em salas cirúrgicas parecia uma forma de reduzir o estresse. Aliviar a tensão e ansiedade geradas pela delicadeza e muitas vezes o risco do procedimento. Apesar de toda a descontração da equipe, eu me sentia tensa. Tentava prestar atenção às conversas ou ao procedimento, mas a inquietude me impedia.

Conforme Paulo previu, a cirurgia foi tranquila. Quando finalizaram, a pequena Yara foi levada à sala pós-operatória. Na sequência, fomos juntos falar com a mãe, que aguardava as notícias na sala de espera.

Após tranquilizar Izabel, a mãe de Yara, nos despedimos. Paulo me desejou sorte em alcançar meu objetivo. Agradeci a oportunidade e fui direto pegar meu carro no estacionamento.

Abri a porta, sentei, debrucei sobre o volante e deixei as lágrimas virem. Percebi que há tempos as segurava. Toda a dúvida, o peso da decisão, a escolha do melhor caminho. Tudo o que deixei de lado veio à tona.

O que fazer? Qual caminho tomar? Do que abrir mão? Para o que dizer adeus? Qualquer escolha seria menos dolorida? *Como deixar o amor da minha vida?* Tinha certeza, jamais amaria outro como amava Thomas. Ainda assim, como esquecer o sonho que sempre cultivei, se estava tão vivo em mim? Essa vontade não tinha passado. Eu sentia a necessidade de continuar até alcançar meu objetivo.

Chorei até não conseguir mais, porém as lágrimas não me trouxeram alívio. A angústia permanecia em meu peito. Agradeci aos céus por Thomas ter viajado ao Rio. Necessitava de tempo para mim.

Liguei o carro, parti. Precisava trabalhar, tinha pacientes a atender.

Antes de ir para a Unidade, passei em casa. Precisava me recuperar antes de trabalhar. Tomei outro banho e tentei disfarçar com maquiagem os olhos vermelhos e o inchaço.

Ao colocar o pé na Unidade encontrei Rodrigo. Ele parecia me esperar.

— Oi! E aí, como foi? — Quis saber.

— Tudo bem! — respondi tentando sorrir. — A cirurgia foi perfeita. Quando saí, ela estava na recuperação.

— Ótimo! O Paulo é legal. Você não concorda?

— Concordo! Me pareceu ser uma ótima pessoa. Também excelente profissional. — Tentei sorrir de novo, para não demonstrar qualquer alteração em mim. — Foi bom assistir à cirurgia. Obrigada!

— De nada!

Ele me encarou, a cara desconfiada.

— Bom! Vou trabalhar. Já tenho pacientes a atender — eu disse e saí em direção ao consultório, sentindo o olhar dele me acompanhando, enquanto me afastava.

Capítulo 21

Acordei no sábado de manhã com as mesmas sensações do dia anterior. Angustiada, pesada, sem rumo. Ontem saí da Unidade assim que finalizei meus atendimentos e voltei direto pra casa. Não queria encontrar ninguém. Podia até imaginar como estava minha expressão, haja visto os olhares de Maria para mim. Com sua discrição, claro que não perguntou nada. Porém, certamente eu não teria a mesma sorte, se encontrasse qualquer outra pessoa do trabalho. Poderiam fazer perguntas às quais não tinha a menor vontade responder.

Hoje não podia ficar assim. Precisava me recuperar. Parar de pensar nesses assuntos. Minha irmã chegará ao meio-dia. Irei buscá-la em Humaitá. Thomas também voltará do Rio no final da tarde. A fim de me distrair, decidi sair cedo, tomar café da manhã na cidade e aproveitar para comprar presentes para minha família, antes da chegada de Laura. Talvez esta movimentação fosse suficiente para me distrair.

Caminhei pela cidade. Comprei peças de artesanato local feitas de sementes, folhagens, cipós extraídos da floresta. Para minhas irmã e mãe comprei colares. Para meu pai, comprei um marcador de livros. Como ele gostava de ler, sempre se lembrará de mim. A peça feita de casca de árvore, esculpida e trabalhada de forma delicada, era uma representação perfeita da região. Parecia obra de arte. Só tive dificuldade em encontrar os presentes das crianças, queria comprar brinquedos. Os quais consegui encontrar em uma lojinha pequena, bem no centro de Humaitá.

Aguardei o ônibus deles estacionar, já ansiosa pela expectativa de vê-los. Não demorou para Léo e Carol aparecerem na porta. Eles saltaram, superagitados. Ao me verem, correram em minha direção, jogando-se em meus braços.

— Tia! Tia! — gritaram.

Agarrei-os e peguei Carol no colo, girando-a enquanto Léo pulava ao meu redor.

Laura apareceu logo em seguida. Nem conseguia acreditar quando a vi. Coloquei Carol no chão e estendi os braços para minha irmã.

— Senti tanto a sua falta! — exclamei abraçando-a.

As crianças se penduraram em nossas pernas.

— Eu também! — Laura declarou.

Não consegui conter as lágrimas.

— Tudo bem, Liv... — Laura passou a mão em meu rosto, enxugando-o.

— Vamos pegar suas malas! — Afastei-me. — E aí meninos? Animados? — Baguncei os cabelos deles.

— Claro, tia! — Léo exaltou. — A viagem de avião foi superlegal. Saímos de Campinas tava tudo escuro, conseguimos ver o sol nascer. Foi demais!

— Tia! Nós vamos ver onça e jacaré? — Carol perguntou.

— Espero que não! — Comecei a rir.

Retiramos as malas do bagageiro do ônibus e fomos direto onde deixei o jipe estacionado.

— Carro legal! — Laura aprovou.

— Vamos levantar o capô. As crianças vão adorar. — Pisquei para ela. — Se vocês quiserem, podemos almoçar aqui. Assim vocês aproveitam para conhecer Humaitá. Depois iremos a Guayi.

— Você é quem manda! Viemos passear e ficar com você.

— Legal! Vamos nos divertir — convidei já dando partida no carro.

Paramos num restaurante, enquanto almoçávamos contei a Laura algumas curiosidades da região. A fundação da cidade por indígenas, o marco com a construção da rodovia transamazônica e todas as suas dificuldades. Depois os levei ao cais da cidade. As crianças queriam ver o rio. Saltitando de um lado para o outro, eles pularam do carro e correram em direção à água.

— Nossa, como ele é largo! — Minha irmã arregalou os olhos.

— É! Também é lindo, além de ser uma das principais fontes de subsistência da população daqui.

— Vamos tirar umas fotos!

Passeamos pelas lojas. Paramos na praça central, mais uma vez, as crianças saltaram do carro e foram direto correr pelo espaço. Laura e eu as acompanhamos e sentamos em um banco, enquanto eles brincavam.

— Vou conhecer o Thomas? — perguntou-me.

— Claro! Ele foi buscar o Lucas no Rio de Janeiro. Deve voltar no fim da tarde.

— Você está mais bonita! Seu cabelo parece mais claro.

— É o sol! Aqui é quente quase todos os dias. Você também está diferente. Ficou ótimo este novo corte de cabelo.

Laura tinha o cabelo louro-escuro, e o novo corte repicado, na altura dos ombros, destacou seus grandes olhos castanhos. Por ser alta, um metro e setenta, dez centímetros a mais que eu, sempre chamou atenção. O corpo dela continuava bonito, nem parecia já ter dois filhos.

— E o médico? Vou conhecê-lo também? — Cutucou meu braço e sorriu.

— Vai! Talvez possamos chamá-lo pra jantar lá em casa. Aí chamamos também Ana e Carlos. Quero que você os conheça. Vai ver como o povo daqui é acolhedor. E nossos pais? Eles não tiveram vontade de vir?

— Lógico! Morreram de vontade. Eles não se aguentam de saudade.

— Sinto tanta falta de vocês! Apesar de gostar muito daqui, isso até me dói às vezes.

— Faço ideia! Também é estranho não ter você perto. — Ela acariciou meus cabelos.

Suspirei.

— Bem! Se você quiser, podemos ir — convidei e me levantei do banco. — Vocês devem estar cansados da viagem.

— Vamos! Também estou louca pra conhecer sua casa.

Aproveitamos a viagem para ela me contar os acontecimentos recentes de nossa família. Fofocas das primas e primos. Meu pai, o terceiro de quatro irmãos, sempre se deu bem com todos e pela convivência harmoniosa, os filhos de cada um foram também se entrosando. Costumávamos nos reunir e adorávamos comemorações.

Durante todo o percurso, Laura falou bastante. Mal percebemos a distância. Quando me dei conta, estacionava em frente de casa.

— Uau! Sua casa é como imaginei mesmo. Simples e charmosa — Laura elogiou.

— Demais esta varanda, tia! — Léo pulou do Jeep e correu na direção do jardim.

Pegamos as malas, Carol acompanhou o irmão na direção do jardim.

— Você está bem aqui — minha irmã comentou ao entrarmos na sala. — A casa é conservada.

— Tive sorte. Venha, vou te mostrar o quarto. Deixarei as malas no cômodo, que fiz de escritório. As crianças podem dormir lá. Você dormirá comigo.

— Preciso tomar banho. Está muito quente.

— Fique à vontade. A casa é sua.

As crianças quiseram continuar no jardim e fui me sentar no banco da varanda para vê-los brincar.

— Nossa! — Laura surgiu na varanda. — Como é bom um banho nesta terra.

— É mesmo! Senta aqui comigo. O visual daqui é maravilhoso nesta hora.

As nuances do final do dia tingiam o céu de tons alaranjados. O silêncio era quebrado só pelos gritinhos de alegria das crianças correndo em volta do balanço.

— Você tem razão! — Laura chamou minha atenção. — As cores aqui se intensificam. É mesmo lindo! Nunca vi tantas nuances de cores num pôr do sol.

— Chego a dizer que é Divino! — Deslizei no banco e acomodei a nuca no encosto.

— E como você está? Sei que fisicamente está bem, mas não me refiro a isso.

— Ontem fui assistir uma cirurgia num hospital daqui. Era paciente minha. Saí de lá, desabei a chorar — confessei.

— Aconteceu alguma coisa à paciente?

— Não! Era um procedimento simples. Foi tudo bem — respondi, tranquilizando-a.

— E então?

Elevei o tronco e me sentei, trouxe as mãos à frente do peito e as cruzei, buscando aconchego.

— Voltar a entrar num hospital, ver de novo uma cirurgia acontecer, reacendeu em mim a vontade de ser cirurgiã. — Suspirei. — Você não pode imaginar como estou dividida.

— Você sabe que pode fazer isso aqui mesmo. Neste país, quero dizer. Seria até mais simples, aí não teria de validar sua especialidade.

— É! Eu sei! Já pensei nisso — confirmei voltando meu olhar a ela. — Ainda assim, não poderia fazer aqui no Amazonas. Se fizesse, onde iria trabalhar? Nesta região não tem muitos postos de trabalho abertos. Seria como se você se especializasse em construção de edifícios, daí viesse morar aqui.

— O que te prende neste lugar? É ele?

— É! — Esbocei um sorriso. — Não posso sequer pensar em ficar sem ele. Estou completamente apaixonada.

— Não sei, não. A paixão passa! Você sabe. No início tudo é lindo, maravilhoso. Depois o tempo passa, a rotina toma conta do relacionamento, passamos a duvidar inclusive do amor.

— Você se refere a seu relacionamento? — Virei-me e busquei seus olhos.

— Não! Gosto muito do Felipe. Às vezes é difícil, mas sempre conseguimos nos entender.

— Então por que me diz isso?

— Porque te conheço. Sei o quanto você lutou, abriu mão de muitas coisas, em busca do seu sonho. Nunca colocou nenhum relacionamento à frente disso. Lembro-me bem quando saíamos. Eu paquerava aos montes. Você nada! Muitos caras ficavam na sua cola, e nada. Se não te empurrasse algum, talvez você nem teria beijado alguém até vir pra cá.

— Não exagera! — falei irritada. — É só que ninguém nunca me interessou.

— Ah! Por favor, ele não pode ser tão diferente assim dos outros.

— Você não faz ideia da intensidade de meus sentimentos por ele. Quando estou longe dele, sinto que me falta um pedaço. Ao vê-lo perco o fôlego, meu coração acelera. Não consigo dar sequência aos meus pensamentos.

— Isso é paixão! Não é amor.

— Não acredito ser só paixão.

— Então abra mão de sua outra especialização. Fique com ele — ela sugeriu.

— Se tivesse esta certeza não estaria aqui sofrendo — respondi, recostando-me no banco e deixando os braços cair nas laterais.

— Você tem razão! — ela concordou ao exalar o ar pela boca e puxou a mecha de meu cabelo, retirando do rosto. — Não posso saber o que você sente. Nunca tive de fazer essa escolha.

Desviei o olhar do rosto dela, abaixei os olhos.

— Sabe, nunca conheci alguém como ele. As emoções que ele desperta em mim, nem acreditava existirem. Sou totalmente confiante ao lado dele.

— Nisso eu discordo! Você sempre foi confiante. Nunca vacilou. Sempre soube o que queria. — Ela continuou a acariciar meu cabelo. Puxou-me de encontro a seu corpo, envolvendo seu braço em meus ombros. — Você vai descobrir o melhor caminho a seguir. Saberá se isto acontecer, porque todas as dúvidas desaparecerão. Seu coração ficará leve.

— Você acha? — perguntei ao repousar minha cabeça em seu ombro.

— Tenho certeza!

Ficamos abraçadas no banco, ambas observando as crianças brincarem. Laura sempre me acolheu. Lembro-me de nossa infância, das vezes em que acordei assustada por pesadelos. Pulava em sua cama e dormíamos juntas.

O som do motor da Hilux me colocou em alerta.

— Ele chegou! — exclamei entusiasmada, levantando-me num salto.

Fui até a escada. Observei-o estacionar. Não me cansava de admirá-lo caminhar ao meu encontro. Thomas abriu o sorriso. Era como se não existisse mais ninguém. Só nós dois. Ele subiu dois degraus, eu fiquei um acima. Estendi os braços, envolvi sua nuca, passei os dedos em seu cabelo. Ele envolveu minha cintura, nesta posição meu rosto ficava na altura do dele.

— Senti sua falta! — disse ao roçar meus lábios nos dele.

— Eu também! — sussurrou em meu ouvido, beijou meu pescoço.

Laura pigarreou.

— Oi! Estou aqui! — ela ressaltou.

— Thomas, esta é minha irmã, Laura. — Soltei meus braços dele, peguei sua mão, conduzindo-o em direção a ela. — Laura, este é Thomas.

— Olá Laura! Prazer te conhecer. Sua irmã fala muito de você — disse estendendo a mão a ela.

— Espero que fale bem! — Sorriu ao ficar em pé. — Então é você o responsável?

— Pelo quê? — ele questionou.

— Pelo despertar dela! Por tirá-la da inércia — Laura brincou. — Vem cá! Me dê um abraço! — Ele se aproximou e a abraçou. — É bom te conhecer.

— Tudo bem! Já chega! Pode soltá-lo agora. Você é casada. Comporte-se — brinquei ao separá-los.

— Você é estraga-prazeres. Tem de me lembrar disso?

Laura o soltou, ele sorriu.

— Vocês se parecem muito — Thomas observou.

— Ah! Não é verdade. Sou muito mais bonita — ela brincou.

Dei risada.

— E com certeza, mais convencida — rebati.

— E mais bem-humorada também. Apesar de você ter ficado com a inteligência. Nem tudo é perfeito! — Virou-se para Thomas. — É brincadeira!

— Já percebi.

— Cadê o Lucas? — perguntei me voltando a ele.

— Ficou na fazenda. Queria vir, porém minha mãe o convenceu a ficar. Ele não para de dizer que quer conhecer seus sobrinhos. — disse e desviou o olhar para as crianças brincando no jardim.

— Vou te apresentar a eles.

As crianças o viram chegar, mas nem se importaram, continuaram a mexer na terra do jardim.

— Léo! Carol! — chamei. — Este é Thomas, pai do Lucas. O filho dele tem a sua idade, Léo.

— Legal! — Léo exclamou, entusiasmado.

Os irmãos correram em nossa direção, pulando os degraus.

— Nós podemos brincar juntos?

— Com certeza! — Thomas respondeu abaixando na altura deles para conversar. — Ele espera vocês na fazenda.

— Podemos ir, tia? — Léo começou a saltitar na nossa frente, todo animado.

— Penso que sim. — Voltei-me para Laura. — Podemos ir, mãe?

— Você é quem manda. Estamos à sua disposição!

— Muito bom! Vamos dormir lá? — dirigi-me a Thomas.

— Claro! Assim as crianças podem aproveitar o dia amanhã.

— Ótimo! — Laura concordou. — Então é melhor separarmos roupas. Vamos, meninos, vocês precisam tomar banho, tirar esta terra. — Ela se dirigiu a nós. — Tudo bem, né?

— Não temos pressa — Thomas respondeu.

Ofereci a minha irmã para ajudá-la, mas ela recusou já empurrando as crianças para dentro da casa.

Thomas me trouxe junto de si, envolveu minha cintura e acariciou minha face. Beijei sua mão. Ele se inclinou, colando nossos lábios. O beijo ardente expressava a falta que sentimos um do outro.

— Senti saudade — sussurrei, sem fôlego, agarrada a ele.

— Eu também! Minha cama fica tão vazia sem você. — Beijou meu pescoço.

— A minha também! — Suspirei. — Esta semana, teremos de ficar separados. Não vai dar pra você dormir aqui.

— Eu sei! — lamentou. — Podemos aproveitar hoje.

— É mesmo! — Nós nos beijamos de novo. — Vou arrumar minhas coisas. Ver se Laura precisa de ajuda. Vem! — Peguei sua mão, levando-o para dentro.

Chegamos na fazenda à noite. Eles nos esperavam na sala. Ao entrar, Lucas correu ao meu encontro, se jogou nos meus braços. Todo animado relatou o passeio com os primos e os avós até Angra dos Reis. Quando ele fez uma pausa, eu o apresentei a meus sobrinhos, grudados na mão de Laura, parecendo muito tímidos.

— Oi, Lucas! Tudo bem? — Laura cumprimentou soltando a mão das crianças e a estendeu a ele, que retribuiu, todo acanhado.

— Olá, Lívia! Sentimos sua falta — Norma disse levantando do sofá.

Sorri e caminhei em sua direção. Há duas semanas não vinha à fazenda.

Apresentei minha irmã e ela e a Conrado.

— Prazer em conhecê-los — Laura falou.

— É bom terem vindo. Lucas está reclamando de fome. Vocês também estão, crianças? — ela perguntou às duas crianças, ainda penduradas na mão de Laura. Eles só moveram a cabeça confirmando. — Bom! Então o jantar está pronto. Lívia, você poderia mostrar o quarto de hóspedes pra sua irmã? Já deixei pronto pra eles. Quando voltarem, nós poderemos jantar.

Levei Laura e nossas mochilas até o quarto indicado por Norma. Deixamos as crianças na sala com Lucas. Eles começavam a se descontrair.

— Então, o que achou? — perguntei a minha irmã.

— Ele é muito bonito! Parece mesmo apaixonado. A família dele também parece gostar de você.

Assenti.

— Fico aliviada em ver que encontrou pessoas boas. Que está feliz! Apesar dos conflitos, claro. Tenho certeza, esses, você resolverá em breve.

Passamos o domingo fazendo atividades na fazenda. As crianças, apesar de ficarem tímidas no início, logo se soltaram, começaram a brincar como se sempre tivessem estado juntas. Meus sobrinhos ficaram encantados em poder tomar leite tirado na hora. Adoraram aprender a andar a cavalo. Lucas bancou o guia da fazenda. Contou aos novos amigos todas as histórias que conhecia.

Os adultos observavam as brincadeiras. Às vezes participávamos delas. Eles se entrosaram muito, sem qualquer dificuldade em se tornar amigos.

Thomas nos trouxe para minha casa no domingo à noite, estávamos todos exaustos, inclusive as crianças, que dormiram no carro. Ele só nos deixou e voltou para a fazenda.

Laura e eu colocamos as crianças para dormir e fomos as duas também nos preparar para descansar no meu quarto.

— Laura! Amanhã vou convidar Rodrigo, Ana e Carlos pra jantarem aqui.

— Ótimo! Quero mesmo conhecê-los. Posso fazer o jantar, se você quiser.

— Perfeito! Você pode passear na cidade amanhã. A duas quadras daqui tem um mercado, se precisar. Caso o tempo esteja bom, é possível também navegar no rio. Tem alguns barcos de passeio, só não tenho certeza se estão disponíveis as segundas. Podemos programar algumas atividades pra vocês fazerem.

— Não se preocupe. Vim ficar com você.

— Eu sei! Ainda assim, é sempre bom poder unir o útil ao agradável. — Sorri pra ela. Acabei de arrumar o lençol na cama para deitarmos.

— Liv? — ela me chamou, já ia me deitar.

— O que é?

— O relacionamento de vocês está sério. A maneira como ele te olha. Você fica agarrada a ele o tempo todo. E a criança então! Ele também não desgruda de você. É como se fosse a mãe dele. Ele vai pro seu colo mais do que a Carol vem pro meu.

— Você está com ciúme? — Quis descontrair.

— Não é isso! Quero dizer, não terá de se preocupar só com você para tomar uma decisão.

— Eu sei, Laura! Você não me ajuda falando desse jeito — repreendi sentindo o peso de suas palavras.

— Você terá de tomar logo uma decisão. Não pode esperar demais. É muito egoísmo de sua parte protelar. Quanto mais o tempo passa, mais os machucará, se decidir partir.

— Acha que não sei? Toda vez que penso nisso, tenho vontade de dormir e não acordar mais, só pra não ter de decidir.

— Não fale besteira. Você sempre foi madura o suficiente pra tomar suas decisões. Não é agora que vai fugir.

— Vamos parar de falar nesse assunto. Preciso dormir.

Apaguei as luzes.

Conforme prometi a minha irmã, convidei meus amigos para jantar em casa. Rodrigo já estava entusiasmado para conhecer Laura e com Ana e Carlos não foi diferente.

Quando voltei do trabalho, ela já tinha adiantado o jantar. Até sobremesa fez.

— Tudo parece delicioso. Se estiver como o almoço, está demais! — elogiei ao entrar na cozinha sentindo o aroma adocicado do molho de tomate salteado no azeite e manjericão que acompanharia o penne já cozido.

— Assim espero! Só falta terminar a salada. — Ela abriu o sorriso. — Thomas vem também?

— Infelizmente não! Os encontros dele com Rodrigo nunca são muito agradáveis. O próprio Thomas prefere não encontrá-lo.

— Ele sabe que eles virão aqui hoje?

— Sabe! Contei a ele no fim de semana.

— Ele não deve ficar muito feliz, não é?

— É. — Lamentei, ainda chateada pela situação. — Também não posso deixar de ser amiga do Rodrigo por causa disso. Além do mais, ele tem namorada. Desde nossa última briga, Rodrigo não tem mais feito gracinhas pra mim. Ele é um bom amigo!

— Então tá! — ela disse lavando a alface. — Você não quer chamar as crianças? Já separei as roupas delas, estão sobre a cama. Enquanto isso, acabarei aqui!

— Sim senhora! — brinquei batendo continência.

Rodrigo foi o primeiro a chegar. Eu já havia cuidado das crianças, me arrumado. Ao ajudar Laura a levar os pratos à mesa, ouvi as batidas na porta. Quando a abri, ele sorria.

— Trouxe vinho! Escolhi especialmente pra você — disse ao beijar meu rosto. Como sempre, mais demorado do que devia.

— Tenho certeza, todos apreciarão! — observei me afastando dele para apresentá-lo às minhas visitas.

— Oi, crianças! Tudo bem? — cumprimentou colocando a mão na cabeça de ambos. — Uau! Prazer, Laura! Tenho de dizer, você é mais bonita que sua irmã.

— Nossa! Gostei muito de você, Rodrigo. Sem dúvida é um rapaz de bom gosto! — Laura exclamou.

— Vocês são tão engraçadinhos. Tenho certeza, se darão *muito* bem — falei sarcástica, peguei a garrafa da mão dele. Levei para abri-la na cozinha.

Carlos e Ana chegaram em seguida. Eles presentearam as crianças com um jogo de adivinhações. Rodrigo sentou no chão para brincar com eles. O jogo era bem infantil, até Carol, com seus quatro anos, conseguiu participar. A brincadeira os distraiu até servirmos a comida. Como não tinham lugares suficientes à mesa, as crianças se acomodaram nela e os adultos sentaram-se no sofá, segurando os pratos nas mãos.

— Nunca o imaginei brincando com crianças — dirigi-me a Rodrigo.

— Já falei, existem muitas coisas sobre mim que você não sabe — argumentou me encarando.

Percebi o olhar de Laura em nós. Abaixei os olhos e remexi no prato de macarrão.

— Nossa, Laura! Está deliciosa sua comida! — Ana exclamou quebrando o silêncio da sala. — Queremos que você vá jantar lá em casa antes de partir. Fazemos questão.

— Será um prazer! — minha irmã respondeu.

— Vou pedir pra minha ajudante, a Berenice, fazer peixe acompanhado de pirão. Fica maravilhoso. Não é mesmo, Lívia?

— Sem dúvida, a Ana cozinha bem, mas a Berenice é top. Até já pedi a ela algumas receitas. Tentei fazer, só não fica igual de jeito nenhum.

— Pedirei também que faça doce de cupuaçu e castanhas de sobremesa. Você não pode ir embora antes de comer esta comida especial, típica da região — Ana completou, animada.

— Pode marcar! — Laura disse. — Só vamos embora no domingo.

— Ótimo! Quem sabe na sexta-feira? — ela sugeriu. — Lívia! Convide o Thomas, peça a ele que traga Lucas. Rodrigo, chame Ângela. — Virou-se para Carlos. — Querido, podemos fazer no quintal se o tempo estiver bom. As crianças vão adorar.

— Parece perfeito — Carlos concordou e voltou-se para mim. — Lívia, foi tudo bem na cirurgia da criança? Nem conseguimos conversar sobre isso.

— Foi sim, Carlos! O cirurgião foi muito atencioso.

— Era o Paulo, não?

— Sim!

— Laura! — Rodrigo chamou. — Você não concorda que Lívia deva fazer a especialização cirúrgica?

— Penso ser ela quem deve decidir. Lívia sempre tomou as próprias decisões e elas sempre foram acertadas.

— Mesmo assim, acho que ela não deve desperdiçar o dom que tem.

— Pode ser. Ainda assim, a decisão é dela! — Minha irmã encerrou o assunto comentando sobre a sugestão de sobremesa proposta pela Ana, de que ela nunca havia provado cupuaçu.

Acabamos de jantar, comemos a sobremesa. Logo depois, eles se despediram. No dia seguinte, com exceção de meus hóspedes, todos teríamos de acordar cedo.

Quando eles saíram, ao retirarmos as louças da mesa, falei para Laura:

— Obrigada por sua resposta a Rodrigo. Ele sempre tenta insistir nesse assunto.

— Ele deve considerar importante você fazer a especialização, pude perceber. Porém a decisão é sua! De mais ninguém. Você é quem sabe qual o significado disso em sua vida.

— Eu sei! Mesmo assim, obrigada!

— Liv, ele está muito interessado em você. Pode até ter namorada, mas se você levantar o dedo, ele vem correndo.

— Ah, por favor, Laura. Não quero nada com o Rodrigo, além de amizade.

— Você pode ser, mas ele quer mais. Só reparando no modo como olha para você percebi seu interesse. Thomas tem razão de ter ciúme.

— Isso não é bom! Tinha esperança dele ter superado. Esquecido essa obsessão por mim.

— Por que pensa ser obsessão?

— Porque nunca tivemos nada, tampouco lhe dei esperança.

— Quem diria você, hein?! Nunca teve namorado, agora arrasa corações — deu uma gargalhada.

— Não acho nada engraçado!

— Tem razão! Não é mesmo. Vamos terminar com isso. Amanhã você tem de acordar cedo — concluiu, carregando os pratos em direção à cozinha.

Minha irmã partiu no domingo. Ao me despedir deles no aeroporto, senti um aperto no peito. Provavelmente ficarei muitos meses sem vê-los. Recostei no ombro de Thomas, enquanto assistia o avião decolar.

A semana passou rápido. O tempo pareceu insuficiente para colocar os assuntos em dia. O jantar na casa de Ana foi tranquilo, sem atritos. Fiquei feliz por minha irmã conviver um pouco com as pessoas que se agregaram à minha vida. Nossa breve convivência aqueceu um pouco meu coração e amenizou a saudade de casa.

Capítulo 22

— Lívia? — Maria chamou na porta de meu consultório, parecendo aflita. A face pálida, como se tivesse acabado de ver um fantasma. — A Ana precisa de você agora! Ela está no consultório dela.

— É urgente?

Maria nunca perdia a calma.

— É sim! — afirmou já me dando passagem.

Saí no corredor e segui direto ao consultório de Ana com Maria atrás de mim. Abri a porta. A médica estava debruçada sobre uma mulher na mesa ginecológica.

— O que foi, Ana?

— Lívia, você vai me ajudar a fazer o parto da Claudete! — informou enquanto finalizava o toque.

— Como assim? Um parto?! — Assustei-me.

Maria entrou na sala e se postou ao lado de Ana.

— Ela está na trigésima oitava semana. Veio com queixa de contração. Fui examiná-la e o bebê está nascendo.

— Você chamou a ambulância?

— Já chamaram, mas não dará tempo. A dilatação está avançada, posso até sentir a cabeça do bebê. Maria, traga compressas de gaze. Veja se tem toalhas limpas. Preciso de tesoura estéril, bisturi, luvas. Traz também anestésico. Talvez precise, —avaliou dirigindo o olhar para mim e depois voltando-se à paciente.

A mulher, tão assustada quanto eu, começou a se contorcer e gemer de dor. Coloquei-me ao seu lado, segurei sua mão.

— É o primeiro filho dela? — perguntei a Ana.

— Sim! Não sabia que ela poderia ser tão boa parideira. — Ana começou a rir, a face vermelha de agitação.

— O que posso fazer?

— Continue dando-lhe apoio. — Ana se concentrou na paciente. — Claudete, fique tranquila, tudo vai ficar bem! Nós vamos cuidar de você e do seu bebê.

Maria voltou trazendo os materiais, acompanhada de Clarice.

— Clarice, me auxilie aqui — Ana mostrou. — Lívia! Você vai cuidar do bebê quando nascer. Pode fazer isso?

— Sim! Sei exatamente o que fazer.

Tentei tranquilizar Claudete, pressionei sua mão, acariciei a testa. Estendi a mão e peguei uma compressa de gaze para enxugar o suor escorrendo pelo rosto dela. As outras três continuaram ajudando a fazer o parto. Os gritos e esforço dela faziam-na transpirar muito. Em pouco tempo a cabeça do bebê já podia ser vista. Depois que os ombros passaram pela cavidade, a mãe respirou aliviada, mas sua respiração demonstrava toda a exaustão pelo esforço em empurrar o bebê para fora. O suor brilhava em sua pele morena. Enxuguei o rosto dela mais uma vez, enquanto, enfim, ela relaxava a cabeça no encosto da mesa ginecológica.

Ana retirou a criança, envolta em secreção, e a acomodou nas mãos.

— É menina! — exclamou, encantada. — Parabéns!

Clarice preparou o cordão e o cortou. Assim que Ana me passou a recém-nascida, envolvi-a na toalha, examinei-a e removi a secreção de seu rostinho. Coloquei-a junto ao rosto da mãe, bem ao alcance dos seus braços. Claudete envolveu-a, então a beijou.

— Minha princesa! — exaltou em júbilo a mãe.

— Vou limpá-la! Já a devolvo — informei.

Quando a tirei de junto da mãe a pequenina começou a chorar. O corpinho trêmulo. Eu a aconcheguei junto ao meu colo. Tão pequena e tão linda. Rostinho redondo, vermelhinho pelo esforço do parto, destacando a cabeleira preta, úmida, colada na cabecinha.

Acomodei-a na mesa preparada por Maria. Limpei a criança, removendo toda a secreção de seu corpinho. Finalizei o teste de Apgar, peguei outra toalha limpa e embalei-a novamente, como um pacotinho.

— Ela é perfeita! — disse e coloquei-a de novo nos braços da mãe. — Já escolheu o nome?

— Já! — respondeu, a voz embargada de emoção. — Ela é Luana! — informou com o sotaque característico da região.

— Lindo nome. Parabéns!

Todas nós estávamos emocionadas. Presenciar o nascimento de uma criança, nos fazia acreditar no milagre da vida.

— Muito bem, meninas! Excelente trabalho! — Ana comemorou. — A ambulância chegou! Claudete, nós vamos prepará-la para ir ao hospital.

A ambulância partiu, levando mãe e filha. Todas nós ajudamos a limpar a sala de parto improvisada. Não havia nenhuma pessoa na Unidade que não estivesse emocionada. Muitas riam à toa, inclusive os pacientes parecendo tão encantados quanto a equipe.

A sensação de ter aquela recém-nascida nos braços mexeu comigo. Tão linda, perfeita! E o cheirinho então? Nas vezes em que participei de partos, tomei aquilo simplesmente como parte da minha profissão. Porém, neste momento a sensibilidade parecia aflorada em mim.

— Não acredito! Tão fácil assim? — Espantou-se Thomas à noite, sentado no sofá da minha sala, ouvindo-me narrar de forma frenética o parto.

— Não foi nada fácil! Garanto que a mãe passou muita dor. — Fiz careta ao lembrar da expressão na face de Claudete. — Só que valeu a pena. A bebê é linda! — Sorri para ele. — Ver uma criança nascer é um presente de Deus.

— Você será uma boa mãe — comentou acariciando minha testa.

Afastei-me. O comentário me espantou. Na verdade, nunca tinha pensado em ser mãe. Tratava de crianças, gostava delas, mas ser mãe parecia muito diferente. Lembrei-me do nascimento dos meus sobrinhos, do quanto Laura pareceu perdida e até sem rumo. Dizia não ter tempo para nada. Disposição em tempo integral.

— Não sei não... — duvidei desviando o olhar.

Meu celular tocou. Levantei, fui pegá-lo. Era meu pai.

— *Oi, Liv!* — ele cumprimentou do outro lado. — *Estamos com saudades, querida. Estou ligando pra agradecer os presentes. Adoramos! Já estou usando o meu.*

— Legal, pai! — Sentei-me junto a Thomas. — E mamãe? Gostou do dela?

— *Lógico! Fez a maior propaganda com as suas tias. Você terá de trazer mais quando vier* — ele me intimou.

— Claro! Vou adorar comprar para elas também. Quando der certo irei visitar vocês — menti. Seria difícil isso acontecer em breve.

— *A Laura adorou estar aí.*

— Por que você não se programa e traz a mamãe? — cutuquei, estimulando-o a vir.

— *Você sabe, não dá! Está além das minhas forças.* — Ele fez uma pausa. — *E o seu namorado?*

— O que tem ele? — Observei Thomas.

Ele continuou a mexer em meus cabelos, torcendo a mecha entre os dedos.

— *Ele está aí?*

— Está! Por quê? — Estranhei a pergunta.

Thomas juntou as sobrancelhas, também parecendo espantado.

— *Quero falar com ele* — pediu.

— Por quê?

— *É assunto de homem, não se meta. Coloque-o na linha* — impôs, autoritário.

— Ele quer falar com você — avisei passando-lhe o telefone.

— Olá! — Thomas saudou, entusiasmado. — Como vai, Seu André?

Meu pai nunca conversou com Thomas, apesar de muitas vezes eu comentar estarmos juntos. *O que ele queria?* Só faltava querer passar sermão.

— Aham! — Thomas respondeu para algum comentário dele. — Tudo bem! Pode deixar comigo — continuou a prestar atenção ao meu pai. — Combinado! Quer falar de novo com Lívia? — Outra pausa. — Nos falamos depois então!

— Por que você desligou? — perguntei.

— Ele não queria mais falar com você.

— Como assim?

Ele deu de ombros. Esta história estava muito estranha.

— O que ele queria?

— Pediu para eu levá-la a Campinas no seu aniversário — informou na maior calma.

— Como assim, me levar a Campinas? São muitas horas de voo. Sem falar das várias conexões.

— Pode ser! Só que é feriado, lembra? — Seus olhos brilharam. — Adorei a ideia! — Começou a rir. — Estou louco para conhecer seus pais.

— Vocês estão malucos!

— Será meu presente de aniversário pra você — disse me beijando.

Apesar de achar loucura, adorei a ideia de visitar meus pais. Depois de ter visto Laura, a saudade deles aumentou. Geralmente na vida, há uma fase em que nos distanciamos de nossos pais. A minha foi no final da infância, início da adolescência. Fiquei mais próxima à Laura nessa fase. Talvez por ser a irmã mais velha, ela se tornou um ídolo para mim. Adorava imitá-la, pegar sua maquiagem, usar suas roupas. Pode parecer incrível, mas ela também curtia e me ensinava a maquiar, a me vestir, me tratava como boneca animada. Na verdade, eu devia ser isso mesmo para ela. Nessa época, eu me distanciei da minha mãe, apesar de ela estar sempre presente. Não conseguíamos nos comunicar. Ela me irritava. Já na fase da adolescência, ela me apoiou tanto ao saber da minha decisão de cursar Medicina, que me comoveu.

A partir daí, passamos a nos entender profundamente. Se Laura implicasse com ela, eu a defendia. Sentia muita falta das nossas conversas pela manhã, todas as vezes quando voltava do plantão da residência, e ela pacientemente me esperava com o café na mesa. Recordei-me das vezes em que tossia de madrugada, já adulta, e ela vinha me trazer chá quente.

Desde minha chegada a Guayi, raras vezes conseguimos nos falar. Conversar ao telefone era sempre rápido. Impessoal. Morria de vontade abraçá-la e ouvir sua voz.

Já o relacionamento com meu pai, sempre foi tranquilo. Quando era pequena, ele me colocava no colo, me contava histórias. Nós sempre gostamos de livros, então esse era nosso momento de diversão. Como minha adolescência não foi muito normal, por assim dizer, ele também não teve motivos para brigar comigo. Bem diferente de como foi com Laura, que colocava a autoridade dele à prova quase sempre.

Voltar a Campinas, mesmo por um breve final de semana, me animou. Ver minha família novamente, depois de quase nove meses, era o melhor presente que podia receber.

Conforme meu pai e Thomas combinaram, pegamos o avião em Porto Velho na véspera de meu aniversário. Após três escalas, Lucas, Thomas e eu chegaríamos tarde da noite em Campinas.

Na última escala no Rio, ao trocarmos de aeronave, sentamos os três juntos. Thomas ficou no meio. Lucas, exausto, dormiu, mal o avião decolou.

Thomas o ajeitou no banco. Depois mexeu no bolso de seu blazer e retirou um pacotinho. Gelei! Ele abriu minha mão e o depositou no centro da palma. A embalagem quadradinha, envolta delicadamente em papel marrom, envolvido por um belo laço de fita dourada.

— Feliz aniversário! — ele disse beijando meu rosto.

— Você não precisava fazer isso! Já me deu a viagem.

— A viagem não conta. Estamos aproveitando também.

— Obrigada! — Envolvi seu rosto e o beijei.

Desfiz o laço, retirei o papel. Abri a caixinha preta aveludada. Dentro, um par de brincos com dois diamantes, cada um em tamanhos diferentes, brilharam no veludo. As pedras eram separadas por um delicado fio de ouro entrelaçado.

— São lindos, adorei! Vou colocar. — Puxei meus cabelos, coloquei-os nas orelhas. Virei-me para ele. — Ficou bom?

— Ficaram perfeitos!

Os olhos azuis demonstravam ternura.

— Eu te amo! — confessei beijando seus lábios.

— Eu também. — Ele acariciou meu rosto. — Você está feliz por visitar seus pais, não é?

— Sim. — Sorri. — Obrigada por me trazer!

— Não é nada! — Retribuiu o sorriso. — Sei que sente falta deles. Gostaria que morássemos mais próximos.

Concordei. Apoiei minha cabeça em seu ombro. Estávamos chegando. Espiei pela janela, as luzes das cidades se destacavam na escuridão da noite. O pontilhar faiscante estendia-se como um tapete iluminado. As cidades ao redor praticamente se uniam à metrópole. Minha cidade era maior e possuía mais recursos que muitas capitais deste país. Estar de volta, me fez relembrar o quanto gostava deste lugar.

Segurei Lucas enquanto Thomas pegava nossas malas. Devido ao horário de chegada do nosso voo, quase meia-noite, o aeroporto estava praticamente vazio. Ao sairmos do portão de desembarque já avistei meu pai. Só não corri em sua direção por Lucas estar pendurado em mim. Visualizar aquele senhor magro, grisalho, com um enorme sorriso no rosto, tão familiar, me deu vontade de chorar. Segurei as lágrimas e sorri para ele.

— Quanta saudade de você! — disse envolvendo-o num abraço.

— Querida, como é bom te abraçar de novo. Parabéns! Já é seu aniversário.

— Obrigada! — Em seguida, apresentei meus companheiros. — Pai, estes são Thomas e Lucas!

— Olá, meu rapaz! — Meu pai estendeu a mão a Thomas. — Vejo que está cuidando bem da minha menina.

Thomas sorriu.

— E você, garotão? — Passou a mão na cabeça de Lucas, que se apoiava em mim, completamente atordoado pelo sono. — Vamos levar esta criança para casa. Ela precisa deitar. Sua mãe está a nossa espera.

Capítulo 23

Pegamos a rodovia em direção à cidade. Conforme o carro percorria os quilômetros, tudo se tornava familiar. Resgatei em minha memória cada prédio, casa, fábrica, comércio. Nada mudou. A sensação de estar em casa me inundou.

Percorremos a Avenida Aquidaban ao sair da estrada. Alguns quarteirões depois, meu pai estacionou em nossa garagem e a porta da sala abriu. Minha mãe surgiu. Ela estava tão diferente. Emagreceu, repicou o cabelo na altura do queixo. Parecia também mais escuro.

— Você está linda! — exclamei ao sair do carro. — Senti tanto sua falta! — Comecei a beijar-lhe o rosto freneticamente.

— Feliz aniversário, meu amor! Estou tão feliz por você estar aqui. — Ela se afastou, segurou minhas mãos. — Deixa eu te ver. — observou-me de cima a baixo. — Você está magrinha! Não tem se alimentado direito?

— Ah, mãe! É impressão sua. Eu até engordei. — Dei-lhe outro abraço, senti a sensação do aconchego dos seus braços, seu cheiro adocicado de mãe, a apertei ainda mais, com um suspiro me separei dela. — Este é Thomas.

— Olá, Thomas! Seja bem-vindo!

— Obrigado! É um prazer conhecê-la, Dona Marisa!

— Também estou feliz em conhecê-lo! — Soltou minha mão, foi abraçá-lo. — Onde está Lucas?

— Está no carro, dormindo — respondi.

— Vamos entrar, então. Já arrumei a cama dele. Pode pegá-lo, Thomas. — Ela segurou minha mão, me conduziu porta adentro. — Seu pai pode trazer as malas. Eles ficarão no antigo quarto de Laura.

As únicas mudanças na sala eram o televisor de tela plana e a nova cor lilás nas paredes. No mais, tudo permanecia exatamente como me lembrava. Fui criada nesta casa. Apesar de não ser tão grande, sempre foi o tamanho ideal para nossa família, com seus três quartos, sala espaçosa, além do quintal, onde Laura e eu brincávamos quando crianças.

— Vocês fizeram boa viagem? — Quis saber minha mãe.

— Fizemos! Só é cansativo. São muitas escalas.

— Deixe-me vê-lo — minha mãe pediu a Thomas, que carregava Lucas no colo. O garoto inerte, a cabeça apoiada no ombro do pai. — Dorme como um anjo. — Ela sorriu, acariciou a face dele.

— Venha! — chamei Thomas. — Vamos colocá-lo na cama.

Levei-os ao quarto. Thomas deitou Lucas na cama e eu troquei a roupa dele pelo pijama. Ele mal se mexeu, continuou a dormir tranquilo, apesar de todo o espaço restante da cama de casal.

— Você substituiu a cama da Laura? — perguntei para minha mãe ao voltarmos à sala.

— Troquei a minha, coloquei a antiga no quarto dela. Vocês devem estar cansados. Querem comer? Preparei um lanche.

— Eu não quero! Comemos no avião. Você quer? — dirigi-me a Thomas.

Ele agradeceu e negou. Peguei a mão dele, o levei comigo para sentar no sofá. Meus pais se acomodaram no outro.

— Estamos muito felizes de enfim conhecê-lo — minha mãe disse. — É muito difícil ficarmos longe dela. Saber que está bem acalma nosso coração.

Thomas sorriu e envolveu o braço sobre meu ombro, trazendo-me junto a si.

— Amanhã vamos passar o dia na chácara do seu tio — meu pai informou.

— Amanhã? — perguntei espantada.

— Não! Na verdade hoje! — Ele sorriu.

— Pai! Nós queremos levar Lucas a um dos parques amanhã.

— De jeito nenhum! Amanhã vamos comemorar seu aniversário na chácara do seu tio. Já está tudo certo. Toda a família vai.

— Toda a família? Não acredito! Isso significa todos os primos? Agregados?

— Sim! Eles não te veem há tempos. Todos estão com saudades — afirmou. — Além disso, estão doidos para conhecer seu namorado. — Soltou uma gargalhada.

— Ah, não! Está de brincadeira, não é? Você contou a eles! Quer assustá-lo? — Desviei o olhar para Thomas, que abriu o sorriso. — Você nunca viu tanta gente falando ao mesmo tempo. Não saberá quem grita mais. Vai pensar que a minha família é de malucos.

— Não vou não — continuou a sorrir e tirou uma mecha de meu cabelo da face, puxando-a para trás.

— Ele se acostuma! — meu pai exclamou dando de ombros. — Além disso, você veio conhecer a nossa família, não é? — dirigiu-se a Thomas.

— Exato! — respondi antes dele. — Minha família! Isto é, você e a mamãe.

— Todos eles fazem parte da sua família. Não os despreze. Eles te amam — meu pai repreendeu, parecendo achar engraçada minha reação.

— Qual será o cardápio? — perguntei à minha mãe, ostentando no rosto o mesmo sorriso de deboche do meu pai. — Vamos cozinhar?

— Vocês não vão cozinhar — meu pai interveio. — Contratei um serviço de buffet. Ninguém vai trabalhar. Vamos nos divertir.

— Você é impossível! — Tive de sorrir.

— Vamos dormir! — o Sr. André mandou. — Já é tarde! Teremos de acordar cedo.

— Nós já vamos. Vou mostrar o banheiro e o meu quarto pro Thomas.

— Tudo bem! Comportem-se, hein?!

— Fique tranquilo, pai!

Eles se levantaram, vieram me beijar. Minha mãe fez o mesmo com Thomas.

— Boa noite! — despediram-se, deixando a sala.

Recostei-me no ombro de Thomas.

— Só me faltava essa! Uma festa com toda a família. Você verá quanta gente.

— Será divertido! Ele está tão animado. Planejou todos os detalhes.

— Você sabia? — Ele aquiesceu. — Não me contou por quê? Vocês estão de complô?

— Não imaginei que você se sentiria traída ou ficaria chateada. Ele pediu segredo — justificou.

— Tudo bem. — Suspirei. — Não estou chateada. Gosto muito da minha família. Tenho medo só que você se assuste.

— Bobagem! É sua família. Vou adorar conhecê-los. Vamos nos divertir muito!

— Ah, disso não tenho dúvida. Melhor ir pra cama, se conheço bem o Seu André, ele vai querer sair cedo.

Demorei a me situar onde estava. Não dormia neste quarto havia tanto tempo que estranhei a cama. No entanto, tudo estava exatamente como deixei. Até as fotos fixadas no quadro permaneciam as mesmas. Espreguicei. Tomei coragem, levantei.

Ao sair do banheiro, encontrei Lucas no corredor.

— Bom dia, querido! Dormiu bem?

Ele parecia perdido.

— Nós já estamos na casa da sua mãe?

— Já! — Abaixei-me, ficando na sua altura. — Onde está o seu pai?

— No quarto. Aqui é o banheiro?

— Sim! — Afastei-me, dando-lhe passagem. — Você quer ajuda?

— Não! — Ele entrou apressado, fechou a porta atrás de si.

Segui no corredor, dei duas batidas na porta. Entrei. Ele estava deitado na cama, sem camisa, me encarou, o sorriso maroto. Fechei a porta. *Ah, se não estivéssemos na casa dos meus pais.*

Caminhei na direção dele, deitei ao seu lado, rocei meus lábios em seu pescoço, passei a mão em seu peito, percorrendo com a unha um rastro de pelos dourados.

— Bom dia! — sussurrei. — Dormiu bem?

— Poderia ter dormido melhor. — Ele me virou, ficou sobre mim, começou a beijar meu pescoço. — É melhor você não vir aqui assim.

— Assim como?

— Cheirosa e só de roupão. Não vou resistir.

— Vai ter de resistir! Ouça os passinhos — pedi ao escutar Lucas retornando ao quarto.

Ele de imediato saiu de cima de mim. Ajeitei meu roupão, antes do garoto entrar.

— Tudo bem? — perguntei a Lucas. — Quer comer?

— Quero!

— Vamos trocar de roupa, depois escovar os dentes? Minha mãe deve ter preparado o café. Quer tomar banho? — perguntei a Thomas, que respondeu positivamente. — Vou pegar a toalha. — Pisquei para ele.

Esperei eles ficarem prontos e fomos juntos à cozinha. O cheiro fresco do café pareceu me carregar pelo corredor, a casa toda impregnada com o aroma misturado ao cheiro adocicado de pão recém-saído do forno.

— Que delícia!

Lucas, segurando minha mão, me olhou, os olhinhos brilhando, parecendo animado pelos aromas nos envolvendo.

Meus pais já estavam sentados à mesa ao entrarmos no pequeno cômodo.

— Bom dia! — saudei ambos com um beijo. — Não existe cheiro melhor que o do pão que você faz, mãe. Estou com água na boca!

— Sei que você adora, filha! Não poderia deixar de fazer. Oi, Lucas! Você dormiu bem?

Ele concordou timidamente.

— Sou a mãe da Lívia.

— Eu sei! É a Dona Marisa — murmurou.

— Venha sentar aqui. — Apontou a cadeira ao lado dela. — Pode me chamar de vó se quiser. — Ele a encarou parecendo espantado. — É sim! Como o Léo me chama.

A atitude da minha mãe até poderia parecer excessiva, se não soubesse o quanto amava crianças. Desde o nascimento de Léo, ela dizia a todas as crianças da família para chamá-la de vó. Justificava dizendo que seus alunos já a chamam de tia, então queria variar. Para mim o motivo deveria ser também por ela amar ser chamada de vó.

— Thomas? — meu pai chamou. — Nós podemos ir antes à chácara. Os homens vão jogar bola. Assim deixaremos elas conversarem. Pegamos Felipe e Léo no caminho. Depois Laura pegará as meninas aqui mais tarde.

— Ah não, pai! Queria levá-los para conhecer a cidade.

— Deixe disso! Logo vocês irão embora. Fique um pouco com sua mãe.

Observei Thomas, buscando avaliar sua reação à proposta de meu pai.

— Tudo bem! — Thomas concordou. — Ele tem razão, há tempos não se veem. Aproveitem para ficar juntas.

Terminamos o café, eles foram. Ajudei minha mãe a organizar a casa. Ela foi me inteirando dos assuntos da família. Da minha tia que adoeceu, da prima grávida, do primo com casamento marcado e da prima recém-separada. Contou-me sobre seus alunos, dos que chamavam mais sua atenção, tanto pelo bom comportamento, quanto pelas travessuras.

— Já recebeu resposta sobre os testes referentes à especialização? — perguntou-me enquanto esperávamos Laura, sentadas na sala.

— Eles me enviaram na semana passada outros complementares.

— Você respondeu?

— Respondi!

— Então, não desistiu?

— Não sei, mãe! — Comprimi os lábios. — A decisão não é fácil. Não sei o que fazer. Você tem alguma sugestão?

— Depende. Thomas é tão importante quanto isso?

— É! Muito! Esta é a primeira vez que me interesso por alguém de fato, você sabe. Só não sei se posso desistir dos meus planos.

— Bem... vocês já conversaram sobre isso?

— Não! Ele sabe. Só não lhe contei sobre minhas angústias. Nem eu mesma gosto de pensar sobre este assunto. Nem sequer consigo imaginar o que dizer a ele.

— Você deveria tentar! Quem sabe juntos vocês encontrarão a solução.

— Pode ser.

— Estava me esquecendo! — exclamou. — Como seu pai e eu não sabíamos qual presente lhe dar, decidimos fazer um depósito em sua conta. Este dinheiro pode te ajudar, independentemente da sua decisão.

— Mãe, vocês não precisavam fazer isso. Já fizeram muito. Não teria minha profissão se não fossem vocês.

— Filha, o que temos é seu e de sua irmã. Não tem sentido trabalharmos se não pudermos dar a vocês o que precisam. Além do mais, nossas despesas diminuíram muito.

— Obrigada! Vocês são demais!

— Vou ligar pra Laura — avisou levantando do sofá. — Ela está demorando!

Laura nos pegou e seguimos direto para a chácara do meu tio Antônio.

Ao entrar na chácara, fui resgatando as lembranças da minha infância. O lugar pertencia a meu tio havia muitos anos. Quando pequena vínhamos aqui todo final de semana. Fincada no vale rodeado pela cadeia de montanhas, ela ficava próxima à cidade de Itatiba. O sol a pino exaltava o verde mesclado das árvores ao redor. Além do pomar e da piscina, o campo gramado para jogar futebol rendia boas brincadeiras entre os primos na nossa infância. Caminhei pelo gramado lembrando os motivos de deixarmos de vir a este paraíso, fomos crescendo, aos poucos perdemos o interesse de ficar isolados. Então os pais também deixaram de vir com tanta frequência, diante da necessidade de tomar conta dos filhos adolescentes, resistentes à permanência longe do agito da cidade.

No sobrado de tijolinhos à vista, avistei minha família. Pareciam estar, tios, tias, primas, primos, os filhos deles. Crianças brincavam na piscina, jorrando água no piso ao redor e dando gritinhos de alegria.

— Cunhada! — Felipe gritou vindo ao nosso encontro. — Você encolheu?

— Você continua o mesmo idiota de sempre. Não sei como minha irmã te aguenta — disse o abraçando.

— Ela não resiste ao meu charme. — Retribuiu meu abraço.

Se não conhecesse Felipe desde minha infância até poderia me chatear, mas ele sempre foi um querido. Sendo nosso vizinho desde a infância, quando a família dele mudou de cidade, perdemos o contato. Já adultos, Laura e ele se reencontraram na universidade e logo começaram a namorar.

— Onde está Thomas? — perguntei.

— Seu pai e seus tios o estão testando, vendo se ele serve para entrar na família. — Começou a rir, provavelmente provocado pela minha cara de espanto.

— Muito engraçado!

Encontrei Thomas na varanda, conversando com meus tios Antônio, Giovanni, meu pai e meus primos Ronaldo e Thiago.

Ao ver-me, tio Antônio abriu os braços, acolhendo-me num abraço.

— Minha menina! Você nos abandonou — ele disse me apertando em seu abraço, tirou-me do chão sem qualquer dificuldade. — Parabéns!

O irmão mais velho de meu pai ajudou meus avós a criar os irmãos. Talvez por isso sempre se comportou como se fosse o pai deles. Costumava assumir os filhos dos irmãos também como se fossem netos, não sobrinhos. Em especial as mulheres. Ele era o único dos cinco a ter nascido na Itália e seu sotaque se mantinha, como se tivesse chegado ao Brasil há pouco tempo e não há cinco décadas.

— Obrigada, tio! Senti sua falta. — Beijei seu rosto. — Vocês trataram bem meu namorado?

— Já o avisamos! Se não tratar você bem, terá de se ver conosco — disse com a voz estridente, depois soltou uma gargalhada.

— Isto é ótimo! Vocês devem estar deixando-o muito à vontade! — ironizei. — Vários sicilianos o ameaçando.

Eles riram. Soltei-me do abraço de meu tio e cumprimentei os outros, me colocando ao lado de Thomas.

— Pelo visto você já conheceu toda a minha família.

— Já! São muito descontraídos!

— É, eu sei! Onde está o Lucas?

— Dentro da casa, brincando com Léo. Ele quer entrar na piscina.

— Ótimo! Vou levá-lo. Enquanto ele não aparece, vou falar com minhas primas. — Avistei-as do outro lado da piscina, elas conversavam animadas. Fui para junto delas.

Cumprimentei minhas primas Lucia, Mariana, Paula e Rosana, esta última recém-separada.

— Tudo bem? — Mariana perguntou ao me abraçar.

— Pelo visto, muito bem! — Paula antecipou-se. — Onde você arrumou ele? — Indicou Thomas.

— De onde ele saiu tem mais? — Rosana perguntou.

— Não! Ele só tem uma irmã. Vocês deviam se envergonhar. Fala sério! Não podem ver alguém novo? Não se esqueçam, seus maridos estão aqui!

— Menos o meu. Estou livre. Se tiver indicações, estou aceitando — Rosana comentou.

As palavras pareciam animadas, porém o tom era de pesar.

— Fiquei sabendo! O que aconteceu?

— Muitos motivos, mas acho que descobrimos que o amor não era suficiente para tantos desafios. Foi de comum acordo. Sorte não termos filhos — ela disse.

— Sinto muito!

— Tudo bem! Foi melhor assim. — Suspirou. — Estou na fila se arrumar mais um desses. — Sorriu. — Serei eternamente grata!

— Verei o que posso fazer — concordei brincando.

— Mudando de assunto, parabéns! — Mariana desejou. — Apesar de nosso presente não ser tão bom quanto aquele — sinalizou Thomas —, ainda assim estamos lhe dando com carinho. Vou pegá-lo!

Ela me entregou três pacotes. Laura também me deu o dela no carro. Enquanto abria os presentes, Rosana me ajudou segurando os pacotes. Adorei todas as peças de roupas. O vestido azul ficará ótimo em mim, tinha certeza. Continuei junto delas. Minha irmã se juntou a nós, depois os primos também se agregaram. Os assuntos tornaram-se variados.

— Lá vem seu Tarzan — Paula avisou indicando Thomas.

Ele caminhava em nossa direção, acompanhado de Lucas..

— Você já conheceu minhas primas? — perguntei a ele.

— Já!

— Lucas! Você quer nadar?

Ele assentiu.

— Então venha! Vou te trocar.

— Pode deixar! — Thomas disse. — Fique com suas primas.

— Não! Vou com vocês. — Peguei em sua mão, levei Lucas para trocar.

Passar o dia rodeada por minha família foi mais que especial. Matei as saudades, ri, brinquei. Não tinha me dado conta de como sentia falta deles. Damos pouco valor a coisas frequentes, e nem sempre percebemos o quanto determinadas situações nos fazem bem. Só sentimos a importância ao nos privarmos, ou sermos privados delas.

À noite deixamos Lucas com meus pais, na verdade deixamos Lucas desmaiado, pois ele ficou quase o dia todo na piscina e estava exausto, e fui mostrar a Thomas minha cidade. Jantamos e depois o levei num barzinho charmoso, do qual gostava muito, para ouvirmos música e namorar.

Voltamos para casa de madrugada. Na manhã seguinte, levaríamos Lucas ao parque de diversões em Vinhedo. Laura, Felipe e meus sobrinhos iriam conosco.

Acordei cedo com Lucas me chamando, animado além do normal. Nós pegamos emprestado o carro de meu pai. Thomas queria aproveitar todos os brinquedos, principalmente os mais emocionantes. Era muita adrenalina para mim. Decidi ficar na companhia das crianças. Levei-os nos brinquedos mais adequados à idade deles e à minha pouca coragem.

Thomas, Laura e Felipe foram se divertir nos brinquedos radicais. Quando nos encontramos, Thomas insistiu para eu me divertir com ele.

— Vamos! Quero que vá comigo. Tem uma montanha-russa no escuro. Tenho certeza, você não sentirá medo.

Cedi.

De fato, ele tinha razão, foi muito bom, tanto que fomos várias vezes. Além desse, fomos em outros brinquedos, que a princípio teria pavor só de pensar. Era incrível como Thomas me fazia superar meus medos e me fortalecia.

Voltamos exaustos do parque. As crianças, apesar de cansadas, permaneceram agitadas, só por isso não dormiram no carro mesmo. Como era nossa última noite, decidimos ficar na companhia de meus pais. Não tivemos muito tempo de ficar a sós com eles. Queria aproveitar as últimas horas. Depois do jantar, nos sentamos na sala. Meu pai colocou seus discos de música clássica italiana. Fiquei feliz de compartilhar estes momentos com Thomas. Apesar de Seu André não ter dito nada, sei que ele aprovou meu namorado. Podia sentir isso pelo tom de sua voz, pela forma de conversar, pelos assuntos abordados. Certamente ele teria tratado bem Thomas de qualquer maneira, como hóspede em sua casa. Porém, percebi a afinidade que fluía entre eles.

Meus pais, irmã, cunhado e sobrinhos nos levaram ao aeroporto. Ao nos despedirmos, não resisti às lágrimas, assim como minha mãe e Laura. Senti como se estivesse sendo arrastada ao avião. Meu coração pesado. Quando viajei pela primeira vez, não me senti assim. Estava excitada, ansiosa em relação à viagem, à possibilidade de morar sozinha, à expectativa do novo emprego. A liberdade tão esperada. Além disso, não conhecia a fundo o sentimento da saudade. O poder deste sentimento de dilacerar o peito e parecer entrar nas entranhas do corpo.

Agora sabia exatamente o que a distância deles causava em mim. Também conhecia o que me esperava. Não tinha mais ilusões. Se Thomas não estivesse me segurando pela cintura, provavelmente voltaria correndo aos braços da minha família. Era com pesar que partia.

Recostei-me em seu ombro, ao nos acomodarmos no avião e assim fiquei, em silêncio, durante quase toda a viagem de volta.

Capítulo 24

— Oi, Lívia! — Lucas entrou correndo em meu consultório na segunda-feira antes do almoço.

— O que faz aqui? — Dei a volta na mesa, envolvi seu corpinho num abraço.

— Vim me despedir de você — Thomas avisou entrando logo atrás do filho.

— Que surpresa boa! Pensei que não te veria antes de você partir. — Elevei meu rosto e colei nossos lábios.

— Aproveitei pra pegar o Lucas na escola e não resisti em passar por aqui, antes de ir pro aeroporto. Minha mãe vai levá-lo de volta à fazenda.

— Lívia, como meu pai não vai estar aqui no fim de semana, posso ir na sua casa? — Lucas perguntou.

— Claro que sim! Vou trabalhar no sábado, depois posso pegá-lo na fazenda. Se você quiser, pode dormir em casa.

— Você não precisa fazer isso! Descanse no final de semana — Thomas pediu.

— Vou gostar de ficar com ele. Assim não me sentirei tão só! — Desde meu retorno da casa dos meus pais, há duas semanas, vinha evitando ficar sozinha. Quando Thomas não podia ficar comigo, a melancolia me dominava. Seria bom meu final de semana ser agitado. — Podemos fazer massa de tapioca se você quiser — sugeri a Lucas. — Berenice me passou a receita. Se der certo, faremos salgada e doce.

— Legal! Adoro tapioca! — Ele se agitou.

— Ótimo, então por que você não vai até o carro contar a novidade à sua avó? — Thomas perguntou a ele.

— Tchau, Lívia! — Pulou e me deu um beijo, antes de sair em disparada.

— Não acredito que ficará fora tanto tempo — choraminguei envolvendo a cintura de Thomas. Dez dias, parecia tempo demais para ficarmos afastados.

— Também acho muito tempo. — Suspirou me apertando em seus braços. — Não tem jeito. Preciso mesmo ajudar o Marcelo com algumas pendências. Não é justo deixar para eles a responsabilidade das decisões — lamentou.

— Eu sei!

Bateram na porta do consultório e abriram. Rodrigo apareceu.

— Lívia? Estamos à sua espera! Precisamos discutir as ações de sábado — dirigiu um olhar frio a Thomas.

Senti os braços ao meu redor enrijecerem.

— Já vou!

— Estão todos reunidos! — o médico insistiu sem desviar os olhos de Thomas.

— Comecem sem mim! Eu já vou — repeti ríspida.

Ele saiu sem responder. Puxei o rosto de Thomas, desviando seu olhar da porta.

— Vou sentir sua falta!

— Eu também! — Inclinou-se, me beijou. — Tenho de ir! A gente se vê na próxima semana. Depois te ligo — prometeu, beijando-me de novo.

Soltou seus braços e seguiu na direção da porta. Continuei segurando sua mão. Ele a levou aos lábios, a beijou.

— Vai passar rápido!

— Espero que sim! — Sem vontade liberei sua mão e fiquei observando-o partir.

Fui me reunir com os outros, a vontade pulsante em socar Rodrigo. Entrei na sala de reuniões, todos da equipe já estavam. Só Ruth continuou na recepção. Carlos passava o plano de trabalho. Fiquei tão envolvida pelo planejamento que nem sequer voltei a conversar com Rodrigo e ao longo do dia minha raiva foi se dissolvendo.

Na quinta-feira, Ana me convidou para nos reunirmos em sua casa na noite do dia seguinte.

— No sábado estaremos tão cansados, que é provável não conseguirmos fazer mais nada a não ser cair na cama e desmaiar — ela comentou. — Como você já sabe, nestas campanhas de vacinação trabalhamos três vezes mais.

— Melhor mesmo que seja amanhã! No sábado à noite já combinei de pegar Lucas.

— Ótimo! Combinado então!

Será bom me distrair. A ausência do Thomas deixava-me pior a cada dia. Sentia-me tão carente! Nem mesmo ter conversado com minha irmã ontem no WhatsApp aplacou minha tristeza.

Decidi pedir carona ao Rodrigo. Há tempos não conversávamos. Seria legal colocarmos os assuntos em dia.

Ao finalizar minhas consultas, fui ao encontro de Rodrigo. Bati na porta do consultório dele. Esperei.

— Pode entrar! — respondeu ao toque.

— Tudo bem?

— Bem! E você? — Ele continuou sentado em sua cadeira. Só me olhou.

— A Ana te convidou para ir na casa dela amanhã à noite?

— Convidou sim!

— Se você for, poderia me dar carona?

— Por quê? — Ele cruzou os dois braços sobre a mesa.

Estranhei a pergunta. Rodrigo sempre se mostrou tão disponível.

— Bem, pensei se poderíamos conversar. Faz tempo que não fazemos isso.

— Então... — fez pausa. — Não sei não, acho que não vai dar.

— É mesmo! Você não vai? — perguntei. Só podia ser este o motivo de sua recusa.

— Na verdade vou sim! Levarei Ângela. Você sabe, ela ainda sente ciúme de você.

— Ah! — Comprimi os lábios. — Entendo!

— Apesar dela não precisar ter, porque nós não temos nada! Não é mesmo?

— Claro! — concordei.

— Se você quiser, pode pedir a Clarice! Sei que ela também vai.

— É mesmo?! Falarei com ela. Até mais. — Saí fechando a porta atrás de mim, tentando inutilmente conter as lágrimas começando a brotar.

Na sexta-feira à noite, comecei a me arrumar. Decidi colocar o vestido preto, trançado no busto, que Laura me deu de aniversário. Complementei com o colar colorido de sementes, presente da mãe de uma paciente. O acessório fez um belo contraste no vestido. Calcei minha sandália rasteira. Penteei os cabelos de uma forma diferente, trançando-os na lateral. Maquiei-me e examinei meu reflexo no espelho. Sem dúvida, uma boa produção colocava de lado qualquer desânimo.

Peguei meu carro. Ao chegar em frente à casa de Carlos, os carros de todos já estavam estacionados, inclusive a Pajero do Rodrigo.

Bati na porta da casa.

Ana abriu.

— Uau! Você está muito bonita! — elogiou, dando-me passagem.

— Obrigada! Você também, Ana.

No sofá estavam sentados Clarice, Orlando e Carlos, que de imediato se levantou. Em pé, Rodrigo e Ângela. Os olhos dele me mediram de cima a baixo, assim como os dela, porém com expressões distintas. Acenei movendo a cabeça. Cumprimentei Carlos, vindo em minha direção.

— Que bom que chegou, Livia! Gostaria de tomar um vinho?

— Aceito, Carlos! Só uma taça, pois estou dirigindo. Não quero me exceder.

Fui até Clarice e a beijei. Estendi a mão aos demais.

— E aí, Lívia! Onde está o Thomas? — Clarice quis saber.

— Viajou para o Mato Grosso do Sul. Ficará fora até quarta-feira.

— Eles têm fazenda lá, não é? — Carlos me passou a taça de vinho.

— Têm sim! Ele precisou ajudar o cunhado a tomar algumas decisões.

— E você não sabe o que é? — Rodrigo perguntou, sarcástico.

— Na verdade não — respondi. — Não entendo muito dos assuntos da fazenda.

— Ou você não se interessa por eles? — questionou.

— Não conversamos sobre trabalho! — Queria muito saber qual a intenção dele em ficar me provocando com esse assunto. Continuei o encarando.

— Então vocês namoram há quase um ano e não sabem muito bem como é o trabalho um do outro? — provocou.

— Não é quase um ano! — explodi. — São oito meses! Temos coisas mais interessantes a fazer do que falar sobre trabalho.

— Vocês devem estar com fome, não? — Carlos interpôs, encerrando o confronto. — Vamos comer então!

Segui Ana e fui ajudá-la a trazer os pratos da cozinha. Meu rosto devia estar em brasa. Respirei fundo. Precisava me acalmar.

Quando nos sentamos à mesa, Rodrigo e Ângela ficaram de frente para mim. Percebi pela expressão dela também estar furiosa. Ela não desviava os olhos do prato. Sorte a nossa Orlando estar presente. O marido de Clarice animava qualquer conversa. Conforme os neutros foram dominando a conversa, os tensos começaram a soltar-se. Às vezes, sentia o olhar de Rodrigo em mim, mas o evitava.

Estávamos comendo a sobremesa, totalmente descontraídos, quando observei o casal à minha frente. Rodrigo passou os braços ao redor dos ombros dela e começou a acariciar seu rosto com a ponta dos dedos. Ela sorriu. Ele levou a colher de sobremesa à boca dela. Sussurrou algo em seu ouvido, depois a beijou no rosto, descendo os lábios até os dela. O carinho foi tão espontâneo. Íntimo! Era como se ignorassem todos os presentes, inclusive eu. Senti um aperto na garganta. Imediatamente meus olhos começaram a queimar. Nisto percebi Ana me perguntando algo. Voltei-me a ela. Não consegui entender a pergunta. Então sorri e tentei me recompor.

— Ângela! — Ana chamou. — O Rodrigo me contou que você adorou esta mousse de açaí da última vez, então pedi pra Berenice fazer.

— É! Obrigada, Ana. Está deliciosa! — Sorriu e acariciou o rosto dele.

Pela segunda vez esta noite, senti meu rosto queimar, agora não pela raiva. Outro sentimento me corroía. Ao terminar de comer a sobremesa, pedi licença. Justifiquei estar sozinha, por isso não queria chegar em casa tarde. Despedi-me de todos e fui embora.

Entrei em meu carro e, agitada, fui direto para casa. Ao chegar, fiquei andando pela sala, tentando me tranquilizar. Colocar meus sentimentos em ordem. *Não é possível!* Devia estar mesmo muito carente, onde já se viu sentir ciúme do Rodrigo? Ele não passava de um amigo, estava certa disso. Só que vê-los nesta intimidade me machucou. Já os havia encontrado outras vezes, porém foi a primeira vez a presenciar tanta troca de carinho entre eles. *Credo!* Busquei afastar a sensação. Devia estar com o orgulho ferido por ele não ter me dado atenção. *Só podia ser.*

Lavei meu rosto, esfregando cada parte freneticamente, como se isso ajudasse a remover a sensação. Vesti o pijama e deitei na cama. Apesar dos pensamentos tumultuados, adormeci. *Na floresta, caminhava de mãos dadas com Rodrigo. Estávamos vestidos de branco. Ele me abraçava, me amparava e eu sorria para ele. Havia tanto carinho em nossos gestos.* O som estranho, distante, destoava da cena.

Acordei. Pulei da cama, atordoada. Bati a mão no despertar soando estridente. *Ah não!* Era só o que me faltava, sonhar com Rodrigo.

Será que a ausência de Thomas me causava essa carência? Precisava ouvir sua voz. Peguei meu celular. Liguei.

— *Lívia?! Oi amor! Aconteceu alguma coisa?* — Thomas perguntou.

— Não! Deu vontade de ouvir sua voz. Estou com saudades! — choraminguei.

— *Também estou! Você vai trabalhar?*

— Vou! Onde você está?

— *Vim com Marcelo até a cidade. Vamos comprar ferramentas para a fazenda.*

— Quando você volta?

— *Só na quarta-feira mesmo* — respondeu, desanimado.

— Pena! Pensei que voltaria antes.

— *Vou tentar! Você vai pegar o Lucas hoje?*

— Sim! À noite irei buscá-lo!

— *Tenha cuidado!*

— Terei! Eu te amo!

— *Eu também! Até quarta!*

Acabei de me vestir. Fui trabalhar. Quando cheguei, eles terminavam de organizar a Unidade. Tínhamos comprado balões coloridos, balas, doces. Iríamos distribuir às crianças. Este tipo de acolhimento os incentivava a vir tomar as vacinas. Também ajudei na arrumação. No horário de abrir aos atendimentos, tudo já estava organizado.

Além da vacinação na Unidade, nos dividimos e teríamos equipes percorrendo as fazendas e a população ribeirinha. Também seriam realizados procedimentos destinados aos adultos, como testes de glicemia, avaliação da pressão arterial, aplicação de vacinas indicadas a eles, dentre outros. A agitação tomava conta do lugar, como sempre acontecia ao realizarmos as campanhas. Conforme Ana havia dito, trabalhamos além do habitual. Mal encontrei Rodrigo durante o dia. As poucas vezes em que isso aconteceu, só o cumprimentei. Não quis me estender na conversa. Quanto menos ficasse perto dele, melhor.

Capítulo 25

Saí da Unidade direto para a fazenda. Lucas já me esperava na porta, em frente à escada. Mal parei o carro, o garoto veio correndo ao meu encontro.

— Lívia! Lívia! — gritava, saltando os degraus.

— Você está pronto?

— Sim! — respondeu jogando-se em meus braços.

— Vamos falar com sua avó então. — Peguei sua mão, subimos os degraus correndo, com ele me puxando. Cheguei à porta sem fôlego.

— Olá, Lívia! — Norma cumprimentou. — Ele estava ansioso te esperando.

— Tudo bem, Lívia? — Conrado perguntou. — Você tem certeza que quer levá-lo? Não precisa fazer isso! Você trabalhou o dia todo, deve estar cansada.

— Claro que quero levá-lo. Será bom. Vamos nos divertir.

— Vocês querem jantar antes? — Norma ofereceu.

— Não! Combinamos de fazer massa de tapioca. Já comprei os ingredientes. Se não acertarmos fazer, comeremos lanche. — Movimentei os cabelos de Lucas.

Ele permanecia agarrado à minha mão, olhinhos brilhando de ansiedade.

Nos despedimos de Norma e Conrado e voltamos à cidade. Lucas, animadíssimo, relatou todas as suas atividades da semana enquanto percorríamos a estrada em direção a minha casa.

Ao entrarmos na sala, fui direto tomar banho antes de nos aventurarmos na cozinha. Coloquei um CD de pop rock. O som do Jota Quest nos animou. Peguei os ingredientes do recheio e os espalhei sobre a mesa. Deixei Lucas misturar o milho, o tomate, o queijo e fui para o fogão preparar a massa na frigideira.

Depois de pelo menos quatro tentativas, enfim, consegui produzir a primeira de formato regular. Acertei o ponto.

Lucas, ajoelhado no assento da cadeira e com os cotovelos apoiados na mesa, continuava falando sem parar. Após contar tudo sobre as aulas na escola, começou a perguntar coisas do meu trabalho.

— Foram muitas crianças hoje tomar vacina?

— Muitas!

— Elas choraram? — Quis saber, curioso.

— Não! Só alguns bebês que tomaram vacina no bumbum ou no bracinho.

— Eu não tenho medo de vacina, nem de injeção — ressaltou orgulhoso.

— Você é mesmo *muito* corajoso! — elogiei.

Desliguei o fogão, peguei o prato com os discos de tapioca empilhados e juntei-me a ele na mesa.

— Hummmm! Acho que nossa comida vai ficar uma delícia — comentou animado, crescendo os olhos sobre o prato de tapiocas.

— Também acho! — Sorri. A cada dia gostava mais dele.

— Se ficar bom, vamos fazer pro papai quando ele voltar?

— Vamos sim. Ele vai adorar. Está pronto! Vamos comer?

— Legal! — disse pulando na cadeira e sentando.

— Nossa! Ficou muito bom! — Degustei o primeiro pedaço. — Não tão bom quanto a tapioca da Berenice, mas por ser a primeira vez...

Movimentei as sobrancelhas e cutuquei a barriga dele. Ele sorriu de volta, com a boca cheia.

— Essa com a geleia de cupuaçu está deliciosa! — exclamou.

— Concordo! Da próxima vez podemos fazer de brigadeiro.

— Posso te fazer uma pergunta?

— Claro, querido!

— Você quer ser minha mãe? – Seu olhar era o mais carente que já vi.

O pedaço em minha boca se transformou em pedra quando tentei passá-lo pela garganta. Esforcei para engoli-lo. Peguei o copo de suco à minha frente, tentando ganhar tempo. *O que responder pra ele?*

— Bom — comecei tomando um gole da bebida —, você já tem mãe. Ela só não pode estar aqui.

— Eu sei. É... como ela não pode, você não quer ser?

Tive dificuldade em responder, nem mesmo o suco conseguia remover o bolo formado em minha garganta. Insisti e tomei outro gole.

— É que... — ele continuou — bom... você namora meu pai faz um tempo. Pensei que pudesse te chamar de mãe, já que até chamo sua mãe de vó.

O celular tocou. *Ufa*, corri para pegar o aparelho em minha bolsa. Era Thomas.

— Oi, amor! Tudo bem? — perguntei.

— Tudo! Como foi seu dia? Trabalhou muito?

— Um pouco! Lucas está aqui comigo. — Pisquei para ele.

— Eu sei! Também por isso liguei. Quero falar com os dois. Depois de conversarmos pela manhã, a saudade piorou. Estou aqui sentado no quarto, pensando que podíamos estar juntos. Enfim, não aguentei. Tive de ligar.

— Também sinto sua falta. Quero que os dias passem rápido pra você voltar — Meu peito comprimiu. Se pudesse, correria para os braços dele. — Vou passar o telefone pro Lucas — foi só o que consegui dizer —, um beijo.

Entreguei o telefone para Lucas. O menino conversava animado com o pai. Saí de perto dele e cruzei os braços na frente do corpo, abaixando a cabeça para tentar conter a pressão insistente em meu peito.

Depois de desligar o telefone, Lucas repetiu toda a conversa com o pai sobre a viagem. Logo começou a bocejar. Levei ele para minha cama. Não quis deixá-lo sozinho no outro quarto. Observando seu rostinho sereno ao dormir, refleti sobre seu pedido. Apesar dele não ter me questionado de novo sobre a possibilidade de me chamar de mãe.

Parecia óbvio, se estava com o pai dele, um dia poderia ser sua mãe. Só não parecia ser óbvio para mim, nunca pensei nele como filho. Lucas *é o filho do meu namorado*. Gostava muito dele. Mas seria a ponto de gostar como um filho? Pelo que sempre ouvi dizer, não havia amor maior. *Será este o tipo de amor que sentia por ele?* Ou ele se construiria com o tempo? Quando um filho era gerado, a mãe tinha nove meses para se acostumar com ele, antes de seu nascimento. O amor devia crescer aos poucos. Gradualmente. Ao nascer, o bebê e a mãe pareciam se conhecer profundamente, como percebi ao ajudar a fazer o parto de Claudete.

Há exatos nove meses conheci Lucas. Teria meu carinho por ele se transformado neste tipo de amor?

Removi os cabelinhos de sua testa. As gotinhas de suor colando os fios. Sob a luz suave do abajur, seu rosto parecia ainda mais doce. Se ele me perguntasse, de novo, se poderia me chamar de mãe, o que responderei? De maneira nenhuma podia magoá-lo. Porém, deixá-lo me chamar de mãe parecia um passo tão sério. O mais sério de todos que já tomei. Sem dúvida, ele poderia ser meu filho, até por sua idade, ou se eu tivesse conhecido o pai dele há alguns anos. *Como será a sensação de ter um filho?*

Estiquei o braço e apaguei o abajur. Recostei no meu travesseiro, ainda com os pensamentos tumultuados, sem conseguir encontrar respostas às minhas perguntas.

Acordamos de manhã. O menino, agitado como sempre. Servi-lhe o café e o convidei para mexer no jardim comigo. Ele se sentou no balanço, e não parou mais de falar.

Depois de almoçar, brincamos de caça-palavras. No final da tarde, levei-o de volta à fazenda. Ele me abraçou, me beijou e agradeceu pelo final de semana. Despedi dele. Beijei seu rostinho. Lucas não repetiu o pedido da noite anterior. Devia me sentir aliviada, no entanto, essa não era a sensação presente em meu peito enquanto retornava para casa.

Encontrei Rodrigo enquanto passava no corredor da Unidade. Tentei desviar dele, apressando os passos em direção ao meu consultório.

— Foi bom seu domingo? Descansou? — perguntou me obrigando a dar atenção a ele.

— Sim!

— Está tudo bem? — avaliou-me, os olhos cerrados.

— Por quê?

— Você me parece abatida. Está doente?

— Não! Talvez não tenha descansado o suficiente — menti.

Confessar a ele as dúvidas, questionamentos, preocupações e toda a avalanche de pensamentos tumultuando minha mente, não parecia ser uma boa escolha. Ou seria?

— Ah, tudo bem! — exclamou, não parecendo convencido. — Lembre-se, teremos a visita domiciliar na quarta-feira. Só o Júlio irá conosco. Por causa das férias da Vilma, o Antônio deve substituí-la na coleta de exames.

— Irei direto de casa. Vamos sair às sete horas, não é?

— Vamos sim! Quer carona? — ofereceu, o sorriso malicioso estampado no rosto.

— Não é necessário! — redargui irritada.

Saí pelo corredor sem dar mais atenção a ele.

Quando cheguei à tarde em casa, sentia-me inquieta. Resolvi fazer vários serviços domésticos. Lavei o banheiro, limpei a casa, arrumei meus livros, lavei a louça. Fiz tudo e não me sentia cansada, muito menos com sono. Decidi mexer no computador, quem sabe me distrair e o sono chegar. Assim, abri minha caixa de e-mail. A última vez que verifiquei foi na quinta-feira. Talvez não tivesse nada especial, porém seria algo para matar o tempo.

Ao verificar as mensagens, uma saltou-me aos olhos. Sem pestanejar, cliquei para ver o conteúdo:

Parabéns!
Seus testes foram aprovados. Você foi classificada na residência médica para área cirúrgica. Terá a opção de fazer a escolha da Instituição na listagem em anexo. Após a escolha do local, verificar toda a documentação necessária e enviar no prazo máximo de trinta dias.

Estarrecida, não consegui acreditar. Esperei tanto este comunicado. Agora preferia não vê-lo.

Ao cogitar fazer a especialização no exterior, sabia ser muito difícil obter a vaga, mesmo assim resolvi tentar. Eu me inscrevi numa agência especializada neste tipo de curso, iniciei os testes. Quando aceitei o emprego no Amazonas, solicitei a eles a antecipação dos testes exigidos. Eles concordaram e só me enviaram depois uns testes complementares, já em inglês.

Desejei durante muito tempo ser aprovada. Lembrei das vezes em que me candidatei à vaga nessa especialidade, sem ao menos passar da primeira fase de seleção. Quantas vezes chorei por não conseguir. Neste momento a vontade era chorar por ter sido aprovada. *Por que tem fases na vida que tudo acontece ao mesmo tempo? Reviravoltas nos obrigando a tomar decisões que impactarão o futuro.*

Honestamente, sempre duvidei ser aprovada nos testes. Isso não aconteceu nem mesmo quando terminei a universidade. Parecia utopia acreditar nessa possibilidade. Talvez por isso, evitei pensar no assunto, sabia das minhas poucas chances. Afinal, por que sofrer? Antecipar algo que poderia nem acontecer. Mais uma vez neste ano descobri estar errada. A prova brilhava à minha frente. Agora sim, chegou a hora, não poderia mais adiar. Precisava decidir o que fazer da minha vida.

— Bom dia! — Sem bater na porta, Rodrigo entrou em meu consultório logo cedo, o sorriso estampado em seu rosto.

Respondi o cumprimento abaixando o olhar para o prontuário sobre a mesa.

— Você verificou sua caixa de e-mail ontem?

— Sim! — Melhor ser sincera logo.

— E aí! Tem alguma novidade?

— Que tipo de novidade? — Sincera, mas não direta.

— Puxa! Desculpe-me!

— Por que você está se desculpando? — Elevei o olhar.

O sorriso dele já não estava mais presente. As sobrancelhas negras contraídas, quase juntas.

— Bem... — Rodrigo começou, parecendo sem jeito. — Recebi o e-mail da minha agência, por sinal filial da sua, você deve se lembrar. Eles informaram que passei nos testes. Poderei fazer a especialização nos Estados Unidos no próximo ano.

— Parabéns! Fico muito feliz por você.

— Talvez ainda não tenham acabado de selecionar os aprovados. Você poderá receber o e-mail — justificou, tentando me animar.

Mal sabia ele o motivo da minha falta de ânimo.

— Na verdade, já recebi. — Comprimi os lábios.

— E então? Você foi aprovada? — Ele arregalou os olhos em expectativa.

— Fui! — respondi com pesar.

— Excelente! Nossa, parabéns! Nem acredito que nós dois passamos! — Euforicamente contornou minha mesa e me levantou da cadeira, envolvendo-me num abraço.

Encostei em seu ombro. Os olhos queimaram, me controlei antes da primeira lágrima rolar.

— Talvez possamos ir juntos — ele continuou, distanciando o corpo e mantendo as mãos na minha cintura. — Vamos ver se as nossas opções dos locais coincidem.

— Não sei se vou, não decidi!

— Como assim não decidiu? — O tom de voz alterou, soltou as mãos da cintura e segurou meus braços.

— Tenho muito a avaliar antes de me decidir. Mesmo porque, ainda temos um mês pela frente — justifiquei e tentei me afastar dele, porém, presa entre ele e a cadeira, fiquei sem ter como escapar.

— Não acredito que você está me dizendo isso! — explodiu. — Como você pode cogitar perder esta oportunidade? Você não acha que terá outra chance como esta, ou acha?

Meneei a cabeça em negativa.

Ele parecia completamente transtornado.

— Solte-me, por favor! — sussurrei.

Rodrigo soltou-me devagar, mas continuou muito próximo. A respiração acelerada chocando com meu rosto.

— Lívia! — Ele fechou os olhos. — Você está pensando em ficar aqui? Desistir da residência?

— Não sei! — confessei. — Estou muito confusa. — Dei um passo atrás, sentei. Abaixei a cabeça.

Ele se ajoelhou à minha frente, pegou meu queixo e elevou o rosto.

— Você acredita que será feliz desistindo de seu sonho para ficar com ele? — Seus olhos castanhos, sempre tão expressivos, não continham mais fúria, só a expressão dócil.

— Não sei!

— Se você não tem certeza, sabe que um dia poderá se arrepender se ficar, então será tarde demais. Isso pode até prejudicar seu relacionamento. Você tem consciência disso, não é?

— Tenho! Também posso me arrepender se for.

— É verdade! Não vou negar, quero que vá. Será muito feliz se for, tenho certeza. Não vou ficar aqui nomeando todas as vantagens desta nova vida.

Abaixei os olhos de novo, sem conseguir encará-lo. A reação dele estimulou o nó em minha garganta, os olhos queimaram.

Bateram na porta, Maria entrou.

— Lívia! — ela chamou, só então pareceu notar Rodrigo abaixado na minha frente. — Não quero interromper, mas há pacientes esperando.

— Tudo bem, Maria! Já terminamos de conversar. — Fitei Rodrigo e esbocei um sorriso. — Obrigada!

Ele compreendeu. Fez carinho em meus cabelos, levantou-se e saiu da sala.

Passei o dia mergulhada no trabalho. Procurei focar nos atendimentos e deixei os pensamentos de lado. Mesmo assim, meu dia se arrastou.

Capítulo 26

Virei a esquina da minha rua pronta para me jogar na cama e dormir até meu cérebro ser capaz de tomar as decisões que vinha adiando há tempos. Podia sentir meus ombros caídos. Ao elevar o rosto, deparei-me com a *pick-up* estacionada em frente de casa, junto ao meu carro. Saí em disparada. Thomas me esperava na varanda. Detive-me por alguns instantes só para admirá-lo. Não resisti: abri o sorriso, prontamente correspondido.

Cruzei o portão e caminhei ao seu encontro. Ele abriu os braços e me envolveu num abraço. Agarrei-me a ele com tamanha ânsia.

— Queria fazer uma surpresa. Senti muito a sua falta. — Beijou a minha testa.

— Também senti muito a sua! — Elevei meu rosto para beijá-lo.

Nossos lábios unidos, suas mãos me acariciando, faziam meu corpo todo vibrar. Ele cessou o beijo.

— Está tudo bem? — perguntou.

Simplesmente assenti.

— Quando você voltou?

— Hoje de manhã! Consegui adiantar as coisas por lá. — Thomas cerrou os olhos, afastando-me um pouco mais para me encarar. — O que você tem?

— Nada! Por quê? — Tentei disfarçar e desviei os olhos.

— Está abatida! Aconteceu alguma coisa?

— Depois a gente conversa. O que você tem na sacola? — perguntei ao notar o objeto sobre o banco.

Ele se afastou, pegou a sacola e tirou dela um ramalhete de flores do campo coloridas.

— São para você!

— Lindas! — Segurei as flores e inalei o aroma suave.

— Hoje vou cozinhar para você!

— Você vai cozinhar pra mim? — exaltei. — Por quê?

— Porque quero. Vamos entrar? Vá tomar banho. Eu vou preparar o nosso jantar.

— Desde quando você cozinha?

— Desde que eu decidi aprender. Não seja tão curiosa, e também não precisa ter medo. Tenho certeza, poderemos ingerir o que vou preparar. — E foi me empurrando porta adentro.

— Tudo bem! — cedi. — Você não quer ajuda?

— Não! Já falei, vá tomar banho. Pode deixar por minha conta.

Dei-lhe um beijo no rosto, deixei as flores sobre a mesa e segui para o banheiro.

O banho foi mais demorado do que o normal. Deixei a água escorrer pelo corpo enquanto pensava como poderia contar-lhe a novidade.

Quando voltei à sala, Thomas estava na cozinha junto ao fogão, preparando o jantar. O aroma adocicado preenchia a sala. Fui até ele e o abracei pelas costas, envolvendo os braços em sua cintura.

— O que você está fazendo? O cheiro está bom! — Estiquei o pescoço para espiar o conteúdo dentro das panelas. — Não acredito! Você está fazendo espaguete! E com molho de tomates frescos!

— Estou!

— Não acredito! — repeti. — Você nunca disse que sabia cozinhar.

— Eu já morei sozinho, lembra? Então, também sei me virar na cozinha.

— Você é demais! — exclamei.

Fiquei na ponta dos pés, puxei seu rosto para beijá-lo. Deslizei os lábios e beijei seu pescoço, inalando seu cheiro.

— Se você continuar aqui, não acabarei o jantar.

— Não estou com fome de comida — insinuei.

Ele soltou uma gargalhada.

— Mentirosa! Por que você não coloca a mesa? Já está quase pronto.

A contragosto, fui arrumar a mesa. Ao terminar, ele trouxe o macarrão.

— Vou abrir o vinho que eu trouxe.

Thomas voltou à cozinha para pegar a garrafa e as taças. Fiquei admirando-o. Ele parecia tão animado, os olhos tinham um brilho diferente.

— Posso saber por que toda essa produção? — Gesticulei para o vaso de flores no centro da mesa.

— Está curiosa? — perguntou ao se sentar na cadeira. — Você vai saber logo.

Ele serviu a macarronada em meu prato, depois no dele, e levantou a taça para brindarmos.

— E como foi sua viagem?

— Muito produtiva!

— O que você foi fazer?

O comentário do Rodrigo sobre eu não saber praticamente nada da vida profissional de Thomas ainda me incomodava e surgiu como uma agulha penetrando em meus pensamentos.

— Precisávamos trocar a ordenha mecânica. Tínhamos de estudar as possibilidades, conhecer novas tecnologias. Por que você quer saber? — Levou o garfo de macarrão à boca.

— Porque de repente percebi que sei muito pouco sobre seu trabalho. Nós quase nunca conversamos sobre ele.

— Achei que você não se interessasse, por isso não falo muito. — Ele deu de ombros.

— É claro que eu me interesso! Sempre quero saber tudo sobre você. — Coloquei uma garfada na boca e saboreei a massa. — Nossa! Está muito bom! Onde você aprendeu a fazer?

— Minha mãe me ensinou! Queria fazer algo de que você gostasse muito. Então pedi a ela para me ensinar.

— Não acredito que você fez isso! Não tenho palavras.

— Só por ter gostado já valeu a pena.

— E sobre a ordenha mecânica, deu certo? Conseguiram decidir?

— Sim! Até fechamos o negócio. A troca trará mais qualidade à ordenha, também vai modernizá-la. — Thomas fez uma pausa antes e se recostou na cadeira. — Como foi sua semana?

— Boa!

— Só isso?! — desconfiou.

— É! Kate e as crianças estão bem? — Tentei mudar de assunto.

— Estão! Ela te mandou um abraço.

— Legal!

Acabamos de jantar, ele acariciou meu rosto.

— Você gostou? — perguntou sorrindo.

— Adorei! Obrigada, estava ótimo. Assim eu vou ficar mimada — falei envolvendo minha mão em sua nuca. Aproximei seu rosto do meu, beijei sua boca.

— Gosto de mimar você! Quero fazer isso sempre.

— E agora, vai me dizer por que tudo isso? É só porque você sentiu saudades?

— Não! Isto é, também por isso, mas não é só...

Thomas levantou. Caminhou até o sofá, pegou a sacola. Tirou dela um pequeno pacote, muito parecido com o do brinco que me deu em meu aniversário: a mesma cor marrom de papel envolvido pela fita dourada. Congelei. Senti meu rosto petrificar enquanto ele vinha em minha direção. Os olhos de um azul profundo encarando-me. Thomas ajoelhou na minha frente, pegou minha mão e colocou o pacotinho dentro dela.

— Lívia, você é a mulher da minha vida. Descobri que não posso mais viver sem você. Ajoelho aos seus pés porque quero pedir-lhe que seja minha mulher para sempre. Você me daria a honra de se casar comigo?

Os olhos queimaram, as lágrimas começaram a brotar. Durante todos esses dias segurei-as; agora as sentia querer escapar, tentei esconder o rosto em seu ombro. Ele simplesmente me abraçou, acariciou minhas costas, os cabelos. Não conseguia mais me conter, comecei a chorar, encharcando a camisa dele com as lágrimas.

— O que você tem? Por que chora tanto?

Comecei a soluçar. Encurralada, a sensação de peso e opressão dominando todo o meu peito. Tudo acontecia ao mesmo tempo, parecia até brincadeira. Como dizer a ele? O que dizer a ele?

Ele se afastou, colocou uma mão em meu ombro, ao mesmo tempo em que, com a outra, enxugava minhas lágrimas. A ternura expressada por ele só intensificavam o choro. Não conseguia sustentar seu olhar. Aos prantos, voltei a encostar meu rosto em seu ombro. De forma muito delicada, ele me suspendeu nos braços e carregou-me até o sofá. Sentou e me ajeitou em seu colo. Beijou minha testa, a face, acariciou meus cabelos. Agarrei-me a ele, enterrando o rosto em seu pescoço.

— Está tudo bem, meu amor! — sussurrou.

Thomas esperou até a crise de choro passar. Aos poucos consegui me tranquilizar. Ele voltou a passar a mão em meu rosto, secando as lágrimas. Elas já não eram mais tão abundantes. Sem conseguir encará-lo, comecei:

— Recebi o e-mail da agência esta semana, comunicando minha classificação para a residência. — Minha voz saiu num sussurro.

Ele continuava acariciando meus cabelos.

— E você decidiu ir! — Sua voz era tão baixa quanto a minha.

— Não decidi! — respondi com sinceridade, esperando sua reação. Nada. O silêncio permanecia. Então continuei: — Sinto-me perdida. Não sei o que fazer! Passei anos da minha vida desejando isso.

— Eu sei! O que você quer que eu faça?

— Quero que me dê motivos para ficar. — Elevei o rosto e o encarei.

— Já te dei todos os motivos! Não posso fazer mais do que já fiz. — Os olhos dele expressavam tanta dor. — Também não quero forçar você a ficar sem ter certeza. Não suportaria, no futuro, vê-la arrependida por não ter feito aquilo que seu coração desejava.

— Meu coração deseja ficar com você.

— Se fosse assim, você não estaria perdida. Teria certeza de querer ficar.

— Só que eu te amo!

— Contudo, isso não é suficiente. — Suspirou. — Não deveria tê-la pressionado. Foi errado pedi-la em casamento, não tenho o direito de pedir para ficar comigo e desistir do que sonhou.

— Por favor, não fale assim — supliquei.

— Sempre soube que um dia teria de te dizer adeus e este dia chegou.

— Por favor, não! Eu não quero te dizer adeus. Fica comigo. — Agarrei-me a ele.

— Eu não posso ficar. Você precisa estar livre para decidir o que quer fazer da sua vida. Ficar comigo não vai ajudá-la a tomar uma decisão.

— Mesmo assim, quero ficar com você. — Recomecei a chorar.

— Estarei te esperando, se você decidir que o amor que sente por mim é suficiente para fazê-la mudar o rumo de sua vida. — Ele enxugou uma lágrima escorrendo pelo meu rosto. — Por favor, só me procure se você tiver certeza, porque não vou suportar ter de te dizer adeus novamente.

Thomas beijou minha testa e me tirou do seu colo, colocando-me no sofá. Levantou-se.

— Por favor, não vá! — supliquei, agarrando em sua mão.

Ele se abaixou, beijou meus lábios, soltou minha mão e saiu pela porta sem dizer mais nada.

Deitei-me no sofá, sem parar de chorar. Meu peito doía tanto, me enrolei feito uma bola. A partida de Thomas me trouxe o vazio. Já não eram mais apenas minhas dúvidas, incertezas e inseguranças causando-me dor. Agora a falta dele dilacerava o peito. Chorei até minhas lágrimas secarem. Depois que elas secaram continuei a soluçar, sentindo a dor me corroer. Aos poucos juntei forças e fiquei em pé. Tentei ir para o quarto, minha atenção desviou para mesa e, direto para a caixinha marrom, então as lágrimas voltaram.

O som do despertador ressoou do quarto. Amanheceu e continuei no sofá sem ter pregado os olhos a noite toda. Apesar da exaustão, não consegui dormir. Às vezes minhas lágrimas secavam, logo tornavam a verter. Dizem que o choro alivia a alma, mas sinto a minha ainda mais pesada. Sem forças, meu único desejo era ficar encolhida. O despertador continuou a tocar. Teria de levantar. Se não fosse trabalhar, alguém poderia vir até minha casa. Não queria deixar ninguém me ver assim, poderiam sentir pena. Porém não é pena, e sim desprezo que merecia. Agora me desprezava por ser tão egoísta, cruel, enganadora. Como pude colocar as minhas necessidades acima dos sentimentos dele? Sabia de todas as minhas dúvidas, ainda assim não consegui ser sincera com ele durante todo este tempo. Fiquei fortalecendo nosso relacionamento para depois abandoná-lo. O melhor seria partir. Ele merecia alguém melhor.

Troquei de roupa, lavei o rosto, peguei minhas coisas e saí. Cheguei ao cais, ainda vazio. Somente o barco atracado se movimentava com o balanço do rio. Fiquei no deck, estagnada observando a água. Não sei por quanto tempo encarei o nada. Só me dei conta quando alguém tocou em meu braço.

— Bom dia, Doutora Lívia! Tá tudo bem? — Juvenal, nosso piloteiro, perguntou. Ele me observava com as grossas sobrancelhas arqueadas.

— Está!

— É que chamei a senhora várias vezes e não respondeu.

— Me desculpe, estava distraída. Desviei o olhar, de novo, para a água se chocando com a embarcação e explodindo em ondas.

— Bom dia, Lívia! Madrugou, hein?! — Rodrigo colocou o rosto dele em frente ao meu, arqueando o corpo. — O que aconteceu? — perguntou, parecendo preocupado. — Você está péssima!

— Nada!

— Como, nada? Está doente?

— Não! — respondi seca.

— Quer mudar o dia da visita? — questionou, o tom de voz suave.

Encarei-o.

— Não! Tudo bem! Cadê o Júlio?

— Carlos me ligou, o Júlio não vem. Foi para Lábrea esta madrugada porque o sogro dele faleceu. Carlos não consegue mandar ninguém agora. Passei na Unidade e peguei os kits. Você trouxe suas coisas?

Confirmei indicando a maleta aos meus pés.

— Você tem certeza de que podemos ir? — perguntou ele, de novo, parecendo preocupado.

— Tenho! Estou bem! — Agarrei a maleta e caminhei em direção ao barco.

Percebi que ele e Juvenal trocaram um olhar questionador. Ignorei. Entrei no barco, vesti o colete e sentei no chão seco do barco, próxima ao último banco. O sol escaldante do dia anterior deve ter secado as poças de água que, às vezes, acumulavam-se em seu fundo. Enrolei meu avental. Fiz dele um travesseiro, apoiei-o no banco.

— Vou descansar um pouco. Dormi mal à noite — justifiquei para Rodrigo, ainda me encarando como se duvidasse da minha sanidade.

Preferi fingir que dormia a ter de falar com ele. Não queria conversar. Na verdade, desejava deixar de me relacionar com as pessoas. A única coisa que sabia fazer bem na vida era magoar as pessoas que me amavam. Primeiro Pedro, depois ele, Thomas, Lucas.

— É bom a gente ir — Juvenal comentou dando partida no barco. — Deve chover no fim da tarde. Melhor a gente tá em terra bem firme quando a tempestade começar.

Com o deslizar do barco na água, adormeci.

— Lívia! Chegamos! — Senti um leve toque em meu ombro.

Despertei. Ainda sonolenta, avistei a vila cravada na base da floresta à distância. Esfreguei os olhos, comecei a levantar. O barco já estava atracado no pequeno cais.

— Há quanto tempo saímos de Guayi? — Quis saber.

— Faz quase três horas — Rodrigo respondeu. — Você devia estar mesmo cansada — constatou, avaliando-me.

Peguei minhas coisas, tirei o colete e vesti o avental. Prendi os cabelos. Hoje iríamos fazer atendimento nessa pequena vila ribeirinha. Devido à distância, os moradores nem sempre procuravam atendimento médico na cidade. Era nossa função prestar este tipo de assistência, evitando assim a propagação de doenças e propiciando o atendimento básico à população isolada. Nestas visitas, nos preparávamos com todo o material necessário. Trazíamos kits de primeiros socorros, de sutura, vacinas, soros, material de coleta de exames, tiras para testes de glicemia, medicamentos, enfim, todo o material necessário para prestar qualquer tipo de atendimento. Em geral batíamos de porta em porta. A comunidade já nos conhecia e acolhia de forma espontânea, expressando gratidão por estarmos aqui.

Eu cuidava das crianças, verificando o peso, medidas, aplicava as vacinas e buscava prestar atendimento completo. Se necessário, ajudava os médicos a tratar os adultos. Geralmente, ficávamos de cinco a seis horas em cada local. Hoje ficaríamos no máximo quatro horas, respeitando a orientação de Juvenal. Por ser um homem da floresta, com mais sabedoria sobre as forças da natureza, era prudente sempre seguirmos e escutarmos.

Paramos para comer por volta do meio-dia. Sentamo-nos sob a sombra de uma árvore distante das casas.

— Não trouxe almoço? — Rodrigo perguntou.

Meneei a cabeça, negando.

— Não se preocupe! Não tenho fome — respondi.

— De jeito nenhum. Trouxe o suficiente para nós dois. — Passou-me um lanche.

Peguei sem questionar. Meu estômago se contraiu. Comemos em silêncio.

— Obrigada pelo lanche. Estava muito bom! — Tentei sorrir.

— É um prazer! — Esboçou o sorriso tímido, acanhado. — Você vai me dizer por que está assim?

— Não! — Desviei o olhar do seu. — Vamos voltar a trabalhar, precisamos ir embora logo. — Levantei do tronco onde estava sentada e caminhei na direção das casas.

Como ainda havia um grupo de crianças, resolvi pedir às mães que as reunisse numa única casa, assim ganharíamos tempo e todas seriam atendidas. Fazer os procedimentos sem nenhuma ajuda era mais difícil. A equipe fazia muita falta. Ainda mais hoje, com o tempo restrito. Sorte as mães terem se proposto a ajudar. Elas controlavam a agitação das crianças. Esperava que Rodrigo conseguisse também atender a todos os adultos, pois nosso retorno para nova avaliação só aconteceria daqui a alguns meses.

— Doutora! Doutora! — o menino moreno, de rosto pálido, gritava entrando em disparada na pequena varanda enquanto eu atendia o último paciente. — É o Genildo. *Nóis* tava brincando na árvore, o tronco quebrou.

— Onde está ele?

— Embaixo da árvore — respondeu e me pegou pela mão. — Vem!

Eu tentava acompanhá-lo no terreno irregular, ele me arrastava em direção à floresta. Chegamos a uma grande árvore. Sob a sombra, o menino contorcia-se segurando a perna, o sangue escorria na forração de folhas secas cobrindo a terra.

— Tudo bem? — Examinei o ferimento. Fincado na musculatura da coxa esquerda, o galho pontiagudo tinha rasgado a pele, penetrando o músculo. — O que aconteceu?

— *Subimo* na árvore pra pegar o caju, aí o *gaio* quebrou — contou, as lágrimas começando a verter. — Caí em cima dos *gaios*. — O rosto contorceu-se em dor.

— O que houve, Lívia? — Rodrigo perguntou já ao meu lado. Ele estava ofegante pela corrida.

Contei a ele, observando o ferimento e tentando decidir o que fazer.

— Temos de tirá-lo daqui — eu me dirigi a Rodrigo —, levá-lo até um lugar mais claro.

As sombras das várias árvores cercando o local não deixava a claridade passar.

— Tudo bem! Eu o carrego — Rodrigo ofereceu pegando o garoto no colo.

O menino tinha sete anos, havia acabado de atendê-lo. Provavelmente, ao acabar de ser examinado, ele correu para brincar na árvore.

Rodrigo carregou-o até o banco em frente a uma das casas e o acomodou, tomando o cuidado de apoiar a perna do garoto no assento. Um grupo de mães e crianças amontoaram-se ao nosso redor. Pedi com um gesto para se afastarem.

— O que você acha? — meu amigo questionou.

— Teremos de remover o galho, fazer a retirada das farpas, se houver, e a assepsia. Tenho lupa e lanterna em minha maleta. É melhor trazer o kit. Vamos precisar de pinça. Depois de removermos o galho saberemos como está.

Rodrigo saiu para buscar o material, abrindo caminho no meio círculo de crianças e mães, emitindo sussurros de pavor. Tive de novo de pedir para se afastarem, pois estavam obstruindo a claridade. A mãe do garoto estava aos prantos, desesperada. Algumas mulheres a amparavam.

Segurei a perna do menino. O galho parecia ter penetrado fundo na musculatura, esperava que não tivesse atingido o osso. O fluxo de sangue, apesar de pequeno, poderia aumentar com a remoção do graveto.

Rodrigo voltou apressado com o kit.

— O Juvenal mandou sairmos agora! — Rodrigo ordenou, agitado — ele disse que teremos problemas se demorarmos mais.

— De jeito nenhum! Só vamos quando acabarmos isto!

— Concordo! Não dá para deixarmos assim. Só se o levarmos junto.

— Não é uma boa ideia. O movimento do barco poderá complicar a situação. Pode ser perigoso. Além do mais, quanto mais tempo a madeira ficar em contato com o músculo, maiores as chances de contaminação. Vamos fazer o atendimento já!

Deitamos o menino no banco, aplicamos o anestésico e conseguimos retirar o graveto. Rodrigo segurou a lupa, enquanto eu removia as farpas com a pinça.

Todo o procedimento levou pouco mais de uma hora. Ao finalizarmos, passamos orientações à mãe e deixamos um kit de medicamento, caso infeccionasse. Saímos da vila com Juvenal transtornado, resmungando para começarmos a rezar se quiséssemos chegar em casa inteiros. Não entendia por que ele estava tão bravo, o tempo estava ótimo, o sol ainda brilhava, emitindo o calor escaldante de três horas da tarde, típico da região nesta época. Tudo bem, havia algumas nuvens no céu, mas não pareciam indícios da chuva chegar tão cedo.

Estávamos subindo o rio. Fazia mais ou menos uma hora que havíamos deixado a vila, então percebi o tempo mudar. As nuvens começaram a movimentar-se rapidamente, como num filme acelerado. Conforme se moviam, também acentuavam a cor. Do cinza-claro passaram ao cinza-escuro. Da aparência de algodão se transformaram em chumbo, vários nódulos de chumbo. O céu azul, que víamos há pouco, tornou-se um breu. Sobre a floresta podíamos ver as nuvens ainda mais escuras, iluminadas pelos relâmpagos, se projetando em direção a terra, desaparecendo entre as árvores. O som ensurdecedor dos trovões se propagava pela mata. A chuva nem havia começado. Encarei Rodrigo, seus olhos refletiam o mesmo medo que devia estar nos meus.

— Você acha melhor pararmos? — Rodrigo perguntou a Juvenal.

— Não dá! A mata aqui é fechada demais. Não dá pra parar. Vamo subi o rio.

Não levou nem dois minutos, a chuva começou. Os pingos ardiam ao bater em minha pele. A chuva intensificou, agitando ainda mais o rio. Não era a correnteza à qual estava acostumada. Parecíamos estar em uma jangada, bem onde as ondas do mar se quebravam. Sacudíamos de um lado ao outro. Juvenal tentava manejar o barco de modo que ele não tivesse tanto impacto na correnteza, mas isso parecia quase impossível.

A água começou a acumular-se dentro do barco. Às pressas começamos a removê-la com os dois baldes que Juvenal utilizava nas pescarias. Para não cair com o intenso movimento do barco, ficamos de cócoras. Rodrigo e eu trabalhávamos freneticamente, tentando reduzir a água acumulando sem trégua. Juvenal parecia tentar levar o barco até a margem, porém sem sucesso. O motor mostrava-se insuficiente para suportar a força da correnteza. Estávamos à deriva. Simplesmente desgovernados.

Além da água da chuva, a água do rio também entrava no barco. As ondas explodiam ao redor da embarcação e dentro dela. Percebi o que iria acontecer no mesmo instante em que Rodrigo gritou:

— Pula!

Levantei num salto. Joguei-me no rio, sentindo o barco virar atrás de mim. Voltei à superfície a tempo de vê-lo desaparecer, afundando no rio.

Capítulo 27

— Fique comigo! — Rodrigo gritou.

A abundância de água dificultava minha visão, a mercê da forte correnteza empurrando-nos para o turbilhão de água. Tentei visualizar a margem, em vão. Só havia água em todos os lados. Desgovernada, debatia-me em busca de algum apoio. Afundei por instantes, a água penetrou em minha narina, queimou, forcei a subida e o colete me trouxe de volta à superfície. Rodrigo pegou meu braço.

— Não me agarre! — orientou gritando. — Só segure no meu braço. Vamos deixar a correnteza nos levar. Solte o corpo, o colete não nos deixará afundar.

Assim o fiz. Entrelacei meu braço no dele, tentei manter o rosto fora da água. Relaxei meu corpo, tal qual Rodrigo fazia.

— Vem vindo um tronco! — ele avisou já tentando apanhar o grande pedaço de madeira.

Soltei-me dele para ajudá-lo. Nós nos agarramos ao tronco, elevamos nossas cabeças acima da água, utilizando-o como apoio. Tentei remover a água do rosto, para respirar. Não conseguia identificar se estávamos próximos à margem. Só a infinidade de água dominava minha visão, por todos os lados.

— Onde está Juvenal? — gritei.

— Não vi!

Além do nosso, outros troncos e galhos seguiam o fluxo demandado pela água. A chuva, que devia ter começado em outro local, já arrastava as árvores das encostas. A correnteza nos movimentava rapidamente e a chuva continuava intensa. Procurei neutralizar minha mente das imagens de peixes e animais habitando o rio. Foquei só na possibilidade de nos salvar. Agarrei-me à grande tora de madeira, deixando-a nos levar, no ritmo da correnteza. *Não posso deixar o pânico me dominar. Não posso!* Precisava manter a tranquilidade. Comecei a rezar, pedir que tudo desse certo. Torcer para conseguirmos sobreviver.

Apesar das tentativas de remoção do excesso de água no rosto, continuava sem enxergar nada além dos galhos que passavam ao meu lado. Minha mente parecia anestesiada; congelei o medo, pavor. O instinto de sobrevivência parecia me fortalecer.

Não sei quanto tempo o rio nos arrastou. Agradeci aos céus, quando senti o tronco encontrar um obstáculo.

— Chegamos à margem! — Rodrigo gritou estendendo-me a mão. — Venha! — ordenou me puxando.

Minha bota afundava no solo conforme saía do rio, só nas raízes das árvores conseguia algum apoio. Meu pé enroscou. Rodrigo puxava-me para fora, forçando meu caminhar. Dei um tranco no pé preso, a fisgada me paralisou.

— Espere! — Lutei para me soltar da mão dele. — Meu pé! — Movi a perna. Outra dor intensa me paralisou. Fechei os olhos e com esforço consegui liberar o pé. Mancando, deixei o rio.

A chuva continuava forte. À medida que entrávamos sob as copas, nos protegíamos da tempestade.

— Você está bem? — Rodrigo perguntou, ofegante.

— Sim, e você? — Ele moveu afirmativamente a cabeça. — Será que o Juvenal conseguiu sair do rio?

— Ele tem mais experiência. Deve ter conseguido.

Estávamos completamente encharcados, minha roupa parecia pesar toneladas. Afastei os fios de cabelo do rosto. Com a chuva sendo retida pelas copas das árvores, foi possível respirar melhor.

— O que faremos? — questionei a ele.

— Primeiro temos de preparar um local para ficarmos. É melhor forrarmos o chão. Precisamos fazer isso rápido, porque está escurecendo. Daqui a pouco não será possível enxergar nada. Vamos ver se localizamos comida. Se tivermos sorte, pode ser que encontremos frutas. Não é bom ficarmos muito próximos do rio, mas também não podemos nos afastar demais. Ele será nosso ponto de referência.

Rodrigo vasculhou os bolsos da calça encharcada de água e retirou o aparelho celular.

— Não está funcionando. Deve ter molhado os circuitos internos — lamentou e tornou a inspecionar o aparelho.

— Ah, não! O meu estava na mochila. Agora já deve estar no fundo do rio. — A vontade de chorar me abateu.

Rodrigo pegou em meu queixo e tentou me animar, esboçando um sorriso.

— A situação dele não estaria melhor que a do meu se estivesse com você. Então, vamos nos preparar para esta noite. Amanhã, tentaremos sair daqui.

— Tudo bem! — concordei correndo os olhos ao redor.

A maior parte das árvores tinha troncos muito finos, e espaçadas, com copas estreitas, às quais não conseguiriam nos proteger da chuva. Caminhando um pouco conseguimos nos ajeitar sob uma sumaúma, a grande árvore da floresta, com sua copa fechada. Recolhemos folhas de uma palmeira próxima e forramos o chão próximo ao tronco. Era essencial afinarmos nossa visão, por causa dos animais. Tínhamos de nos proteger deles. Esse seria, a partir de então, nosso maior desafio.

Conforme ajudava a montar nosso acampamento improvisado, as fisgadas de dor em meu pé pareciam aumentar. Procurei desligar-me dela. Rodrigo encontrou um cacaueiro bem próximo a nós. Colhemos seus frutos. Demos sorte, ele seria nosso alimento e utilizaríamos a casca para armazenar a água da chuva.

Fizemos tudo com destreza, como se estivéssemos numa competição. Devia ser nossa necessidade de sobrevivência que nos fazia agir assim.

— Não sei fazer fogo! — Rodrigo lamentou. — Devia ter aprendido quando tive oportunidade

— Vamos tirar nossas roupas e torcê-las. Vai ficar tudo bem!

Assim fizemos. Viramos de costas um para o outro. Retirei o colete, depois o avental, a camiseta e os torci. Sentei no chão para remover as botas. Meu tornozelo inchou. O hematoma destacando-se na pele alva. Passei o dedo de leve no inchaço. Esperava ser só uma luxação.

— Melhor ficarmos de avental — Rodrigo orientou virando-se para mim. — Ele vai proteger nossos braços das picadas de insetos. O que aconteceu?

— Torci meu tornozelo! — comentei.

— Deixe-me ver. — Ele pegou meu pé, começou a examinar. — Parece que sim. Vou imobilizar — fez menção de tirar seu avental.

— Não! — eu o repreendi. — Eu tiro do meu avental. — Comecei a rasgar a barra do corpo. — Posso manter só as mangas.

Rodrigo, habilmente, enrolou o tecido em meu tornozelo, imobilizando-o. Coloquei a meia, calcei a bota. Não era prudente ficar sem sapato. Levantei apoiando no tronco da árvore. Meu ombro também doía, devia ser pelo impacto da correnteza do rio.

Vasculhei o espaço onde estávamos, a visibilidade diminuiu e a chuva continuava torrencial tornando difícil enxergar ao redor.

— É melhor comermos já — Rodrigo sugeriu —, antes de ficar completamente escuro. Assim dará tempo de pegarmos água.

— Não estou com fome! — confessei.

— Precisamos comer! — ordenou. — Devemos manter nossa energia e não podemos deixar de nos hidratar.

Concordei. Pegamos algumas das frutas amarelas e, com a ajuda de uma pedra, nós as abrimos. Comemos os gomos brancos. O sabor ácido demais. Já havia experimentado cacau in natura antes, mas como não tinha apreciado o sabor, nunca mais voltei a comer. Agora, essa fruta parecia manjar para mim. Não havia me dado conta, estava faminta. Devoramos três cacaus, limpamos a casca e colocamos sob as folhas das árvores para recolhermos a água da chuva.

Sentei-me no chão forrado, próxima ao tronco da árvore. Flexionei os joelhos e trouxe-os em frente ao peito, envolvendo meus braços nas pernas e deixando o pé lesionado suspenso. Respirei fundo. Então, de repente, veio. Como uma avalanche, meu corpo foi tomado pelo pânico. Comecei a tremer e a soluçar. Enquanto me movimentava, minhas emoções mantiveram-se equilibradas. Agora, ao relaxar, a descarga de adrenalina se metabolizou. Depois dos soluços, brotaram as lágrimas. Tudo o que aconteceu, desde o início da tempestade, passou em *flashes* pela minha mente.

— O que vamos fazer? O que vamos fazer? O que vamos fazer? — repetia sem cessar.

Rodrigo sentou-se junto a mim, me amparando, abraçando.

— Calma! Vai dar tudo certo, você vai ver — tentou me tranquilizar, acariciando minhas costas. — Nós vamos sair daqui!

— Como você pode ter certeza, se nem sabemos onde estamos? — murmurei entre um soluço e outro.

— Amanhã, quando amanhecer, saberemos. Não podemos estar longe. Além do mais tem o rio. É só tomarmos o caminho contrário do fluxo da água. Vai dar tudo certo!

Aos poucos comecei a me acalmar. Cessei o choro.

— Tudo bem. Desculpe-me! — Elevei minha cabeça, recostada em seu ombro.

— Não tem que se desculpar. Esta situação é muito difícil mesmo. Temos o direito de nos desesperar. — Ele abriu o sorriso. O rosto dele já na penumbra.

— Só que você não se desesperou — constatei.

— Alguém tem de manter a calma. — Ele sorriu de novo. — É brincadeira. Também estou com medo, não dá pra negar, mas devemos manter a tranquilidade. Vamos precisar.

— Já está escurecendo — comentei.

— Eu sei! Não quero te assustar, porém teremos de ficar muito atentos. Vou pegar uns galhos de árvore, aproveitar o resto de luminosidade, para nos prevenirmos. Não que isto resolva muito — ele desviou o rosto vasculhando ao nosso redor, assim como fiz há pouco —, pelo menos será algo para nos proteger.

— Você tem razão! Teremos de aguçar nossa audição. Será impossível vermos qualquer coisa — ponderei, deixando escapar um último soluço.

Rodrigo conseguiu dois galhos firmes, parecidos com varas, os quais colocou ao nosso lado. Sentamos. Fiquei abraçada às minhas pernas, encolhida, apoiando meu queixo nos joelhos. Acomodada nesta posição, concentrei-me nos sons da floresta. A chuva ainda caía forte, constante. O barulho dos pingos na relva seca era intermitente. O som da correnteza do rio também chegava até nós, assim como o coaxar das rãs, apesar de termos nos afastado alguns metros da água. As folhas das árvores movimentavam-se ao vento. Além desses, não conseguia discernir nenhum outro som na floresta.

Como nós, outros animais também deviam estar se protegendo da chuva em seus abrigos. Estremeci. O vento soprava cortante em minha pele. Nunca imaginei sentir frio numa floresta tropical, mas meu corpo começava a gelar. Peguei o colete salva-vidas e o vesti. Os pés continuavam úmidos pressionados dentro da bota. A faixa improvisada pelo Rodrigo aquecia o pé torcido. O outro estava gelado.

— Está com frio? — Rodrigo perguntou.

Assenti.

— Posso abraçar você? Vai ajudar a nos aquecer.

Os relâmpagos cessaram, deixando-nos na mais completa escuridão. Não enxergava nem mesmo Rodrigo ao meu lado. Só o som de sua respiração e o calor de seu corpo, reforçavam sua presença.

Com meu consentimento, ele se aproximou mais, passou o braço nas minhas costas e apoiou a mão em meu braço, friccionando-a para me aquecer. Envolvi também seu corpo num abraço. Recostei minha cabeça em seu ombro. Ele apoiou a dele sobre a minha. Em silêncio permanecemos, perdidos em nossos pensamentos. Relembrei de quando o conheci. Ele sempre foi bom amigo. Tinha sorte dele estar comigo neste momento. Só de imaginar a possibilidade de estar sozinha o pânico já dava sinais de me dominar.

— Em que está pensando? — Rodrigo quis saber.

Contei a ele, que também compartilhou sua lembrança.

— Também me lembro quando soube de sua vinda, fiquei ansioso. Você chegou, fomos nos conhecendo, começamos a nos entender. Bem, tenho de dizer, você ultrapassou todas as minhas expectativas. Agora, cá estamos os dois, perdidos nesta floresta.

— Ao menos estamos juntos!

— Concordo!

Aconcheguei-me mais nele. Já me sentia aquecida, apesar da roupa ainda molhada. Rodrigo reduziu o ritmo do movimento de sua mão em meu braço. Com a outra, começou a acariciar meu rosto. Afastei-me.

— É melhor parar! — adverti.

— Por quê? Está tão bom! — disse meloso enquanto roçava seu rosto no meu. — Além do mais, seu namorado nem está aqui.

Meu peito contraiu. Todo o frenesi pelo qual passamos nas últimas horas, desviou meus pensamentos de Thomas, porém os sentimentos de angústia ainda se mantinham vivos em mim.

— Ele não é mais meu namorado — murmurei.

— Tá brincando? O que aconteceu?

— Decidiu me deixar livre para tomar a melhor decisão.

— Sabia que ele não é boa coisa. Deve ter outra. Sorte sua se separar dele — comentou com desdém no tom de voz.

— Não diga besteira! Ele não tem outra coisa nenhuma. Você está errado. Sou eu quem não o merece.

— Por quê?

— Ele me pediu em casamento.

— E você não aceitou?! Enfim, colocou juízo nesta cabecinha. — Bateu o punho de leve em minha cabeça.

— Na verdade, não respondi!

— Mesmo assim, foi a melhor coisa que você fez.

Queria concordar. Se era a melhor coisa, então por que meu peito doía tanto? Por que a única coisa presente em meus pensamentos era seu rosto, tão perfeito quando sorria para mim?

— Nunca amarei ninguém como o amo — constatei.

— Você vai superar.

Recostada nele, refleti sobre suas palavras. Jamais o esquecerei. Isso seria impossível. Mas por hoje estava tão exausta. Não conseguia me manter acordada, apesar de tentar. Então, combinei com Rodrigo de revezarmos. Eu dormiria primeiro e ele depois. Precisávamos ficar atentos aos sons, porque contar com a visão tornava-se impossível na escuridão da floresta. Preferi relaxar os olhos e permanecer sentada apoiada nele. Não me sentia segura o suficiente para deitar. Bocejei e adormeci ao fechar os olhos.

Thomas me envolvia em seus braços, o sussurro do fluxo de água da cachoeira embalava nosso amor. Sentia o corpo dele, seu cheiro, suas mãos tocando cada parte do meu, o sussurro de sua voz reafirmando o quanto me amava, seu gemido. De repente, tudo desapareceu. Abri os olhos, sobressaltei, ele não estava mais comigo. O breu ao meu redor e o tilintar dos pingos de chuva fizeram-me voltar à realidade. Foi só um sonho.

— Tudo bem? — Rodrigo perguntou junto ao meu ouvido.

— Quanto tempo dormi?

— Não sei ao certo! Algumas horas.

— É melhor você descansar um pouco. Ficarei acordada. Estou desperta.

— Tem certeza?

— Pode dormir. Estou bem!

— Vou deitar, então — avisou e deslizou ao meu lado no chão úmido forrado com as folhas das palmeiras, apoiando a cabeça no colete salva vidas.

Continuei sentada. Trouxe minhas pernas de novo junto ao corpo. Não levou nem dois minutos, a respiração de Rodrigo alterou-se pelo sono. Fiquei atenta aos sons da floresta. O tilintar da chuva ainda permanecia misturado ao barulho do vento e o coaxar das rãs. Ao menos eram estes sons que meus ouvidos captavam. Sem os braços de Rodrigo a me envolver, comecei a sentir frio. Eu me encolhi. Minha roupa continuava encharcada.

— Bom dia! — saudei meu amigo quando ele abriu os olhos pela manhã.

— Tudo bem?

Rodrigo sentou e passou a mão pelo rosto, removendo em seguida algumas folhas grudadas na pele.

— Tudo na mesma! — respondi.

Inclusive a chuva, que não tinha dado sequer uma trégua, continuava de forma torrencial, reduzindo a luminosidade do dia.

— Nossa! Seus lábios estão roxos. Você está gelada! — Colocou a mão na minha. — Precisamos te aquecer. — Ele se aproximou do meu corpo. Abraçou-me e esfregou as mãos em minhas costas. Deixei ele me envolver, aproveitando o calor de seu corpo.

Nós nos revezamos por duas vezes na noite anterior. Isso evitou que nos esgotássemos durante a vigília. Nenhum de nós conseguiu perceber qualquer som diferente. Na verdade, precisávamos nos precaver em relação aos animais. Pensar na diversidade daqueles que habitavam este lugar, como jacarés, onças, lobos, cobras, sapos venenosos e outros, causava-me arrepios. Antecipar-nos à presença deles poderia nos dar alguma chance de defesa.

— Está com fome? — ele perguntou. — É melhor encontrarmos algo para comer. Você já parece mais aquecida. — Separou-se de mim. — Está melhor?

— Sim! Já descongelei — brinquei.

— Venha! — Ele me ajudou a levantar.

Ao colocar meu pé lesionado no chão, o fisgar do músculo me paralisou. Tentei disfarçar porque não queria preocupá-lo e segui atrás dele evitando mancar.

Vasculhamos as árvores ao redor. Localizamos palmeiras buriti, de onde, com esforço, foi possível colher alguns cocos. Também encontramos um pé de camu-camu, a frutinha vermelha arroxeada, com sabor um pouco melhor que o cacau. Esse seria o nosso café da manhã. Voltamos ao acampamento, novamente encharcados.

Não podíamos ficar longe do acampamento, ou então correríamos o risco de nos afastarmos do rio, nos perdendo floresta adentro. O rio era nosso melhor ponto de referência, apesar de não o termos visto desde o momento que saímos de suas águas.

— Vamos voltar ao rio, ver se conseguimos nos localizar — Rodrigo sugeriu segurando minha mão.

Devíamos ter nos distanciado poucos metros dele, pois o chiado da correnteza parecia próximo. Assim que o avistamos, parei estarrecida diante da visão.

— Não é o Madeira! — exclamei angustiada. O desânimo me abateu. — O que faremos?

Rodrigo ficou atônito. O estreito fluxo de água mais parecia um córrego.

— Devemos ter saído do rio e entrado nele sem percebermos. Parece ser um canal — ele presumiu recobrando a serenidade. — A chuva permanece forte, acho arriscado andarmos por aí. Não temos ideia da distância do rio. O que você acha? — perguntou sem desviar os olhos do canal.

— Não sei! Penso que devemos tentar, mas também não sei se é seguro sairmos daqui. E se não conseguirmos encontrar um bom lugar para acampar? Com a chuva, ficará mais difícil nos locomovermos.

— Também acho! E se ficássemos no acampamento mais hoje? Caso a chuva persista até amanhã, iremos de qualquer jeito. Você concorda?

— Concordo!

Arrumamos as folhas de palmeira, juntando umas às outras, e as entrelaçamos com cipó. Conseguimos fazer uma prancha, que apoiamos entre um galho baixo da árvore e o chão, ficando com o aspecto de uma cabana inclinada. Com ela ficaríamos abrigados da chuva. Forramos o chão, fechamos as laterais com as folhas, tentando criar uma barreira para a corrente de vento.

Colhemos mais frutas. Encontramos raízes de mandioca doce e arrancamos sua casca usando pedras, ao menos seria um alimento diferente. Rodrigo sugeriu tentar pegarmos um peixe. Descartei de imediato a ideia. Parecia muito arriscado entrar no rio. Já tivemos sorte da primeira vez. Havia grande possibilidade de ter piranhas e jacarés.

Ao acabarmos de nos organizar, sentia-me exausta. A dor em meu pé piorou, provavelmente rompi um ligamento. Minhas costas também doíam. Talvez fosse excesso de tensão.

Por ter ficado todo o tempo sob a chuva, montando a cobertura e buscando alimento, nossas roupas permaneceram encharcadas e novamente tivemos de tirá-las e torcer.

Ao tirar a bota notei meu pé ainda mais inchado. Rodrigo pediu para examinar.

— Iremos embora amanhã de qualquer jeito. Precisamos tratar seu pé. Além disso, devem estar fazendo buscas. Se ficarmos aqui, dificilmente seremos localizados. Nossas chances perto do rio são maiores.

— Você tem razão! Não podemos estar tão longe! — reforcei a afirmação para mim mesma, já sentada embaixo da cobertura. — Logo vai escurecer. Nesta noite estaremos mais protegidos.

— Sim! E amanhã sairemos daqui.

Capítulo 28

Embora estivesse protegida do vento, fazia frio. Nossas roupas molhadas contribuíam para a sensação. Na escuridão da noite o medo, a angústia e incerteza pareceram estender este período de tensão e escuta. Além disso, a baixa visibilidade impossibilitava qualquer movimento. Sem ter o que fazer, a consciência da dor me envolveu. Não a dor física; esta podia suportar. A dor emocional ultrapassava todas as outras.

— Você parece quente — Rodrigo comentou, abraçado a mim, sob o improvisado abrigo.

— Deve ser pelo esforço do dia em prepararmos a cobertura — justifiquei, não querendo preocupá-lo.

— Não sei não! Você sente mais alguma coisa?

— Dor nas costas, além do pé.

— Deixe-me ver! — Ele começou a examinar minhas vértebras, correndo os dedos pela musculatura das costas.

— Ai! — gritei quando ele tocou numa costela.

— Acho que pode ter trincado. Desde quando você percebeu a dor?

— Desde ontem.

— Por que não me disse? — exasperou.

— Seria de muita ajuda, te preocupar com bobagens. Já temos problemas demais — respondi no mesmo tom.

— Não podemos esconder o que sentimos. Isto pode ser prejudicial.

— Pouco poderemos fazer. Só lamentar não ajuda. Melhor tentar deixar de lado as dores. E você, não se machucou?

— Por sorte não. Quer comer? — Passou-me um pedaço de mandioca.

— Comer isto me faz lembrar da última vez em que fiz tapioca. Lucas estava em casa.

— Você gosta do garoto, não é?

— Gosto! Muito! — A tristeza me abateu ao relembrar aquela noite. — Estávamos sozinhos — comecei a contar — e ele perguntou se podia me chamar de mãe. Nem respondi.

— Você não tem de assumir o filho de outra pessoa. — Seu tom era suave.

— Sabe, cuido de muitas crianças. Algumas delas se tornaram importantes na minha vida. Pude perceber isso neste ano. No entanto, meu sentimento por Lucas é diferente. Só de pensar em magoá-lo dói. Como pude nem responder? Imagine o que ele pensou? Provavelmente que eu não quero ser a mãe dele.

— Ele pode não ter pensado nada. Além do mais, se *você vai mesmo embora*, é melhor assim.

Sua afirmação me provocou um frenesi.

— Não! Não é. Porque não vou embora! — bradei excitada. — Vamos embora é daqui! — exclamei já pegando em sua mão. Tentei puxá-lo para fora da barraca.

— Ficou maluca?! — repreendeu, puxando-me de volta. — Vai escurecer daqui a pouco. Não vamos enxergar um palmo à frente. Vamos nos perder nesta floresta. Aí sim é que não vamos embora mesmo.

— Tudo bem! Só que ao amanhecer, sairemos daqui. Com ou sem chuva! — decidi.

— Que história é esta de "*não vou mais embora*"? Você não pode tomar essa decisão num momento como este, de total estresse.

— Ah, posso! — bradei. — Como pude ser tão idiota! — Coloquei as mãos na cabeça. — Vacilar em decidir se queria ou não ficar com ele. Eu não consigo viver sem ele. É impossível! Nenhum outro pensamento me causa mais dor.

— Você poderia ficar comigo. — Sua voz parecia embargada de emoção. — Eu amo você! — confessou e pegou meu rosto entre as mãos, afastou meus cabelos úmidos. — Você pode ser feliz comigo. Podemos ir embora daqui, fazer aquilo que sonhamos. Ficar juntos. Sei que também gosta de mim. Você sentiu ciúme ao me ver com Ângela. Eu percebi.

— Tem razão! Senti mesmo. Só não é porque te amo. Quer dizer, eu te amo, apenas não é o amor de uma mulher por um homem. Te amo como amigo. Um bom amigo! — Acariciei seu rosto manchado pela penumbra. — E honestamente, não acho que você me ame, Rodrigo.

Ele quis falar, coloquei meu dedo em seus lábios.

— Espere! Tem mais. Você pensa que me ama porque somos muito parecidos. Temos os mesmos interesses, os mesmos gostos, sonhávamos com o mesmo futuro.

— Não concordo! Exatamente por todas as afinidades que você citou, podemos ser muito felizes juntos.

— Desculpe! Não quero te fazer sofrer, mas você precisa saber. Eu não posso ser feliz sem ele. Abriria mão da minha profissão por Thomas — constatei.

— Você está maluca! Só pode estar com febre. Já começou até a delirar. — Trouxe a mão em minha testa, parecendo querer verificar a temperatura.

— Posso até estar com febre — brinquei, tirando sua mão e esboçando o sorriso. — Só não estou delirando. A minha profissão faz parte da minha vida. Ele é a minha vida. O amor que sinto supera tudo, até mesmo o sonho cultivado desde sempre.

— Não desistirei de você. A situação atual faz você querer tomar esta decisão precipitada. Deve estar cansada. Sente dor, febre, até medo. Não pode raciocinar de forma coerente.

— Aí é que está! Não estou raciocinando mesmo. Estou ouvindo o meu coração! Precisei passar por esta situação pra parar de agir racionalmente, pra entrar em contato comigo. Fazer a escolha que quero para minha vida. Não tenho dúvidas, meu coração está leve. — Ele me olhava incrédulo, meneando a cabeça. — Um dia você poderá entender. Talvez quando sentir o mesmo.

— Já sinto! E não consigo te entender!

— Gosto muito de você! Quero te ver feliz. Você encontrará alguém que fará brotar esse sentimento em ti. Você verá! — Puxei o rosto dele junto do meu, beijei sua face. Abaixei a cabeça, encostei em seu ombro.

Eu me sentia livre. Todas as minhas dúvidas pareceram se dissipar ou foram levadas pela chuva torrencial ainda teimando em cair. Mas ia para além disso, tudo parecia tão claro como um dia de sol. Meu amor por Thomas ultrapassava qualquer outro desejo que já tive na vida. Era como se não pudesse mais existir sem ele. Não só meu corpo precisava dele, nossas almas pareciam estar conectadas. Não existia eu e não existia ele; éramos um só. Se nos separássemos, viveríamos pela metade, numa subvida. Preferi não mencionar a Rodrigo, mas também havia tantas afinidades entre mim e Thomas, os mesmos gostos pela música, pelo contato com a natureza, a paixão em explorarmos novos lugares. Sem falar no amor pelo Lucas. Não podia nem pensar na possibilidade de não vê-lo mais.

Muito tempo se passou e permanecemos apoiados um no outro, em silêncio. A noite chegou. Fria, escura, pesada. Um rugido ecoou na floresta. Estremeci.

— É um felino! — Rodrigo constatou.

— Você acha que ele pode sentir nosso cheiro? — questionei, assustada.

— Acho que não! Ele deve estar longe — disse, tranquilizando-me. — Pelo menos espero que bem longe.

— Temos de ir embora daqui. Partiremos ao amanhecer.

Mais uma vez nós nos revezamos na vigília. Os sons da floresta eram abafados pela chuva. Algumas vezes os barulhos provocados por animais de hábitos noturnos, como a coruja, surgiam, provocando calafrios. Percebi também o voo de morcegos entre as folhas das árvores. Felizmente foi só. Nenhum outro som significando perigo. A barraca trouxe-nos um pouco de segurança. Na minha vez de dormir, deitei e me encolhi na escuridão completa. Custava a despertar quando Rodrigo me chamava. Os calafrios pareciam aumentar à medida que a noite avançava. Na madrugada, mergulhei em um sono pesado e tumultuado. Quando meu amigo voltou a me acordar, percebi o dia amanhecendo. Os feixes de luz já transpunham as copas.

— Por que não me chamou? Devo estar dormindo há horas.

— Lívia, você está muito quente. Seu sono foi agitado! — exclamou preocupado. — O que sente além da febre?

Tentei ampliar minha inspiração, foi difícil. Sabia exatamente o diagnóstico. Esta era uma das vantagens, ou desvantagens, neste caso, de se saber os sintomas das doenças.

— Deve ser pneumonia — concluí.

A dor no peito, a febre, a respiração difícil, a secreção se formando, indicavam sintomas clássicos da infecção pulmonar. Passar estes dias molhada, no frio, ao relento, praticamente sem dormir, eram motivos suficientes para levar meu corpo à exaustão e baixar a imunidade.

— Ah, não! Precisamos tirá-la daqui. Será que você consegue andar?

— Sim!

Esforcei-me para ficar em pé. A chuva tinha passado, só caíam os pingos acumulados nas copas das árvores.

— Então vamos! — ele disse já saindo da barraca improvisada.

Seguimos em direção ao canal. Peguei um galho de árvore, improvisando-o de bengala. A vegetação rasteira na maior parte do caminho, ajudava, porém, em determinados trechos, quando se tornava alta, desviávamos o percurso para a floresta. Não podíamos correr o risco de andar onde não enxergássemos.

Ao passarmos por árvores frutíferas, colhíamos os frutos para comer. Não parávamos. Carregamos conosco apenas a casca de cacau, onde armazenávamos água. Como a chuva parou, pegávamos a água acumulada nas plantas. Sem condições de pegar a do canal, a água lamacenta chegava a revirar meu estômago.

Por minha causa, nosso ritmo era lento. Estávamos num desvio quando ouvimos o som de um helicóptero.

Rodrigo saiu em disparada na direção do canal, em busca de algum lugar onde fosse possível eles nos verem. Eu o perdi de vista adentrando no meio das árvores. Tentei acelerar o passo, meu pé parecia ter agulhas sendo cravadas nele a cada pisada. Parei para me recuperar da dor e avistei meu amigo retornando, ofegante e cabisbaixo. O som do helicóptero se distanciando.

— Eles devem estar à nossa procura! Precisamos chegar logo ao rio. Como a chuva parou, os barcos podem transitar melhor.

Assenti e o acompanhei com o firme propósito de chegarmos ao nosso objetivo. Caminhamos por horas, mas não conseguimos chegar ao rio. Paramos. A febre me debilitava e não tinha forças para dar nenhum passo a mais. Rodrigo rasgou um pedaço de seu avental. Molhou o tecido e passou em minha testa, no rosto, no pescoço, para tentar conter o aumento da temperatura.

— Teremos de montar acompanhamento — ele disse apoiando a mão no tronco de uma árvore. — Não podemos prosseguir. Já vai anoitecer. Aqui parece um bom lugar.

— Concordo! — Minha voz saiu num sussurro.

Mais uma vez improvisamos o local com folhas, desistimos de fazer a cobertura e nos aconchegamos junto ao tronco da seringueira.

— Impossível estarmos longe! — lamentei inconformada por não termos conseguido alcançar o rio. — Será que estamos no caminho certo?

— Não demos conta da distância percorrida quando o barco virou. Tampouco o tempo que estivemos no canal. Nem sequer sabemos quando entramos nele. A velocidade da correnteza naquele dia foi muito superior à de hoje.

— Você tem razão! Mesmo assim, devemos estar perto.

Ele assentiu.

— Como você está?

— Estou bem!

— Você não parece bem! — avaliou. — Daria tudo por minha valise agora. Tinha todo o necessário nela para cuidar de você.

Tive de sorrir, apesar de me sentir sem forças. Juntei uma perna em frente ao corpo, abraçando-a e a outra mantive alongada para não pressionar o pé.

— Vou arrumar mais água e conseguir algo para comermos. Fique aqui — ordenou levantando de nossa cama improvisada.

— Nossa! Pensava em dar umas voltas. Visitar a vizinhança — brinquei.

Ele sorriu e saiu.

Voltou com frutas. Eu não aguentava mais comer só frutas. Precisava comer algo mais substancial.

— Podemos caçar um animal. Devem ter lagartos ou rãs aqui perto — ele sugeriu e riu ao ver minha careta.

— Isso é nojento! Quero mesmo é comer pão da minha mãe. Ah! Que vontade! — Pensando no pão peguei um dos gomos do cacau e levei à boca.

Pedi a Rodrigo para ele dormir primeiro. Precisava garantir que descansasse, pois não sabia o quanto aguentaria ainda. Minha temperatura parecia estar aumentando.

Fiquei encolhida enquanto ele dormia, tentando a todo custo evitar acordá-lo. Quando não foi possível suportar mais, movimentei de leve seu ombro. Ele sobressaltou e levantou no mesmo instante. Deitei, não consegui dormir. Os calafrios vinham com maior frequência. A sensação de frio intenso, percebi meu corpo no limite. Encolhida, feito tatu-bola, queria emergir em mim, comecei a gemer. Rodrigo pegou o pedaço de tecido molhado, continuou a fazer compressa em minha testa, no tronco. Tudo parecia em vão. Sabia que, neste caso, este seria um tratamento paliativo. A infecção aumentava e meu corpo não era capaz de contê-la. Precisava dos medicamentos.

— Não posso continuar! — murmurei quando Rodrigo tentou me levantar. — Não tenho forças.

— Vou te carregar! — Foi firme e me apoiou nos braços.

— Você não pode. Está tão fraco quanto eu. Estamos há dias sem nos alimentar direito — contestei.

— O que você quer? Não está sugerindo que eu te deixe aqui, não é?

— Eles devem continuar as buscas hoje. Você pode chegar ao rio mais rápido sozinho.

— Pare com isso, Lívia! Não vou te deixar aqui! — Rodrigo falava movendo a cabeça freneticamente.

— Você precisa! Só assim teremos chances de nos salvar. Se ficar comigo vão demorar mais tempo para nos acharem. Não aguentarei muito mais. Você sabe!

— Perdeu o juízo se pensa que vou te deixar aqui!

— Rodrigo, o rio não deve estar longe — ele ainda me segurava com os braços. Queria deslizar ao chão. Deitar. — Aqui eles não nos encontrarão.

— Não posso te deixar! Ande apoiada em mim — ordenou, mantendo os braços ao meu redor.

Passei meu braço em sua cintura. Deixando-o me conduzir.

Recostei-me nele. Percebi Rodrigo sem forças, mesmo assim me ajudou a caminhar um longo tempo.

— Vamos parar, por favor! — supliquei.

Ele parou sem questionar.

— Você pode andar? — ele perguntou, ofegante.

Neguei.

— Então vou te carregar.

— Não seja teimoso. Vá até o rio. Precisa conseguir ajuda.

— E se não conseguir? Não vou suportar lembrar que te deixei aqui.

— Se chegar até o rio e não conseguir ajuda logo, você volta. Não é possível estar tão longe — repeti. — Se estiverem de barco, podem vir através do canal. Será mais rápido — tentei convencê-lo. — Por favor, vá! Preciso de ajuda! Não aguentarei mais uma noite nesta floresta.

— Tubo bem! Vou o mais rápido possível. Você promete me esperar? Arrume forças. Aguente!

Assenti num movimento ínfimo.

— Vou arrumar um lugar para você ficar.

Ele improvisou uma cama com as folhas espalhadas pelo chão. Vasculhou o local para ver se havia algum bicho. Quando ele indicou o lugar, sentei junto ao tronco da palmeira, apoiando as costas nele. Rodrigo deixou a casca do cacau cheia de água do meu lado.

— Fique bem! — ordenou e me beijou o rosto. — Volto logo!

— Rodrigo! — chamei, ele me olhou. — Se eu não sobreviver, diga a Thomas que eu o amo. Mais até que minha própria vida. — Respirei e tentei continuar. — Ele foi a melhor coisa que me aconteceu. Diga também que eu amo o filho dele como se fosse meu.

— Pare com isso, Lívia! Que história é esta de "se eu não sobreviver"? Se você pensa assim, não vou sair do seu lado. Vou te carregar!

— Não seja ridículo! — Tentei sorrir pra ele. — Precisa ir! — Ajeitei-me no chão, tentei respirar mais fundo. — Rodrigo, também te amo. Você é muito especial na minha vida.

— Por favor! Você não está se despedindo. — Voltou em minha direção, as lágrimas escorrendo em sua face.

— Claro que não! Só disse isso para você correr e não se esquecer de mim.

Ele voltou, beijou meu rosto de novo, saiu em disparada. Fechei os olhos, buscando manter-me atenta aos sons ao meu redor. Apesar do zumbido louco no ouvido, provável efeito da febre, podia escutar os pássaros, o movimento das folhas ao vento, o barulhinho da água. Precisava me distrair, não podia me entregar.

Rodrigo não poderia demorar. Podia sentir meu corpo no limite, a dor no peito lancinante, minha cabeça parecia prestes a explodir. O pé dormente, anestesiado pelo inchaço. Precisava arrumar forças. Manter-me firme. Thomas estava me procurando, tinha certeza, ele não desistiria tão facilmente. Se ele não vai desistir, eu também não. Me manterei viva esperando a ajuda chegar. Se não aguentasse, minha família não suportaria me perder. Meu pai, minha mãe, minha irmã. A imagem do rosto de cada um, meus sobrinhos, tios, primas, primos, Lucas, passou por minha mente.

Ah, Lucas! Pensar nele me fez sorrir. Esta criança se tornou tão especial em minha vida. Nem sequer posso imaginá-la sem ele. Devia ser este o tipo de amor da mãe pelo filho. Só poderia ser. Queria vê-lo crescer, se apaixonar, se formar. Portanto, não poderia desistir, precisava lutar para me manter consciente. Pensar em Thomas, o amor da minha vida, parecia me fortalecer. Da mesma forma que não podia viver sem ele, tinha certeza, também não viveria sem mim. Outra perda em sua vida, seria insuportável. Tenho de sobreviver por ele. Lembrei-me de quando estávamos deitados na cama, minhas pernas entrelaçadas nas dele. Aconchegada em seus braços. Tão segura.

Abracei minhas pernas e encostei minha cabeça nos joelhos, recordando esses momentos. Do toque dele. De sua voz sussurrando em meu ouvido depois de fazermos amor. De quando ele me abraçava e fazia-me esquecer tudo ao redor.

Lucidez e delírios iam e vinham. Quando as sensações tornaram-se insuportáveis, deitei na relva fria. Ali, mantive-me abraçada em mim mesma.

Não sei se devido à dor, à febre ou pela dificuldade de respirar, desejei mesmo que tudo acabasse. Meu corpo já não suportava mais. Comecei a rezar pedindo o fim. E rezando perdi completamente a consciência.

Capítulo 29

Os sons ao meu redor, não mais pareciam ser os da floresta. Não havia barulho de água, ou de folhas se movimentando ao vento, ou do canto de pássaros. O som, apesar de diferente, também era conhecido, intermitente. Tentei resgatar na memória, não o identifiquei. A última coisa da qual me recordava era do contato com a relva úmida, a superfície da minha pele quente, divergente da sensação de frio que percorria meu corpo, fazendo-me tremer.

As dores desapareceram. Talvez por eu estar entorpecida. Anestesiada. *Estaria morta?* Bem provável! A dificuldade em abrir os olhos reforçava a sensação. Insisti em elevar as pálpebras, elas não me obedeciam. Desisti. Se morri, iria aproveitar, entregar-me. Deixei minha mente vagar no vazio da escuridão.

O barulho do bip intermitente tirou-me do torpor.

— Posso entrar? — A pergunta vinha de uma voz conhecida. Era Rodrigo. Queria responder, mas não conseguia. — Ela não acordou?

— Ainda não! — Reconheceria aquela voz em qualquer lugar. Mesmo se estivesse morta.

— A febre passou! É bom ela repousar. Ajudará na recuperação. — Rodrigo parecia cansado.

Queria responder. Dizer que estava bem. Só que meu corpo não obedecia à minha vontade.

— Ela mexeu a mão! — Thomas exaltou eufórico. — Lívia! Meu amor? Você está bem. Ficará tudo bem. Está salva.

Senti tocarem minha testa. Forcei a abrir os olhos, queria muito tranquilizá-lo. Em vão. A sensação de estar presa permanecia.

— Os medicamentos são muito fortes. É natural este estado de inconsciência. Ela logo acordará.

Claro, os medicamentos. Ao menos não morri. Devia estar no hospital. Se Rodrigo estava aqui, provavelmente ele ficou bem. Relaxei e me entreguei, mais uma vez, ao estado de inconsciência.

A primeira sensação ao despertar foi de meu corpo aquecido. Desta vez, minhas pálpebras obedeceram. Pisquei algumas vezes para focar o olhar. O rosto de Thomas preencheu meu campo de visão.

— Oi! — ele disse ao acariciar meu rosto. — Você está segura agora — confortou com os olhos marejados.

Queria elevar minha mão, acariciar seu rosto também. Não consegui, faltava-me forças. Desviei o olhar para o scalp do equipo de soro introduzido em minha pele.

— Como você se sente?

— Entorpecida. — Minha garganta arranhou. Tentei engolir.

— O Rodrigo disse que se sentiria assim.

— Ele está bem?

— Muito bem! Esteve aqui e voltará mais tarde.

— Ele salvou a minha vida.

— Eu sei! — Suspirou. — Só por isso não o matei quando o encontramos sozinho. Ele disse que te deixou na floresta.

— Era preciso! — Tentei sorrir. — Foi você quem me encontrou?

— Um dos barcos localizou Rodrigo na margem. Passaram um rádio, eu estava perto. Quando cheguei e vi você deitada daquele jeito — Thomas meneou a cabeça —, nem posso lembrar. O medo de te perder foi enorme. Quando Carlos ligou dizendo que vocês não tinham retornado, fiquei maluco. Queria pegar o barco na mesma hora. Era noite. Meus pais me imploraram que não fosse. Tentavam me tranquilizar, dizendo que vocês tinham ficado na vila. No dia seguinte a chuva continuou. Carlos e eu saímos com o barco e conseguimos localizar o Juvenal. Quando a chuva passou, pedimos ajuda a todos os conhecidos. Jamais desistiria até te encontrar.

— Sabia que você me encontraria. — Envolvi seu rosto com a mão livre e o trouxe junto ao meu peito, acariciei seus cabelos. — E o Juvenal? — perguntei ao lembrar daquele homem sábio e corajoso.

— Ele está bem. Conseguiu alcançar a margem logo depois do local onde o barco virou — disse elevando a cabeça de meu peito. — Seus pais estão aqui.

— Não acredito! Meu pai veio?

— Avisei a eles no dia seguinte do acidente e eles, de imediato, pegaram o primeiro voo junto com sua irmã. Estavam aqui até há pouco. Mas foram à fazenda, tomar banho e comer. Logo estarão de volta.

— Há quanto tempo estou aqui?

— Três dias! — Ele beijou minha testa.

— Quero ver o Lucas — pedi. — Onde ele está?

— Está na fazenda. Posso pedir para alguém trazê-lo mais tarde, mas é melhor você descansar — pediu passando a mão com suavidade em minha face.

— Estou bem!

— Quero ir com você! Já contei minha decisão a meu pai.

— Do que você está falando?

— Da sua especialização. Vou com você. Isto é, se você quiser.

— Não! — gritei. Comecei a tossir. Engoli em seco. — Preciso tomar água.

Thomas pegou o copo e trouxe até meus lábios. Deixei o líquido ser absorvido com suavidade, engoli.

— Não é por não querer que vá. — Devolvi o copo a ele. — Simplesmente não vou.

— Por quê?

— Porque quero ficar com você. Não quero mudar sua vida por minha causa. Quero fazer parte da sua, e não que você faça parte da minha. Quer dizer, também o quero fazendo parte da minha. Só não desse jeito.

— Não estou te entendendo — Thomas disse, confuso.

Na verdade, também não estava conseguindo muito organizar meus pensamentos. Devia ser efeito dos medicamentos.

— Olha! Vou ficar aqui com você e o Lucas. Quero construir uma vida juntos. É só o que importa para mim. Quem quer viver este amor sou eu. Nada é mais importante que isto.

— Mesmo?! Você desistiu da residência?

Assenti e abri o sorriso ao ver sua expressão preocupada.

— Você tem certeza? Não vai se arrepender depois?

— Não! Estou certa que não.

— Então você vai se casar comigo?

— Se você pedir de novo... quem sabe?

— Peço quantas vezes for preciso.

Ele me envolveu num abraço.

— Preciso levantar! Quero tomar banho.

— Acho que você não pode. Vou chamar a enfermeira — avisou pressionando o botão da campainha.

Estava desperta, sem dor, sem febre. Precisava mesmo de um banho. Queria escovar os dentes, lavar os cabelos. Meu pé devia estar imobilizado. Também senti uma faixa na região do tórax. Suspirei, provavelmente teria de ficar de molho algum tempo.

Ajudada pela enfermeira, consegui levantar e tomar banho. Remover aquela sensação pegajosa de estar deitada há tanto tempo foi bom, ainda que tivesse de banhar meu corpo sentada por não poder apoiar o pé engessado no chão. Felizmente ela removeu a faixa do tórax durante o banho.

Ao voltar para o quarto, Thomas me contou sobre as intensas buscas realizadas para nos encontrar. Até o exército foi acionado, eram eles no helicóptero, além de muitos barcos de pessoas da região, todos empenhados em nos localizar.

Os comentários dele foram interrompidos por duas batidas na porta, Rodrigo entrou.

— Que bom ver que está bem! — Sorri para ele.

— Vou tomar um café! — Thomas avisou saindo do quarto.

— Também estou feliz por vê-la bem. Não faz ideia de como tive medo que você não aguentasse — disse com a voz trêmula pela emoção.

— Obrigada! Você salvou a minha vida! Não estaria aqui se não fosse você — pausei. — Você está bem? Não precisou ficar internado?

— Não! Ficou tudo bem comigo.

— Sorte a sua! — brinquei.

— Nem tanto! Vou voltar a trabalhar amanhã!

— Parece que terei de ficar de molho algum tempo. Na verdade, não sei se isso é sorte. — Levantei minha perna engessada.

Ele sorriu.

— Você tem razão!

— E aí doutor, qual o diagnóstico? — perguntei apontando meu pé.

— Seu tornozelo teve de ser imobilizado, foi um estiramento de tendão. Não poderá apoiar o pé no chão por pelo menos um mês — relatou. — Você apenas trincou a costela; enfaixaram para auxiliar na recuperação. A pneumonia estava em quadro avançado e tiveram de sedá-la para o tratamento ser mais eficaz.

— Puxa! Caprichei mesmo!

— Tivemos muita sorte! Os dois! — ele falou pegando em minha mão. — Você vai mesmo ficar? — confirmei. — Tem certeza?

— Tenho! Tudo pelo que passei nestes últimos dias foram suficientes para me fazer enxergar o que realmente quero para minha vida. Do que não consigo abrir mão.

— Eu ainda tenho a sensação de que podia ter feito mais pra te conquistar.

— E quem disse que você não me conquistou? Você é o amigo mais querido, sincero e especial da minha vida. Eu te amo! Pode não ser da forma que você gostaria, ou pensa que gostaria. Ainda assim, meu sentimento por você é forte. Este sentimento vai além de uma simples amizade.

— Farei de conta que concordo com você — ele disse acariciando meu rosto. — Vou deixá-la descansar! — Inclinou-se e beijou meu rosto.

— Verei você de novo?

— É claro, doutora! Nos encontraremos no trabalho. — Piscou para mim e saiu do quarto.

Recebi muitas visitas. Ana, Carlos, Clarice, Maria, enfim, todos os meus queridos amigos vieram me ver. Apesar da presença da minha família, Thomas não saiu do meu lado. Ele cuidou de mim o tempo todo. A enfermeira só me ajudou no primeiro banho, depois ele assumiu por completo. Somente numa noite pedi a ele que fosse descansar na fazenda. Thomas contestou, mas como minha mãe ficaria comigo, cedeu. Dava-me pena vê-lo dormir encolhido no pequeno sofá do quarto do hospital. Além do mais, sabia que ele não deveria ter dormido bem desde o acidente.

No sexto dia de internação, deram-me alta. Não aguentava mais ficar no hospital. Uma coisa era trabalhar em um, outra bem diferente, ficar internada. Queria ir embora, estar com minha família.

Thomas não deixou ficarmos em minha casa. Ele insistiu em nos receber na fazenda, comentando que estaríamos melhor acomodados.

Quando minha família chegou, antes de me encontrarem, ficaram em minha casa. Pegaram a chave reserva com o proprietário. No dia seguinte Thomas os levou para a fazenda. Como eles já estavam instalados, não me restava outro lugar senão ficar no quarto dele. Depois de tanto tempo separados, esperava ansiosa para ficarmos sozinhos. Na verdade, contava os minutos.

Logo após o jantar, ainda na sala, com minha família me rodeando e a dele também, Lucas veio deitar junto a mim, aconchegando-se no meu colo. Ele estava quieto. Durante muito tempo acariciei seus cabelos, até ele dormir.

Aos poucos todos foram se recolhendo e Thomas me carregou para o seu quarto.

— Está confortável? — ele perguntou ao me colocar sentada na cama.

Mantive os braços ao redor do seu pescoço.

— Na verdade não! — respondi cheirando seu pescoço.

— Do que você precisa?

— De você! — Beijei seu pescoço, quando agarrei seus ombros, buscando fazê-lo deitar sobre mim, ele se afastou.

— Espere! — pediu soltando minhas mãos. Ficou em pé.

— Ah não! — choraminguei. — Já esperei demais! Onde você vai?

— Já volto! — Thomas foi até o armário. Abriu a porta. Pensei que pegaria o pijama, mas não, ele voltou com a caixinha na mão.

Já sabia o que aquela caixinha significava. Enquanto caminhava em minha direção, os olhos dele brilhavam. O azul se intensificava. Ele parou ao lado da cama, ajoelhou-se, colocou a caixinha na palma da minha mão.

— Lívia! Nunca imaginei amar alguém como amo você. Você é a razão para eu viver. Desejo passar o resto da minha vida ao seu lado. Você me dá a honra de se casar comigo?

Passei minha mão livre em seu rosto, fiz um carinho, deslizando os dedos por sua face.

— Sim! — Beijei sua boca, selando nosso compromisso. — Eu amo você! — falei junto ao seu rosto.

Afastei-me dele, abri o pacote, que já fazia tempo esperava para ser aberto. Tirei o laço dourado, o papel marrom. Lá estava a caixinha preta. Destravei o fecho com cuidado. Dentro, o anel de noivado brilhava. Os três diamantes em tamanhos diferentes, entrelaçados por uma tira de ouro e envolvidos pelo aro dourado, unindo o conjunto.

— É lindo! — exclamei. — Obrigada!

Thomas pegou a caixinha da minha mão, retirou o anel, colocou-o em minha mão direita, depois beijou cada um de meus dedos.

— Serviu perfeitamente! — constatou. Seus olhos estavam úmidos.

Admiramos a peça de ouro em meu dedo. Ele pegou minha mão, beijou a palma, subiu por meu braço, deslizando os lábios até chegar ao pescoço. Passei minhas mãos pelos seus cabelos, o trouxe junto a mim. Beijei seu rosto, fomos nos beijando até nossos lábios se encontrarem. Não importava quanto tempo já estivéssemos juntos ou quantas vezes nos tocássemos, eu continuava a sentir meu corpo arrepiar ao toque dele. Por onde sua mão passava, formava um rastro de fogo. Senti tanto a falta destes toques, mais ainda enquanto estive na floresta.

— Que saudade de você! — sussurrei.

Ele tirou minha roupa. Tomou todo o cuidado com meu pé e minhas costas. Tirei sua camiseta. Estávamos de novo juntos. Completamente juntos. Sentir sua pele, seu corpo, as mãos dele a percorrer o meu, não existia sensação melhor. Esta era a forma de expressarmos o amor que sentíamos. Principalmente depois de todos os acontecimentos dos últimos dias.

Após a tensão do acidente, minha família agora parecia aliviada. Meus pais ficaram felizes em saber de nosso casamento, embora isso significasse viver longe deles. Eles viram por si mesmos, não havia outro caminho. Thomas e eu éramos só risos. Nossa felicidade transparecia. Além disso, eles adoraram a família de meu futuro marido.

Norma e Conrado eram muito receptivos. Acolheram minha família de forma carinhosa. Conrado e meu pai se deram muito bem, já foram até pescar juntos. Ele ficou encantado com o lugar. Minha mãe também se deu bem com Norma; sem falar das afinidades de ambas terem optado pela mesma profissão.

No final de semana, meus pais e Laura teriam de partir, por isso Thomas quis oficializar o pedido de casamento. Achei bobagem, não precisava. Afinal, ele já tinha me pedido em casamento, não fazia sentido pedir de novo. Ele insistiu, queria aproveitar meus pais e os dele juntos. Não resisti a aceitar a vontade dele, principalmente quando ele me dava aquele sorriso de tirar o fôlego. Impossível!

Assim, fizemos no sábado à noite. Fizemos não, porque não fiz nada. Minha mãe e Norma prepararam o jantar. Era mais uma comemoração, do que um pedido de casamento. Apesar de parecer só mera formalidade, fui surpreendida com Thomas, emocionado, colocando a aliança em meu dedo, junto do anel de noivado. Fiz o mesmo com ele, sem conseguir evitar as lágrimas.

Minha mãe e Laura também choraram. Lucas pulava para todos os lados, animado. Várias vezes ele veio se sentar ao meu lado. Ficou esperando meus carinhos. Sempre me beijava.

Ganhamos, como presente de Laura, a planta de nossa casa. Por decisão de Thomas, iríamos morar na cidade. Ele queria que eu ficasse próxima do trabalho. Lucas adorou, animado com a nova expectativa de mudança. Essa nova possibilidade de família devia estar preenchendo seu coraçãozinho.

Ele, de novo, adormeceu no meu colo. Thomas o levou para a cama acompanhado por Laura, que iria pegar um filme no quarto dele. Meu pai e Conrado continuavam sentados no sofá conversando. Minha mãe e Norma permaneceram na cozinha, tecendo as histórias vivenciadas nas salas de aula. Cansada de ficar sentada, peguei minha muleta e decidi sair um pouco.

Ao cruzar a porta o ar fresco envolveu meu rosto. Caminhei até a mureta ao lado da escada, apoiei meus braços nela. Era a terceira noite de lua cheia, o círculo resplandecente iluminava todo o gramado e exaltava o céu limpo, estrelado. Alguns pingos, da garoa caída no final da tarde, cintilavam na grama, nas folhagens das plantas. O aroma da vegetação úmida, misturado ao das flores, envolveu-me. Apreciei este contato com a natureza como se estivesse renascendo. Passei por tantas emoções turbulentas na última semana, dúvidas, incertezas, sofrimento. Agora me sentia leve. As mudanças ocorridas no último ano me transformaram. Proporcionaram-me crescer, amadurecer. Conquistei uma nova família. Conheci dois tipos de amor que me fizeram despertar para outra possibilidade em minha vida. Apontaram-me para outro caminho. Talvez por isso estivesse tão em sintonia com a natureza que se manifestava ao meu redor.

— Você está aí! — Thomas exaltou , chegando ao meu lado. Passou os braços em minha cintura. — O que faz aqui sozinha?

— Nada! Está quente lá dentro, vim me refrescar. — Sorri. — Veja que noite maravilhosa. A lua está tão linda! Sinta o aroma penetrante da natureza.

— Você tem razão! — Ele suspirou.

Continuamos abraçados, apreciando e vivenciando a paz a nos envolver. Era tudo tão perfeito. Aí me lembrei de algo.

— Você está me devendo!

— O quê? — Encarou-me, franzindo as sobrancelhas.

— Uma noite sob o luar — respondi aconchegando-me em seus braços.

— É verdade! Preciso pagar. — Ele se inclinou e colou nossos lábios.

— Espero ansiosa por esse dia.

Final

— Tem certeza de que quer voltar a trabalhar hoje? — Thomas perguntou ao me ajudar a subir na *pick-up*.

— Quero! Estou bem! Não faz sentido eu ficar em casa. Precisam de mim.

Após duas semanas do acidente, ainda não conseguiram me substituir e a Unidade continuava sem pediatra. Apesar da restrição do meu pé, sentia-me recuperada. Aliado a esta sensação também não gostava de ficar em casa o dia todo. Assistir a todos trabalhando e eu atrapalhando, sem poder fazer nada, tornava-se incômodo. Notei que, quando Norma percebia meu desânimo, deixava seu trabalho e vinha me fazer companhia. Thomas também voltava à sede da fazenda várias vezes ao dia, para confirmar, insistentemente, se eu estava bem. Apenas Lucas me proporcionava alguma distração, permitindo que eu o ajudasse nas tarefas da escola.

— Se você não se sentir bem — ele reforçou pela milionésima vez —, ou se o seu pé começar a inchar, você me liga. Vou te buscar na hora.

— Ficarei bem! — tranquilizei-o. — Além do mais — pisquei para ele —, estou cercada de profissionais de saúde — brinquei.

Ele estreitou os olhos.

— Tudo bem! Eu ligo se precisar. Maria já deve ter preenchido toda a agenda para hoje e não vou deixar as crianças sem atendimento.

Ao virarmos a esquina, percebi um intenso movimento, muito além do habitual, de pessoas próximas à Unidade.

— O que aconteceu? — questionei.

Thomas deu de ombros, parecendo tão surpreso quanto eu.

A rua estava praticamente obstruída. Crianças, das mais variadas idades, desde bebês até adolescentes. Rostos conhecidos, pacientes frequentes meus, os quais eu sabia inclusive os nomes, acompanhados pelos pais, faziam a maior algazarra, gritavam meu nome, batiam palmas, assoviavam.

Além deles, identifiquei alguns funcionários da Unidade, ocupando não só a rua, mas a calçada e o gramado em frente ao prédio.

— Não acredito! — exaltei abrindo a porta da *pick-up*.

Thomas veio me ajudar. Apoiei-me na muleta. Assim que desci, várias crianças me rodearam, algumas delas envolveram-me num abraço. Retribuí.

— Bem-vinda, doutora! — gritaram em coro.

— Obrigada! Vocês são muito especiais!

Carlos veio ao meu encontro.

— Eles souberam de seu retorno. Quiseram fazer uma surpresa — comentou com o sorriso estampado no rosto corado.

— Nossa! Não esperava! — Enxuguei as lágrimas escorrendo pelo meu rosto.

— Esta é a retribuição deles pela sua dedicação.

Emocionada, faltou-me palavras para expressar a gratidão por tanto carinho. Fazia meu trabalho como achava que deveria ser feito. Dedicava-me a ele por amar minha profissão. Não pensei poder fazer tanta diferença a estas crianças. Tentando conter a enxurrada de lágrimas desaguando, agradeci e beijei tantos rostinhos quanto consegui.

Depois da minha calorosa recepção, iniciei os atendimentos do dia. Conforme previ, minha agenda estava cheia. Passei a manhã toda fazendo atendimento, fechada em minha sala. Maria auxiliou-me, como sempre, principalmente por eu não conseguir fazer muitas ações, devido à limitação imposta pelo pé engessado.

No final da manhã, Dona Dejanira trouxe os dois filhos na consulta. Eles faziam parte de um grupo de crianças com diagnóstico de desnutrição acompanhado por mim.

— Puxa, seus filhos estão muito bem! Parabéns! Posso ver que saíram do quadro de desnutrição.

— Doutora, tô tão feliz, precisa *vê* como eles melhoraram. A Lucinha nem brincava direito, agora ela até corre no quintal. Brinca com o irmão. Tá esperta que só vendo. Quero *agradecê* doutora, porque o que a senhora ensinou melhorou eles.

— Não, Dona Dejanira, sua dedicação é que melhorou a saúde dos seus filhos. Fico muito aliviada de ver como eles estão bem.

— Não doutora, se a senhora não tivesse me ensinado aquelas coisas pra cozinhar pra eles, eu não ia nem saber que eles tavam doentes. Nem sabia de nada. Só agora vejo como a vida deles melhoro.

A mulher se despediu com os olhos marejados. Tive dificuldade de segurar a emoção.

Rodrigo surgiu na porta entreaberta.

— Posso entrar?

— Claro!

— O que aconteceu? Você está chorando?

— Difícil não chorar. — Passei a mão no rosto, enxugando as lágrimas.

— É mesmo! Foi muito legal o que eles fizeram hoje, não foi? Também me emocionei.

— Foi mesmo. Totalmente inesperado. Só não é por isso que estou emocionada agora!

— Não?! Então o que aconteceu?

— Esta paciente que acabou de sair tinha seus filhos com grave caso de desnutrição. Fiz o diagnóstico no dia em que cheguei aqui.

Ele movimentou os ombros.

— E daí?

— Daí que eles se recuperaram. Estou emocionada, porque acabo de perceber o quanto meu trabalho pode fazer a diferença para o povo daqui.

— Concordo! Você é boa profissional. A pediatria também é uma vocação e você a tem, assim como tem para cirurgia. Na verdade, você poderia fazer qualquer coisa que quisesse — constatou.

— Não tenho tanta certeza. Contudo, agradeço o elogio. E você? Está bem? Não nos vimos mais, depois de sua visita no hospital.

— Pois é! Gostaria de ter lhe visitado. Só não me senti à vontade de ir à fazenda.

— Bobagem. Você é meu amigo. Ficaria feliz com sua visita.

— Eu sei! — Ele fez uma pausa, franziu os lábios. — Já me decidi. Vou para Michigan.

— Mesmo?! Fico feliz por você. Quando pretende partir?

— No próximo mês! Vou pedir minha exoneração. Quero ficar um tempo em Cuiabá, antes de viajar. A Ângela vai comigo.

— Nossa, isso é bom! Vou torcer para dar tudo certo com vocês.

— Obrigado!

— Vou sentir sua falta! Você vai me escrever? — perguntei.

— Claro que vou! Isto é, se você quiser.

— Você tem alguma dúvida? Não podemos perder contato. Vem me dar um abraço. — Estendi meus braços em sua direção.

Ele contornou a mesa. Fiquei em pé, nos abraçamos.

— Obrigada por tudo! Jamais vou me esquecer de você. Espero que seja muito feliz! — desejei.

— Também espero que você tenha feito a melhor escolha. Seja também muito feliz!

Sorri observando-o deixar minha sala. Nós ainda nos encontraríamos, porém sabia ser este nosso momento de despedida.

Thomas veio me buscar no final da tarde.

— Você está bem? — Quis saber.

— Estou!

— Parece muito cansada. — Fixou os olhos em mim, avaliando-me.

— Um pouco — concordei.

Meu desânimo não era pelo cansaço físico. Na verdade, estava triste em me despedir do Rodrigo. Nós nos tornamos bons amigos, como ele mesmo mencionou diversas vezes. No entanto, ele parecia magoado comigo. Gostaria muito que ele se apaixonasse mesmo por alguém, e que esta pessoa correspondesse aos sentimentos dele. Suspirei.

Thomas me encarou.

— Não foi nada! — Sorri. — Sabe, hoje foi um dia muito bom!

Ele me questionou através do olhar.

— Atendi uma mãe cujos filhos eram desnutridos — contei-lhe a história de Dejanira.

— Você faz mesmo diferença a estas pessoas, tanto quanto faz muita diferença para mim. — Thomas beijou-me.

— Vamos para casa!

Avistar Thomas me esperando junto ao altar ornamentado de flores, montado no gramado da fazenda, fez meu coração explodir de felicidade. Lucas, como nosso pajem, desviou minha atenção e evitou que o nervosismo me dominasse. Ele parecia uma miniatura de homem. Segurei com firmeza no braço de meu pai e o deixei conduzir-me.

Os últimos três meses passaram como um *flash*, tantos preparativos, ansiedade e alegrias para esse momento perfeito. Minha família toda conseguiu vir, tios, primos, primas. Apesar de ter sido trabalhoso arranjar lugares para acomodar a todos, ver suas expressões enquanto caminhava até meu futuro marido fazia tudo valer a pena.

Marido! Mal podia acreditar...

Thomas sorriu ao me receber dos braços de meu pai. Ele beijou minha testa e neste instante fui banhada pelo tremor de excitação. Entrelaçamos as mãos e juntos caminhamos até o padre para iniciar a cerimônia. Tendo nossos amigos e família testemunhando nossa união, fomos abençoados com um belíssimo pôr do sol sobre a floresta ao fundo.

Um ano depois do casamento nossa filha nasceu. Gabriela foi concebida em uma noite sob o luar. Ao observar Thomas ninando a bebezinha de apenas dois meses, na sala de nossa casa, recém-construída, mal conseguia acreditar no quanto ganhei. Não sei se nossa família se completou, mas eu com certeza me sentia completa. Quando cheguei a esta cidade há pouco mais de dois anos, jamais poderia imaginar que encontraria tamanha felicidade. Um caminho completamente diferente daquele traçado por mim.

Às vezes Rodrigo me mandava notícias. Ele comentou estar adorando a especialização. Ele e Ângela não estavam mais juntos, resolveram se separar. Ela continuou a aproveitar a estadia na América do Norte para fazer um curso de aperfeiçoamento do inglês. Ele confessou estar saindo com uma médica australiana que ele conheceu cursando residência no mesmo hospital.

— Mamãe? Você pode ler para mim? — Lucas perguntou entrando na sala, carregando seu livro nas mãozinhas.

— Claro, filho! — Peguei em sua mão, acompanhei-o até o quarto. — Vamos! Vou ler para você.

Sabia que essa rotina não durará muito mais tempo, pois ele estava crescendo rápido demais. Logo se tornará adolescente. Não me pedirá mais que leia para ele, por isso vou de boa vontade.

Nem acabei a história, ele adormeceu. Acariciei seus cabelos, têmporas, seu rostinho de anjo.

— Ele dormiu? — Thomas perguntou parado à porta.

— Sim! E a Gabriela também?

— Já! Está no berço. Venha, coloquei uma música para nós. — Estendeu a mão para mim.

Chegamos à sala. Thomas me abraçou. Deixei-me envolver pelos seus braços. Encostei minha têmpora em seu peito. Ele me conduzia com a suavidade da canção.

— Isto me fez lembrar nosso casamento. — Recordei do momento tão especial. Abri um sorriso. — Foi a primeira vez que dançamos juntos.

— Espero podermos fazer muitas coisas juntos pela primeira vez. — Beijou minha testa, como se selasse uma promessa.

Continuamos a dançar, deixando a música nos conduzir. Ao som da voz de Norah Jones, vivenciamos o nosso amor.

Sabia o quanto estes momentos eram únicos. Estávamos apenas começando nossa vida juntos. Provavelmente teríamos momentos de dúvidas, incertezas, escolhas, conflitos e transformações, porém uma coisa era certa: o amor que nos uniu e me despertou completamente para a vida só crescerá.

Vida Nova

Rodrigo

Saí do plantão para respirar o ar denso e gélido de Chicago. Levei o copo de café aos lábios, a bebida fria. Resisti a tentação de cuspi-la e empurrei garganta abaixo. Caminhei em direção ao jardim e arremessei o copo no cesto de lixo.

— Droga! — vociferei.

Enfiei a mão no sobretudo e peguei o celular. Mais uma vez abri o e-mail de Livia. Ah, se ela soubesse quão boa parece ter sido a escolha que fez há dois anos. Seria muito sofrido ter de vê-la passar pelo que estou passando.

Do alto do jardim, mirei no estacionamento em frente. O Audi prata estacionou na única vaga ainda existente. Meu coração acelerou. *Devia ser o café*.

Observei a mulher descer, tentando equilibrar nas mãos uma pilha de livros e pastas. Ao fechar a porta, ela desequilibrou e a pilha foi ao chão.

Corri para ajudá-la.

— *Can I help you?* (Posso te ajudar?) — ofereci.

Ela deu um salto, cerrou os olhos e começou a pegar um dos livros do chão úmido e colocou sobre o teto do carro.

— Não é necessário! — respondeu em português.

— Doutora Mirela, você poderia ser mais educada com seu conterrâneo.

— Doutor Rodrigo, não é necessário sua ajuda — repeliu-me.

Ainda assim, abaixei e peguei alguns exemplares espalhados no solo úmido. Limpei no sobretudo tirando os resquícios de folha grudados, antes de entregá-los a ela.

Mirela me encarou.

— Por que esse risinho cínico estampado em seu rosto?

Abri ainda mais o sorriso. Esta mulher conseguia mudar meu humor.

— Não sei como uma cirurgiã tão experiente e boa como você consegue ser tão desastrada, *às vezes*.

Mirela jogou todos os livros de sua mão sobre o capô e me fitou com desdém.

— Talvez se fosse tão prepotente quanto o senhor, seria perfeita. No entanto, não tenho a menor intenção de sê-lo.

— Ui! — exaltei. — Esta doeu.

Ela mais uma vez cerrou os olhos.

— Estou brincando com você — eu disse. — Não aceita brincadeira?

— Não estou em um bom dia.

— Também não! — confessei.

— O que aconteceu?

— Minha última cirurgia não teve o resultado esperado. O paciente morreu antes mesmo de conseguirmos concluí-la. Tentamos reanimá-lo, foi em vão.

— Sinto muito! Infelizmente faz parte de nossa rotina.

— Sei disso, mas ainda dói mesmo assim.

Ela assentiu e começou mais uma vez a juntar os livros. As mãos delicadas e alvas tocaram o cabelo e prenderam uma pequena mecha atrás da orelha. Uma folhinha de árvore ficou presa entre os fios. Aproximei-me e retirei. Mirela se retraiu.

— Desculpe! — pedi. — Por que você não está bem?

Ela expirou e me encarou.

— Jeffrey vai se casar.

— Seu ex?

— Sim! Namoramos por cinco anos e de repente ele resolve se casar após seis meses de namoro com outra.

— Que tal você revidar e aceitar o convite que faço há tempos para jantarmos.

Os olhos verdes continuaram a me observar, ela movimentou a cabeça.

— Você sabe muito bem que não saio com colegas de trabalho. Especialmente quando estão na mesma equipe. Além disso, não estou querendo entrar em sua lista de conquistas.

— Quem disse isso?

— Toda a Chicago sabe. Não é segredo para ninguém. Principalmente com colegas de trabalho.

— Estou longe de ser esta pessoa que me rotulam. Meu jeito brincalhão, às vezes, pode enganar. Além disso, só saí com a Mya e ela nem trabalha mais aqui.

— Não estou interessada! — disse e fechou a porta do carro, parecendo tentar escapar de meu olhar.

— Será? — brinquei e percebi seu rosto se tornar rosado.

A pele alva ganhou tons avermelhados. *Seria pelo vento frio batendo em nossos rostos?*

Ela não respondeu. Simplesmente virou, pegou os livros, saiu contornando o carro e me deixando no vácuo. Precisava confessar que de todas as mulheres que já passaram pela minha vida, Mirela parecia a mais difícil de conquistar. Desde minha chegada, ela chamou minha atenção. Determinada, segura e solidária, ela só parecia manter o distanciamento de mim. Talvez estivesse na hora de investir mais em um relacionamento sério. *Por que não?*

Playlist

- Viva La Vida – Coldplay
- Sweet Child O' Mine – Guns N'Roses
- Quem Ama Cuida – Aviões do Forró
- Cai a Noite – Capital Inicial
- Linger – The Cranberries
- Wherever You Will Go – The Calling
- Encontrar Alguém – Jota Quest
- Somewhere Only We Know – Keane
- Save me – Hanson
- Don't Know why – Norah Jones

Agradecimentos

Sou grata a Deus por ter me abençoado com a capacidade para escrever histórias. Aos meus pais, Joaquim e Maria, pelo amor que me dedicaram e por tudo que me ensinaram. Agradeço a meu marido Edson, pelo carinho, paciência e incentivo sempre. Minha gratidão aos meus queridos filhos, Bruno, Arthur e Vitor pela oportunidade de vivenciar a mais pura e bela forma de amar. Agradeço imensamente a minhas queridas irmãs Jacira e Claudia, por serem minhas amigas e confidentes, e a todos os meus irmãos por terem sido sempre bons exemplos para mim.

A toda minha querida família, cujo amor que compartilhamos me alimenta a alma. Uma história pode se tornar um livro se outros, além do autor, tiverem a boa vontade de conhecê-la, estas queridas amigas não só leram como também me incentivaram a publicá-la, obrigada Verônica Alencar, Renata Mello, Regina Nicolete e Alóide Ladeia, por lerem o primeiro esboço deste romance, que foi minha mais ousada pretensão, quando decidi me aventurar pelo universo literário. Dez anos após a publicação da primeira edição, sou grata por todas as experiências que vieram a partir deste desafio, inclusive por ter conhecido pessoas tão maravilhosas quanto Fabíola Simões, Halice FRS e Leila Rego, que gentilmente leram a história revisada e compartilharam suas percepções preenchendo meu coração de alegria.

Assim como é necessário a leitura de pessoas próximas, o olhar profissional é essencial, então obrigada James Mcsill, pela mentoria que me trouxe conhecimento para tornar o texto deste livro "muitíssimo melhor".

Gratidão imensa a minha editora Catia Mourão pela disponibilidade em publicar esta edição especial. E aos meus leitores. Saibam que é para vocês que escrevo, pois histórias são criadas para serem lidas.

Visite as páginas oficiais

www.lereditorial.com

twitter@Ler_Editorial

www.facebook.com/lereditorial

www.instagram.com/lereditorial

pinterest.com/lereditorial/